# 잘 고른
# 300제

추리논증 | 정답 및 해설

목가로스쿨 오오답리요구사

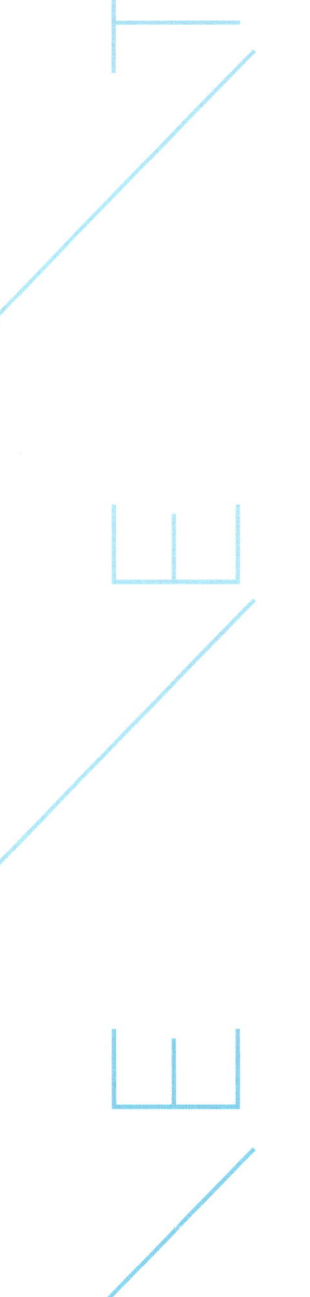

LEET 메가로스쿨

## 2027

# 빠른답 찾기

# 1

| 정답 | ③ | 내용 영역 | 사회 |
|---|---|---|---|
| 난이도 | ★☆☆ | 문항 유형 | 언어 추리 |

**접근 전략**

제시문의 정보를 통해 선지의 정오를 판단하는 문항 유형으로, 이익조정 행위의 정의와 분류를 파악해야 한다.

**제시문 분석 & 해설**

ㄱ. 적절하다. 2문단에 따르면 실물이익조정은 생산이나 판매에 대한 의사결정을 통해 자원이나 자금의 흐름에 실제로 영향을 주어 이익을 조정하는 것을 말한다. 기업 A의 경영자는 생산량을 비정상적으로 늘려 자원 흐름에 실제로 영향을 주는 방식으로 당기 이익을 높이고자 했다. 또한 회계기준에 어긋나지 않는 범위에서 조정이 이루어졌으므로, 기업 A의 조정은 실물이익조정에 해당한다.

ㄴ. 적절하지 않다. 3문단에 따르면 장부상 이익조정은 실질적 자원이나 자금 흐름과는 무관해야 하지만, 기업 B의 경영자는 광고비를 대폭 늘려 지출함으로써 자금 흐름에 실제로 영향을 주었다. 따라서 기업 B의 조정은 장부상 이익조정에 해당한다고 보기 어렵다.

ㄷ. 적절하다. 3문단에 따르면 장부상 이익조정은 실질적인 자원의 흐름과는 무관하게 회계처리 방식의 변경을 통해 이익을 조정하는 것이다. 기업 C의 경영자는 재고자산 단가 계산 방식을 바꾸어 이익을 상향 조정했는데, 이는 회계기준 범위 내에서 장부에 반영되는 이익을 상향 조정한 것이므로 장부상 이익조정에 해당한다.

# 2

| 정답 | ⑤ | 내용 영역 | 법규범 |
|---|---|---|---|
| 난이도 | ★☆☆ | 문항 유형 | 언어 추리 |

**접근 전략**

구체적인 상황을 원리에 적용해야 하는 원리 적용 유형으로, 주어진 규정에서 동대표자가 될 수 없는 경우와 기간의 계산에 유의하여 풀이해야 한다.

**제시문 분석 & 해설**

① 옳지 않다. 제1항에 따르면 입주민대표회는 공동주택의 각 동별로 선출된 입주민대표자(이하 '동대표자'라 한다)들로 구성된다. 동별 구분 없이 선출된 것이 아니다.

② 옳지 않다. 제3항 제1호에 따르면 서류 제출 마감일을 기준으로 미성년자는 동대표자가 될 수 없다. 2023. 3. 20.에 성년이 되는 甲은 서류 제출 마감일이 2023. 3. 2.이면 동대표자가 될 수 없다.

③ 옳지 않다. 제2항에 따르면 동대표자는 서류 제출 마감일을 기준으로 해당 동에 주민등록을 마친 후 계속하여 6개월 이상 거주하고 있는 입주민 중에서 선출한다. 서류 제출 마감일이 2023. 1. 2.이라면, 주민등록을 마친 날짜가 늦어도 2022. 7. 3.이어야 한다. 2022. 7. 29. 주민등록을 마친 乙은 대표자로 선출될 자격이 없다.

④ 옳지 않다. 제3항 제3호에 따르면 서류 제출 마감일을 기준으로 징역형의 실형 선고가 확정되고 그 집행이 끝나거나 집행이 면제된 날부터 2년이 지나지 아니한 사람은 동대표자가 될 수 없다. 그리고 동항 제2호에 따르면 서류 제출 마감일을 기준으로 파산자는 동대표자가 될 수 없다. 丙이 징역 2년의 실형 선고를 받고 2020. 1. 1.에 그 집행이 종료되었다면, 서류 제출 마감일인 2023. 1. 2.은 집행이 끝난 후 2년이 지났으므로, 제3호에 해당하는 사람은 아니다. 그러나 丙이 서류 제출 마감일인 2023. 1. 2. 현재 파산인 경우, 동대표자가 될 수 없다.

⑤ 옳다. 제4항에 따르면 동대표자가 임기 중에 제2항에 따른 자격요건을 충족하지 않게 된 경우나 제3항 각 호에 따른 결격사유에 해당하게 된 경우에는 당연히 퇴임한다. 제3항 제4호의 경우, 금고형 또는 징역형의 집행유예 선고가 확정되고 그 유예기간 중에 있는 사람은 동대표자의 결격사유에 해당한다. 임기가 2023. 12. 31.까지인 D동 대표자 丁에 대하여 2023. 3. 7.에 징역 6개월 집행유예 1년의 선고가 확정된다면, 제3항 제4호에 해당하는 자가 되어 제4항에 따라 丁은 D동대표자의 직에서 당연히 퇴임한다.

# 3

| 정답 | ① | 내용 영역 | 법규범 |
|---|---|---|---|
| 난이도 | ★☆☆ | 문항 유형 | 언어 추리 |

**접근 전략**

제시문에서 국제기구 분담금에 관련된 규정을 파악하고, 선지의 설명과 비교하며 풀이한다.

**제시문 분석 & 해설**

① 옳다. 제○○조(국제기구 분담금 심의위원회) 제2항에 따르면 위원회가 심의·조정하는 사항은 중앙행정기관별 전년도 국제기구 분담금 납부실적 및 자체평가 결과와, 중앙행정기관별 다음 연도 국제기구 분담금 납부계획이다. 따라서 위원회는 중앙행정기관별 다음 연도 국제기구 분담금 납부계획을 심의·조정한다.

② 옳지 않다. 제○○조(국제기구 분담금 납부실적에 대한 자체평가 등) 제1항에 따르면 소관 국제기구 분담금의 전년도 납부실적 및 납부목적 부합 여부에 대하여 매년 자체평가를 실시하여야 하는 주체는 위원회가 아니라 중앙행정기관의 장이다. 따라서 위원회가 중앙행정기관이 납부하는 국제기구 분담금의 납부목적 부합 여부에 대한 자체평가를 매년 실시하여야 하는 것은 아니다.

③ 옳지 않다. 제○○조(정의)에 따르면 '국제기구 분담금'에서 국제금융기구 및 녹색기후기금에 납입하는 출자금 또는 출연금은 제외한다. 따라서 환경부가 녹색기후기금에 출연금을 납입하였다면 환경부장관은 해당 납입실적을 위원회에 제출하여야 하는 것은 아니다.

④ 옳지 않다. 제○○조(국제기구 분담금 납부실적에 대한 자체평가 등) 제3항에 따르면 외교부장관은 제2항에 따라 제출된 납부실적 등에 대한 위원회의 심의·조정 결과를 매년 5월 31일까지 기획재정부장관에게 송부해야 한다. 따라서 외교부장관은 중앙행정기관의 장이 제출한 납부실적을 매년 기획재정부장관에게 송부해야 하는 기한은 3월 31일이 아니다.

⑤ 옳지 않다. 제○○조(정의)에 따르면 '국제기구 분담금'이란 정부가 국제기구에 의무적으로 납부하여야 하는 경비 또는 국제기구와 협력사업 추진을 위하여 재량적으로 납부하는 경비를 말한다. 따라서 국제기구와의 협력사업 추진을 위하여 시민단체가 스스로 국제기구에 납부하는 경비는 국제기구 분담금에 해당하지 않는다.

# 4

| 정답 | ② | 내용 영역 | 법규범 |
|---|---|---|---|
| 난이도 | ★☆☆ | 문항 유형 | 언어 추리 |

**접근 전략**

구체적인 상황을 원리에 적용해야 하는 원리 적용 유형으로, 하루에 복용해야 하는 양과 할인 규정 등에 유의하여 풀이해야 한다.

**제시문 분석 & 해설**

○ 기침약 1일치는 3정이므로, 3일치는 $3 \times 3 = 9$정에 해당한다. 10정 미만이므로, 별도의 할인은 없다. 기침약은 1정당 300원이므로 $9 \times 300 = 2,700$원이다.

○ 콧물약 1일치는 1정이므로, 7일치는 $1 \times 7 = 7$정에 해당한다. 10정 미만이므로, 별도의 할인은 없다. 콧물약은 1정당 200원이므로 $7 \times 200 = 1,400$원이다.

○ 항생제 1일치는 2정이므로, 7일치는 $2 \times 7 = 14$정에 해당한다. 10정 이상이지만, 알약 형태의 약이므로 별도의 할인은 없다. 항생제는 1정당 500원이므로 $14 \times 500 = 7,000$원이다.

○ 위장약은 항생제 1정 복용 시 1정씩 함께 복용한다. 항생제는 14정 복용하므로, 위장약도 14정이 필요하다. 10정 이상이고 캡슐 형태이므로, 위장약 구매액의 10%를 할인한다. 위장약은 1정당 700원이므로 $14 \times 700 = 9,800$원이고 10%를 할인하면, $9,800 - 980 = 8,820$원이다.

○ 甲이 지불해야 할 총액은 $2,700 + 1,400 + 7,000 + 8,820 = 19,920$원이다.

## 5

| 정답 | ③ | 내용 영역 | 법규범 |
|---|---|---|---|
| 난이도 | ★☆☆ | 문항 유형 | 언어 추리 |

접근 전략

구체적인 상황을 원리에 적용해야 하는 원리 적용 유형으로, 각 임야가 보존산지인지 그리고 단위 변환에 유의하여 풀이해야 한다.

제시문 분석 & 해설

○ X임야 : X임야는 보전산지이며, 국유림이다. 따라서 산림청장 소관이다. 1정보당 3,000평이므로 X임야는 $100 \times 3,000 = 300,000$평이다. 1평은 $3.3m^2$이므로, X임야의 면적은 $3.3 \times 300,000 = 990,000m^2$이다. 보전산지의 경우, 3만$m^2$ 이상 100만$m^2$ 미만은 산림청장 소관인 국유림의 산지는 산림청장에게 허가를 받아야 한다.

○ Y임야 : Y임야는 보전산지 여부에 대해 별도의 언급이 없다. 그리고 甲의 소유임으로 사유지에 해당한다. 1 ha는 $100 \times 100 = 10,000m^2$이다. Y임야는 50ha이므로, $50 \times 10,000 = 500,000m^2$이다. Y임야가 보전산지이더라도 3만$m^2$ 이상 100 $m^2$ 미만이라면 시·도지사, 보전산지가 아니더라도 50만$m^2$ 이상 200만$m^2$ 미만이라면 시·도지사가 허가권자이므로, 시·도지사에게 허가를 받아야 한다.

## 6

| 정답 | ② | 내용 영역 | 사회 |
|---|---|---|---|
| 난이도 | ★★☆ | 문항 유형 | 언어 추리 |

접근 전략

IRB에 대한 정보를 통해 선지의 정오를 판단한다.

제시문 분석 & 해설

① 추론할 수 있다. 세 번째 문단에 따르면 연구 대상자가 외국인일 경우에는 통역사 등을 입회자로 참석하게 하여 연구에 대한 설명과 질의응답이 원활하게 이루어질 수 있도록 해야 한다. 따라서 IRB 규정을 준수해야 하는 대학 소속 연구자가 중국인 유학생들을 심층 인터뷰하는 경우 연구에 대한 설명을 위해 통역사를 입회자로 참여시킬 수 있을 것이다.

② 추론할 수 없다. 첫 번째 문단에 따르면 IRB는 인간이 연구 대상자가 되어 임상시험, 실험조사, 심층 인터뷰, 설문조사 등을 수행한 경우 그 연구를 심의한다. 따라서 병원 소속 연구자가 임상시험 이전에 단순히 문헌들을 조사하는 것이 IRB의 심의 대상이 될 것이라고 추론할 수 없다.

③ 추론할 수 있다. 두 번째 문단에 따르면 IRB는 연구의 잠재적 위험 가능성과 같은 정보가 연구계획서에 포함되어 있는지, 연구 대상자로부터 참여에 대한 동의를 받기 전에 이러한 내용을 충분히 설명했는지 확인한다. 따라서 병원 의사가 임상시험을 수행하는 경우 참여하려는 환자들에게 해당 시험의 잠재적 위험 가능성에 대해 충분히 설명해야 할 것이다.

④ 추론할 수 있다. 두 번째 문단에 따르면 IRB는 개인정보의 취득 여부와 보관 및 폐기 방법, 연구 결과의 활용 계획 등과 같은 정보가 연구계획서에 포함되어 있는지 확인한다. 따라서 대학원생이 학위논문을 위해 설문조사를 수행하는 경우 연구 대상자에 관한 개인정보의 보관 및 폐기 방법을 연구계획서에 밝혀야 할 것이다.

⑤ 추론할 수 있다. 첫 번째 문단에 따르면 IRB는 연구 대상자의 보호에 대한 윤리에 중점을 두고 연구를 심의하며, 인간이 연구 대상자가 되는 연구라면 모두 IRB의 심의 대상이 된다. 따라서 대학 교수가 소속 대학의 학생들을 대상으로 실험조사를 수행하는 경우 연구 대상자를 적절히 보호하는지 IRB의 심의를 받아야 할 것이다.

# 7

| 정답 | ⑤ | 내용 영역 | 법규범 |
|---|---|---|---|
| 난이도 | ★☆☆ | 문항 유형 | 언어 추리 |

[접근 전략]
구체적인 상황을 원리에 적용해야 하는 문항 유형으로, 규정에 제시된 자동차정책기본계획 수립, 시행 절차를 파악하여 풀이할 필요가 있다.

[제시문 분석 & 해설]
① 옳지 않다. 첫 번째 조 제3항을 통해 기본계획의 변경이 확정되었을 경우 이를 공고하여야 하는 자는 시·도지사가 아니라 국토교통부장관임을 알 수 있다.
② 옳지 않다. 첫 번째 조 제2항 각 호에 해당하는 경우 기본계획을 변경할 때 관계 중앙행정기관의 장 및 시·도지사의 의견을 듣지 않아도 되는데, 제3호 관계 법령의 개정 또는 관련 계획의 변경에 따라 기본계획의 내용 변경이 부득이한 경우에 해당한다.
③ 옳지 않다. 첫 번째 조 제3항을 통해 기본계획이 심의를 거쳐 확정된 경우 관계 중앙행정기관의 장 및 시·도지사에게 20일 이내에 통보하여야 하는 자는 국가교통위원회가 아니라 국토교통부장관임을 알 수 있다.
④ 옳지 않다. 첫 번째 조 제2항을 통해 기본계획을 변경하는 경우 이를 심의하는 것은 국가교통위원회이지만 확정하는 것은 국토교통부장관임을 알 수 있다.
⑤ 옳다. 기본계획에서 정한 부문별 사업비용을 100분의 15 이내의 범위에서 변경하는 경우에는 첫 번째 조 제2항 단서에 따라 관계 중앙행정기관의 장 및 시·도지사의 의견을 듣지 않아도 되지만 사업비용을 20% 이상 증가시키는 경우 관계 중앙행정기관의 장 및 시·도지사의 의견을 들어야 한다.

# 8

| 정답 | ④ | 내용 영역 | 사회 |
|---|---|---|---|
| 난이도 | ★☆☆ | 문항 유형 | 언어 추리 |

[접근 전략]
외부효과의 기본적 개념을 파악하고, 빈칸 앞뒤의 문맥에 맞게 알맞은 내용을 고른다.

[제시문 분석 & 해설]
㉠ 외부효과의 정의는 어떤 사회에서나 한 사람의 행동이 의도치 않게 다른 사람에게 혜택을 베풀거나 피해를 입히게 되는 것이다. 즉, 한 사람의 행동이 여러 사람에게 영향을 미치는 것이므로, ㉠에 적절한 것은 "그 누구도 섬이 아니다."이다.
"악화가 양화를 구축한다."는 그레샴의 법칙으로 불리며, 정보의 비대칭성, 즉 판매자가 구매자보다 정보를 많이 가지고 있어서 판매자가 나쁜 물건을 좋은 물건인 것처럼 속여서 구매자에게 판매하면 모든 좋은 물건은 결국 시장에 제시되지 않을 것이다. 이를 "악화(나쁜 물건)가 양화(좋은 물건)를 구축한다(몰아낸다)."라고 표현한다.
"보이지 않는 손이 개인이 설정한 목표를 자신도 모르게 달성하게 한다."는 애덤 스미스가 언급한 것으로, 시장의 원리에 의해 자원이 합리적으로 배분되는 것을 의미한다.
㉡ 외부효과는 어떤 사회에서나 한 사람의 행동이 의도치 않게 다른 사람에게 혜택을 베풀거나 피해를 입히게 되는 것을 말하며, 긍정적 외부효과는 어떤 행동의 당사자가 아닌 사람에게 편익을 유발하는 것이다.
상인이 가난한 사람들을 위해 낮은 가격으로 물건을 판매하는 것은 상인이 의도적으로 낮은 가격에 물건을 판매하는 것이므로, 외부효과라고 보기 어렵다.
반면, 자기 집 앞을 깨끗하게 청소하여 그 앞을 지나가는 사람에게 상쾌함을 선사하는 것은 자기 집 앞을 깨끗하게 청소하는 행위로 인해 의도치 않게 그 앞을 지나가는 사람에게 상쾌함을 선사한 것이므로 긍정적 외부효과라 볼 수 있으며, 전염병 예방 접종을 하여 다른 사람에게 전염될 가능성을 스스로 차단해 주는 것도 자신이 전염병에 걸리지 않기 위해 예방 접종을 한 것이 의도치 않게 다른 사람에게 전염될 가능성을 차단해 주는 것으로, 긍정적 외부효과라 볼 수 있다.
㉢ 외부효과의 문제점을 해결하기 위해 보조금 또는 세금을 통해 자신이 의도치 않게 발생시키는 혜택이나 피해에 대한 대가를 본인에게 부여한다. 통행료가 없는 도로는 막히게 되므로 부정적 외부효과를 야기한다. 이를 해결하기 위해 혼잡세를 징수하는 것이므로 혼잡세는 다른 사람에게 가하는 부정적 외부효과의 대가에 해당한다.

# 9

| 정답 | ① | 내용 영역 | 과학기술 |
|---|---|---|---|
| 난이도 | ★☆☆ | 문항 유형 | 언어 추리 |

**접근 전략**

긴 제시문에서 필요한 정보만을 찾아 풀이한다.

**제시문 분석 & 해설**

㉠ 망원경의 해상도 값과 해상도가 좋아지는 것 사이의 관계를 파악한다. 구경(D)이 큰 광학계일수록 해상도가 더 좋다. 그리고 망원경의 각 해상도 값($\theta$)은 파장의 값이 $\lambda$인 빛에 대해서 $\theta = 1.22\lambda/D$의 관계에 있다. 즉, 해상도 값은 구경과 반비례한다. 구경이 클수록 해상도 값은 작아지며, 해상도가 더 좋다. 따라서 ㉠에는 '작아질수록'이 들어가야 한다.

㉡ 우주 초창기와 같은 먼 과거를 보려면 가시광선보다 더 긴 파장의 빛인 적외선 관측이 필수적이다. 따라서 ㉡에는 '긴'이 들어가야 한다.

㉢ 제임스웹 망원경은 적외선을 주된 관측 파장으로 삼는다. 적외선은 열에 민감하여 지구나 망원경 자체에서 나오는 열복사에 의한 빛이 관측을 저해하는 잡음으로 잡힌다. 그러한 잡음을 최소화하려면 망원경을 지구라는 열원으로부터 가능한 멀리 떨어진 차가운 공간에 놓아야 한다. 이에 더해 제임스웹 망원경은 태양 빛을 최대한 차단하기 위해서 태양을 향하는 쪽으로 태양 빛 차단판을 설치하였다.

제임스웹 망원경은 태양을 중심에 둔 라그랑주2라는 궤도를 따라 움직인다.

라그랑주2에 위치한 망원경이 지구의 정원쪽에 위치하고 태양 및 지구와 일직선상에 있는 경우 빛 차단판은 망원경 기준으로 태양이 있는 오른쪽에 위치하여야 한다. 따라서 ㉢에는 '오른쪽'이 들어가야 한다.

# 10

| 정답 | ② | 내용 영역 | 법규범 |
|---|---|---|---|
| 난이도 | ★☆☆ | 문항 유형 | 언어 추리 |

**접근 전략**

제시문에서 특허심판원에 관련된 규정을 파악하고, 선지의 설명과 비교하며 풀이한다.

**제시문 분석 & 해설**

① 옳지 않다. 제△△조 제1항에 따르면 심판은 3명 또는 5명의 심판관으로 구성되는 합의체가 한다. 그리고 제□□조 제2항에 따르면 원장은 지정된 심판관 중에서 1명을 심판장으로 지정하여야 한다. 이를 고려하면 심판의 합의체가 심판장 1명과 심판관 1명으로 구성되는 경우 심판관이 2명이므로 이러한 구성은 불가능하다.

② 옳다. 제□□조 제2항에 따르면 원장은 지정된 합의체 심판관 중에서 1명을 심판장으로 지정하여야 하는데, 동조 제3항에 따르면 제2항에도 불구하고 원장은 특히 중요하다고 인정되는 심판사건에 대해서는 원장 스스로 심판장이 될 수 있다. 그리고 동조 제4항에 따르면 심판장은 심판사건에 관한 사무를 총괄한다. 따라서 원장이 심판장으로서 심판사건에 관한 사무를 총괄하는 경우가 있다.

③ 옳지 않다. 제△△조 제1항과 제2항에 따르면 합의체는 심판관으로 구성되고, 그 합의는 과반수로 결정한다. 따라서 합의체의 합의는 심판관 전원의 일치된 의견으로 결정하지 않는다.

④ 옳지 않다. 제△△조 제3항에 따르면 심판은 구술심리 또는 서면심리로 한다. 다만 당사자가 구술심리를 신청하였을 때에는 서면심리만으로 결정할 수 있다고 인정되는 경우 외에는 구술심리를 하여야 한다. 따라서 서면심리만으로 결정할 수 있다고 인정되는 경우에는 당사자가 구술심리를 신청한 경우라도 서면심리로 심판할 수 있다.

⑤ 옳지 않다. 제△△조 제4항에 따르면 구술심리는 공개하여야 한다. 다만 공공의 질서 또는 선량한 풍속에 어긋날 우려가 있으면 그러하지 아니하다. 이는 구술심리에 한정된 규정이므로, 서면심리로 심판하는 경우 그 심리를 공개하여야 하는지는 알 수 없다.

# 11

정답 | ②　　　내용 영역 | 법규범
난이도 | ★☆☆　　문항 유형 | 언어 추리

**접근 전략**

영상정보처리기기 설치 및 운영 관련 규정을 고려하여 문항을 풀이한다.

**제시문 분석 & 해설**

① 옳지 않다. 첫 번째 조 제4항을 통해 영상정보처리기기운영자는 영상
정보처리기기를 운영할 때 녹음기능을 사용할 수 없음을 알 수 있다.

② 옳다. 첫 번째 조 제2항에서는 목욕실 내부를 볼 수 있도록 영상정보
처리기기를 설치·운영하여서는 안 된다고 했지만, 단서를 통해 교도
소와 같이 구금하거나 보호하는 시설에 대해서는 그러하지 아니하다
고 하여 영상정보처리기기를 설치·운영할 수 있음을 알 수 있다.

③ 옳지 않다. 첫 번째 조 제4항을 통해 영상정보처리기기운영자는 영상
정보처리기기의 설치 목적과 다른 목적으로 영상정보처리기기를 임
의로 조작하거나 다른 곳을 비춰서는 안 됨을 알 수 있다.

④ 옳지 않다. 첫 번째 조 제1항 제4호를 통해 교통정보의 수집·분석·
제공을 위한 목적으로는 영상정보처리기기의 설치·운영을 할 수 있
음을 알 수 있다.

⑤ 옳지 않다. 첫 번째 조 제3항 단서에 의할 때 군사시설의 경우 영상정
보처리기기를 설치·운영할 때 설치 목적·장소, 촬영범위·시간 등이
명시된 안내판을 설치하지 않아도 됨을 알 수 있다.

# 12

정답 | ⑤　　　내용 영역 | 법규범
난이도 | ★☆☆　　문항 유형 | 언어 추리

**접근 전략**

구체적인 상황을 원리에 적용해야 하는 원리 적용 유형으로, 문제 전체
에 공통이 되는 상황과 선지별 상황을 구분하여 풀이할 필요가 있다.

**제시문 분석 & 해설**

① 옳지 않다. 두 번째 조에 따르면 소송구조의 범위는 재판비용의 납입
유예, 변호사 보수의 지급유예, 소송비용의 담보면제이다. 즉, 甲의
재판비용 납입을 면제할 수 있는 것이 아니라 유예할 수 있다.

② 옳지 않다. 네 번째 조에 따르면 소송구조를 받은 사람이 자금능력이
있게 된 때에는 법원은 직권으로 또는 이해관계인의 신청에 따라 언
제든지 구조를 취소하고, 납입을 미루어 둔 소송비용을 지급하도록
명할 수 있다. 즉, 甲이 자금능력이 있게 되었다면 법원은 직권으로
소송구조를 취소할 수 있다.

③ 옳지 않다. 세 번째 조에 따르면 소송구조는 이를 받은 사람에게만
효력이 미친다. 즉, 甲의 신청에 의해 법원이 소송구조를 한 경우 乙
에게는 그 효력이 미치지 않는다.

④ 옳지 않다. 첫 번째 조 제1항에 따르면 법원은 소송비용을 지출할 자
금능력이 부족한 사람의 신청에 따라 또는 직권으로 소송구조를 할
수 있다. 다만 단서에 따르면 패소할 것이 분명한 경우에는 그러하지
아니하다. 즉, 법원은 甲이 패소할 것이 분명하다면 소송구조를 할 수
없다.

⑤ 옳다. 세 번째 조 제1항에 따르면 소송구조는 이를 받은 사람에게만
효력이 미친다. 또한 동조 제2항에 따르면 법원은 소송승계인에게 미
루어 둔 비용의 납입을 명할 수 있다. 따라서 甲이 소송구조를 받아
소송이 진행되던 중 丙이 甲의 소송승계인이 된 경우, 법원은 소송구
조에 따라 납입유예한 재판비용을 丙에게 납입하도록 명할 수 있다.

# 13

| 정답 | ② | 내용 영역 | 법규범 |
|---|---|---|---|
| 난이도 | ★☆☆ | 문항 유형 | 언어 추리 |

**접근 전략**

제시문에서 의료 해외진출에 관련된 규정을 파악하고, 선지의 설명과 비교하며 풀이한다.

**제시문 분석 & 해설**

① 옳지 않다. 제○○조(의료 해외진출의 신고) 제1항에 따르면 의료 해외진출을 하려는 의료기관의 개설자는 보건복지부장관에게 신고하여야 한다. 따라서 의료 해외진출을 하려는 의료기관의 개설자는 시·도지사에게 등록하여야 하는 것이 아니다.

② 옳다. 제○○조(외국인환자 유치에 대한 등록) 제1항에 따르면 외국인환자를 유치하려는 의료기관이 갖추어야 할 요건 중 하나는 '의료배상공제조합 또는 보건복지부령으로 정하는 의료사고배상책임보험에 가입하였을 것'이다. 따라서 외국인환자 유치를 위해 시·도지사에게 등록하려는 의료기관이 보건복지부령으로 정하는 의료사고배상책임보험에 가입하지 않는다면 의료배상공제조합에는 가입하여야 한다.

③ 옳지 않다. 제○○조(외국인환자 유치에 대한 등록) 제4항과 제5항에 따르면, 등록의 유효기간은 등록일부터 3년으로 한다. 그리고 유효기간이 만료된 후 계속하여 외국인환자를 유치하려는 자는 유효기간이 만료되기 전에 그 등록을 갱신하여야 한다. 따라서 외국인환자 유치사업자는 등록일부터 3년이 지난 후에도 그 등록의 갱신 없이 계속하여 외국인환자를 유치할 수 없다.

④ 옳지 않다. 제○○조(외국인환자 유치에 대한 등록) 제2항에 따르면 외국인환자를 유치하려는 비의료기관은 '보건복지부령으로 정하는 보증보험에 가입하였을 것', '국내에 사무소를 설치하였을 것'이라는 두 가지 요건을 갖추어야 한다. 그런데 '진료과목별로 전문의 1명 이상을 두는 것'은 외국인환자를 유치하려는 의료기관이 갖추어야 할 요건이다. 따라서 외국인환자를 유치하려는 비의료기관은 시·도지사에게 등록하기 위해서는 진료과목별로 전문의 1명 이상을 두지 않아도 된다.

⑤ 옳지 않다. 제○○조(외국인환자 유치에 대한 등록) 제2항에 따르면 외국인환자를 유치하려는 비의료기관은 '보건복지부령으로 정하는 보증보험에 가입하였을 것', '국내에 사무소를 설치하였을 것'이라는 두 가지 요건을 갖추어 시·도지사에게 등록하여야 한다. 그리고 동조 제3항에 따르면 시·도지사는 제1항에 따라 등록한 의료기관(이하 '외국인환자 유치의료기관'이라 한다) 및 제2항에 따라 등록한 비의료기관(이하 '외국인환자 유치사업자'라 한다)에게 등록증을 발급하여야 한다.

이에 따르면 국내에 사무소를 설치하지 않은 비의료기관은 등록한 비의료기관에 해당하지 않는다. 따라서 시·도지사는 국내에 사무소를 설치하지 않은 비의료기관에게 외국인환자 유치사업자 등록증을 발급할 수 없다.

# 14

| 정답 | ② | 내용 영역 | 법규범 |
|---|---|---|---|
| 난이도 | ★☆☆ | 문항 유형 | 언어 추리 |

**접근 전략**

구체적인 상황을 원리에 적용해야 하는 문항 유형으로, 제시문의 정보를 한 번에 파악하기보다는 선지의 정오를 판단할 때 필요한 정보 위주로 풀이할 필요가 있다.

**제시문 분석 & 해설**

① 옳지 않다. 첫 번째 조 제2항을 통해 외국인은 외국인성명 문서에 성명을 표기할 때 로마자로 된 성명을 표기해야 함을 알 수 있다.

② 옳다. 두 번째 조 제4항에 의할 때, 성과 이름은 띄어쓰기를 하며 이름 사이에도 띄어쓰기를 할 수 있다고 했으므로 성과 이름 사이에 띄어쓰기 한 번, 이름 사이에 띄어쓰기를 한 번 하여 2번 할 수 있다.

③ 옳지 않다. 세 번째 조 제1항과 제2항을 통해 가족관계등록부, 외국인등록표 및 그 밖에 행정기관에서 발행하는 공적 서류·증명서에 기재된 한글성명이 없는 경우에 한하여 「외래어 표기법」에 따라 로마자성명을 기준으로 표기할 수 있음을 알 수 있다.

④ 옳지 않다. 두 번째 조 제4항에 의할 때 로마자성명은 대문자로 표기해야 함을 알 수 있고, 이름 사이에도 띄어쓰기를 할 수 있음을 알 수 있다.

⑤ 옳지 않다. 두 번째 조 제3항에 의할 때 여권을 소지하지 않거나 소지한 사실이 없는 경우 외국인이 국적을 둔 정부에서 발급한 공문서에 기재된 로마자성명으로 표기할 수 있음을 알 수 있다.

# 15

| 정답 | ③ | 내용 영역 | 법규범 |
|---|---|---|---|
| 난이도 | ★☆☆ | 문항 유형 | 언어 추리 |

[접근 전략]

제시문에서 노인장기요양보험제도의 정의, 적용 대상, 급여의 종류 등을 파악하고, 선지의 설명과 비교하며 풀이한다.

[제시문 분석 & 해설]

ㄱ. 옳지 않다. 노인장기요양보험제도는 소득에 관계없이 심신기능의 상태를 고려한 요양 필요도에 따라 장기요양 인정을 받은 자에게 서비스를 제공하는 것이다. 이 제도는 국민기초생활보장대상자 등 특정 저소득층을 대상으로 제공되는 기존 노인복지서비스와 차이가 있다. 따라서 노인장기요양보험제도의 지원 대상은 국민기초생활보장대상자 등 특정 저소득층이 아니다.

ㄴ. 옳다. 방문목욕은 재가급여의 한 종류로, 노인요양시설에 입소하지 않은 수급자의 가정을 방문하여 제공되는 서비스이다. 따라서 노인요양시설에 입소해 장기간 보호받고 있는 수급자 A는 그 기간 동안 방문목욕급여를 받을 수 없다.

ㄷ. 옳다. 신체활동에 필요한 용구의 구입 또는 대여에 관련된 급여는 복지용구급여이다. 단, 시설급여 수급자의 경우 복지용구급여는 제공받지 못한다. 따라서 시설급여 수급자 B는 신체활동 지원에 필요한 용구인 성인용 보행기 대여에 대한 복지용구급여를 받을 수 없다.

ㄹ. 옳지 않다. 특별현금급여는 수급자가 천재지변, 신체 또는 정신 등의 사유로 재가급여나 시설급여를 받을 수 없어 그 가족 등으로부터 방문요양에 상당하는 서비스를 받을 때 지급하는 현금급여이다. 따라서 가족으로부터 방문요양에 상당하는 서비스를 받지만 재가급여나 시설급여를 제공받을 수 있는 C는 특별현금급여를 제공받을 수 없다.

# 16

| 정답 | ④ | 내용 영역 | 법규범 |
|---|---|---|---|
| 난이도 | ★★☆ | 문항 유형 | 언어 추리 |

[접근 전략]

각 수급자에게 적용되는 급여를 먼저 확인하고, 제시문 마지막 문단에서 설명하는 급여별 본인부담금 비율을 바탕으로 수급자별 본인부담금을 계산한다.

[제시문 분석 & 해설]

〈甲의 경우〉

甲의 수급 내역을 바탕으로 급여를 정리하면 다음과 같다.

- 방문목욕 10회 : 7만 원 × 10회 = 70만 원
- 복지용구(전동침대) 구입 : 30만 원
- 방문목욕은 재가급여에, 복지용구 구입은 복지용구급여에 해당한다. 전자, 후자 모두 본인부담금은 100분의 15이다. 이에 따른 계산 결과는 $(70 \times \frac{15}{100}) + (30 \times \frac{15}{100}) = 100 \times \frac{15}{100} = 15$이다.

따라서 甲의 본인부담금은 15만 원이다.

〈乙의 경우〉

乙은 국민기초생활보장대상자로, 수급 내역은 주·야간보호 45시간, 방문요양 28시간이다. 국민기초생활보장대상자에게는 본인부담금이 발생하지 않는다. 따라서 乙의 본인부담금은 0원이다.

〈丙의 경우〉

丙의 수급 내역을 바탕으로 급여를 정리하면 다음과 같다.

- 노인요양시설 보호 11일 : 7만 원 × 11일 = 77만 원
- 노인요양시설 보호는 시설급여에 해당하고, 본인부담금은 100분의 20이다. 이에 따른 계산 결과는 $77 \times \frac{20}{100} = 15.4$이다.

따라서 丙의 본인부담금은 15만 4천 원이다.

이번 달 수급 현황에 따른 본인부담금이 높은 순서대로 나열하면 丙 > 甲 > 乙 순이다.

## 17

| 정답 | ⑤ | 내용 영역 | 법규범 |
|---|---|---|---|
| 난이도 | ★☆☆ | 문항 유형 | 언어 추리 |

**접근 전략**

제시문에서 필요한 내용을 찾는다. 짧은 시간 내에 제시문의 내용을 완벽히 외우는 것은 어려우므로, 제시문에서 대략적인 내용의 위치를 기억하는 것이 도움이 된다.

**제시문 분석 & 해설**

① 옳지 않다. 제◇◇조 제1항 및 2항을 통해 우주물체의 발사허가를 받고자 하는 자는 손해배상을 목적으로 하는 책임보험에 가입해야 하는데, 이때 보험금액은 제□□조 제2항에 따른 손해배상책임 한도액의 범위인 2천억 원 내에서 과학기술정보통신부장관이 정하여 고시함을 알 수 있다.

② 옳지 않다. 제□□조 제1항 단서에 따라 우주공간에서 발생한 우주손해는 고의 또는 과실이 있는 때에 한함을 알 수 있다.

③ 옳지 않다. 제◇◇조 제2항을 통해 과학기술정보통신부장관이 정하여 고시하는 손해배상책임 한도액 범위는 제□□조 제2항의 2천억 원이 한도임을 알 수 있다.

④ 옳지 않다. 제○○조에 따르면 제3자의 건강의 손상과 같은 인적 손해도 우주손해로서, 우주물체 발사자가 손해를 배상할 책임이 있음을 알 수 있다.

⑤ 옳다. 제△△조에 따르면 이 법에 따른 손해배상청구권은 피해자 또는 그 법정대리인이 손해를 안 날부터 1년 이내 또는 우주손해가 발생한 날부터 3년이 경과한 경우에는 시효로 인하여 소멸한다. 2022. 1. 2.에 손해를 입은 제3자가 2025. 2. 15.에 그 손해를 알게 된 경우, 우주손해가 발생한 날로부터 3년이 경과하였기 때문에 손해배상청구권은 시효로 인하여 소멸하였다. 따라서 제3자에게는 손해배상청구권이 없음을 알 수 있다.

## 18

| 정답 | ② | 내용 영역 | 사회 |
|---|---|---|---|
| 난이도 | ★★☆ | 문항 유형 | 언어 추리 |

**접근 전략**

제시문에 제시된 (가)와 (나)의 국가 발전/퇴보 여부 판단 방법을 파악하여 문제를 풀이해야 한다.

**제시문 분석 & 해설**

제시문에 제시된 국가 발전/퇴보 여부 판단 방법은 다음과 같다.

(가) 퇴보 지역 없음 ∧ 발전 지역 있음 → 국가가 발전
　　 발전 지역 없음 ∧ 퇴보 지역 있음 → 국가가 퇴보
　　 발전 지역 있음 ∧ 퇴보 지역 있음 → 판단 불가

(나) 가중평균값 = (지역별 발전/퇴보 정도를 정량화한 값×지역별 가중치)의 총합
　　 (지역별 발전/퇴보 정도는 0을 기준으로 정량화, 지역별 가중치는 0보다 큰 값)
　　 가중평균값이 양(+) → 국가가 발전
　　 가중평균값이 음(-) → 국가가 퇴보

ㄱ. 옳지 않다. (가)에 따라 한 국가가 퇴보했다고 판단하려면 어떤 지역도 발전하지 않아야 한다. 따라서 발전한 지역이 있는지 없는지에 대한 정보 없이 퇴보한 지역에 대한 정보만으로는 국가의 발전/퇴보 여부를 판단할 수 없다.

ㄴ. 옳지 않다. 큰 폭으로 발전한 지역이 작은 폭으로 퇴보한 지역보다 많다고 하더라도 지역별 가중치를 고려하지 않으면 가중평균값을 알 수 없다. 가령 작은 폭으로 퇴보한 지역의 가중치가 매우 높다면 가중평균값이 음(-)의 값으로 도출되는 것이 가능하다.

ㄷ. 옳다. 한 국가에 대하여 (가)를 이용하여 발전했다고 판단했다는 것은 그 국가에 퇴보한 지역이 없음을 의미한다. 그렇다면 (나)를 이용하여 국가의 발전/퇴보 여부를 판단할 때, 지역별 발전/퇴보 정도를 0을 기준으로 정량화한 값이 음(-)인 지역이 없을 것이며 가중평균값 역시 음(-)일 수 없다. 따라서 따라서 한 국가에 대하여 (가)를 이용하여 발전했다고 판단한 경우 중 (나)를 이용하여 퇴보했다고 판단하는 경우는 없다.

# 19

| 정답 | ⑤ | 내용 영역 | 인문 |
|---|---|---|---|
| 난이도 | ★ ☆ ☆ | 문항 유형 | 언어 추리 |

**접근 전략**

구체적인 상황을 원리에 적용해야 하는 원리 적용 유형으로, 제시문에 나타난 재주의 상황 및 재산, 상속 대상 등을 고려하여 풀이할 필요가 있다.

**제시문 분석 & 해설**

재주 甲은 생전에 별급을 하였고, 깃급은 하지 못했다. 또한 유서와 유언 없이 사망하였으므로 자녀들이 합의하여 재산을 나누어 가지는 화회가 이루어질 것이다. 이때 분재 대상자는 과거에 급제한 친아들 1명, 또 다른 친아들 1명, 친딸 1명, 양녀 1명이다.

먼저 별급한 재산은 과거에 급제한 아들 1명에 20마지기, 양녀 1명에 10마지기, 친딸 1명에 10마지기이다.

화회 대상 재산에는 별급으로 받은 재산이 포함되지 않으므로 화회 대상 재산은 밭 100마지기이다. 화회는 『경국대전』의 규정에 따라 이루어졌으므로 친자녀 간 균분 분재를 원칙으로 하고, 제사를 모실 자녀에게는 다른 친자녀 한 사람 몫의 5분의 1을 더 분재하며 양자녀에게 차별을 둔다. 이때 〈상황〉에서 양녀는 제사를 모시지 않는 친자녀 한 사람이 화회로 받는 몫의 5분의 4를 받았다. 이에 따라 친자녀가 받을 재산을 $x$ 마지기라 하면, 과거에 급제한 아들이 제사를 모시므로 이 아들은 $\frac{6}{5}x$ 마지기를 받는다. 나머지 친아들 1명과 친딸 1명은 각각 $x$ 마지기를 받으며, 양녀는 $\frac{4}{5}x$ 마지기를 받는다. 이를 모두 합하면 밭 100마지기가 되어야 하므로 $x=25$ 이다. 따라서 과거에 급제한 아들은 $\frac{6}{5} \times 25 = 30$ 마지기를 화회로 받았다.

따라서 과거에 급제한 아들은 별급으로 20마지기, 화회로 30마지기를 받았으므로 분재 받은 밭의 총 마지기 수는 50이다.

# 20

| 정답 | ⑤ | 내용 영역 | 법규범 |
|---|---|---|---|
| 난이도 | ★ ☆ ☆ | 문항 유형 | 언어 추리 |

**접근 전략**

구체적인 상황을 원리에 적용해야 하는 문항 유형으로, 검정고시 시행 규정에 대한 내용을 바탕으로 풀이한다.

**제시문 분석 & 해설**

ㄱ. 옳지 않다. 제□□조에 따르면 고등학교 졸업예정자는 응시자격이 없음을 알 수 있다.

ㄴ. 옳다. 乙은 제□□조 제1항 제1호에 해당하지만, 동조 제2항 제2호에 따라 2024년도 1회차 검정고시 공고일인 2024. 4. 12.를 기준으로 볼 때, 2023. 11. 23.으로부터 6개월 이상이 되지 않은 사람에 해당하여 응시할 수 없음을 알 수 있다.

ㄷ. 옳다. 丙은 제□□조 제1항 제3호 내용 중 하나인 소년원학교에 재학 중인 보호소년으로서, 생년월일이 2006. 7. 15.로 2024년도 2회차 검정고시 시행일인 2024. 10. 11. 기준으로 만 나이와 연 나이 모두 18세이므로 검정고시에 응시할 수 있다.

ㄹ. 옳다. 丁은 2024. 6. 10.에 제외한 경우 원칙적으로는 제□□조 제2항 제2호의 제○○조 제2항에 따른 공고일까지의 기간이 6개월 이상이 되지 않은 사람으로 검정고시에 응시할 수 없지만, 단서의 「장애인복지법」에 따라 등록한 장애인으로서 신체적·정신적 장애로 학업을 계속하는 것이 불가능하여 자퇴한 사람'에 해당하여 2024년도 2회차 검정고시에 응시할 수 있다.

# 21

정답 | ③     내용 영역 | 법규범
난이도 | ★☆☆     문항 유형 | 언어 추리

**접근 전략**

구체적인 상황을 원리에 적용해야 하는 원리 적용 유형으로, 예비타당성 조사 대상사업에 해당하는지를 선지의 사례와 관련하여 풀이할 필요가 있다.

**제시문 분석 & 해설**

ㄱ. 옳지 않다. 제○○조에 따르면 신규 사업 중 총사업비가 500억 원 이상이면서 국가의 재정지원 규모가 300억 원 이상인 건설사업에 대해 예비타당성조사를 실시한다. 따라서 총 사업비가 550억 원으로 500억 원 이상이지만, 국가의 재정지원 규모가 550억 원의 50%인 275억 원으로 300억 원 미만인 신규 건설사업은 예비타당성조사 대상이 되지 않는다.

ㄴ. 옳다. 제△△조 제1항에 따르면 제○○조에 해당하지 않는 사업으로서 국가 예산의 지원을 받아 민간이 시행하는 사업 중 완성에 2년 이상이 소요되는 각 호의 사업을 타당성조사 대상사업으로 한다. 따라서 민간이 시행하는 사업도 타당성조사 대상사업이 될 수 있다.

ㄷ. 옳다. 제△△조 제1항에 따르면 제○○조에 해당하지 않는 사업으로서 국가 예산의 지원을 받아 지자체가 시행하는 사업 중 완성에 2년 이상이 소요되는 총사업비가 200억 원 이상인 건설사업을 타당성조사 대상사업으로 한다. 또한 두 번째 조 제2항 제1호에 따르면 제1항 대상사업 중 사업추진 과정에서 총사업비가 예비타당성조사의 대상 규모, 즉 500억 원 이상으로 증가한 사업의 경우 타당성조사를 실시하여야 한다. 따라서 지자체가 시행하는 건설사업으로서 사업완성에 2년 이상 소요되며 전액 국가의 지원을 받는 총사업비 460억 원 규모의 사업은 타당성조사 대상사업이다. 이때 사업추진 과정에서 총사업비 460억 원이 10% 증가한 경우 총사업비가 500억 원 이상이므로 타당성조사를 실시하여야 한다.

ㄹ. 옳지 않다. 제△△조 제1항 제2호에 따르면 국가 예산의 지원을 받아 지자체가 시행하는 사업 중 완성에 2년 이상이 소요되는 총사업비가 200억 원 이상인 건설사업은 타당성조사 대상사업이 된다. 즉, 총사업비가 500억 원 미만인 사업 중에서도 타당성조사 대상사업이 되는 사업이 있다.

# 22

정답 | ③     내용 영역 | 법규범
난이도 | ★☆☆     문항 유형 | 언어 추리

**접근 전략**

구체적인 상황을 원리에 적용해야 하는 문항 유형으로, 수출입규제폐기물 수출허가 관련 규정을 바탕으로 풀이한다.

**제시문 분석 & 해설**

① 옳지 않다. 제3항에 따라 환경부장관은 수출입규제폐기물의 수출허가를 할 때 수입국 및 경유국의 동의를 받아야 함을 알 수 있다. 따라서 수입국의 동의가 없으면 경유국의 동의를 받더라도 수출입규제폐기물의 수출허가를 할 수 없다.

② 옳지 않다. 제1항을 통해 수출하는 것뿐만 아니라 허가받은 사항을 변경하려는 경우에도 환경부장관의 허가를 받아야 함을 알 수 있다.

③ 옳다. 제4항을 통해 환경부장관이 수출입규제폐기물의 수출허가를 함에 있어 물리적·화학적 특성이 같은 수출입규제폐기물을 국내의 같은 세관 및 수입국의 같은 세관을 통하여 같은 자에게 두 번 이상 수출하는 경우에 한하여 12개월 범위에서 기간을 정하여 한꺼번에 허가를 할 수 있다. 따라서 같은 자에게 수출하더라도 수입국의 세관이 동일하지 않으면 기간을 정하여 한꺼번에 허가할 수 없다.

④ 옳지 않다. 제5항을 통해 수출허가 또는 변경허가를 받은 자는 다른 자에게 자기의 명의나 상호를 사용하여 수출입규제폐기물을 수출하게 할 수 없음을 알 수 있다.

⑤ 옳지 않다. 제2항 각호의 어느 하나에 해당하면 환경부장관은 수출입규제폐기물의 수출허가를 할 수 있다. 따라서 국내에서 특정 수출입규제폐기물을 환경적으로 건전하고 적정하게 처리하는 데 필요한 기술과 시설을 가지고 있더라도 해당 폐기물이 수입국에서 재활용을 위한 산업의 원료로 필요한 경우 환경부장관은 수출허가를 할 수 있다.

# 23

정답 | ⑤      내용 영역 | 법규범
난이도 | ★☆☆      문항 유형 | 언어 추리

제시문에 언급된 최고가매수신고인과 차순위매수신고인의 자격과 관련
하여 이해한 후 풀이해야 한다.

최고가매수신고인이 그 대금을 기일까지 납부하지 않은 경우, 최고가매
수신고인 외의 매수신고인은 자신이 신고한 매수가격대로 매수를 허가
하여 달라는 취지의 차순위매수신고를 할 수 있다. 이때 매수신고액은
최고가매수신고액에서 보증금을 뺀 금액을 넘어야 하며, 보증금은 최저
가매각가격의 10분의 1로 한다.
甲은 최고가매수신고인이며, 보증금은 최저가매각가격 2억 원의 10분의
1인 2천만 원이다. 乙이 차순위매수신고를 하기 위해서는 乙의 매수신
고액이 최소한 최고가매수신고액 2억 5천만 원에서 2천만 원을 뺀 2억
3천만 원을 넘어야 한다.

# 24

정답 | ④      내용 영역 | 법규범
난이도 | ★☆☆      문항 유형 | 언어 추리

구체적인 상황을 원리에 적용해야 하는 원리 적용 유형으로, 의결정족수
및 기간의 계산 등에 유의하여 풀이할 필요가 있다.

① 옳지 않다. 두 번째 조 제1항에 따르면 신속처리안건지정동의를 하려
면 재적의원 300명 중 3/5 이상인 180명의 동의 또는 소관위원회인
지식경제위원회 25명 중 3/5 이상인 15명의 동의가 필요하다. 따라
서 안건 X는 국회 재적의원 중 최소 150명 또는 지식경제위원회 위
원 중 최소 13명의 찬성이 아닌 국회 재적의원 중 최소 180명 또는
지식경제위원회 위원 중 최소 15명의 찬성으로 신속처리대상안건으
로 지정되었다.
② 옳지 않다. 두 번째 조 제3항에 따르면 180일 내에 심사를 마쳐야 한
다. 따라서 3월 2일부터 180일 이내는 10월 1일이 아닌 9월 2일 이
내이다.
③ 옳지 않다. 두 번째 조 제4항에 따르면 소관위원회에서 심사를 기한
내에 마치지 못했다면 기간 종료일 다음 날에 법제사법위원회로 회부
해야 한다. 따라서 지식경제위원회가 안건 X에 대해 기간 내 심사를
마치지 못했다면, 90일을 연장하여 재심사 할 수 없다.
④ 옳다. 두 번째 조 제3항 단서에 따르면 90일 내에 심사를 마쳐야 한
다. 이때 7월과 8월은 31일까지 있으므로 초일을 불산입하여 90(=
31 + 31 + 28)일 내는 9월 29(= 1 + 28)일이다.
⑤ 옳지 않다. 두 번째 조 제3항 및 제5항에 따르면 본회의 부의일은
8월 1일부터 90일 이후의 다음 날이다. 즉, 다음 해까지 넘어가지 않
는다.

I

# 25

정답 | ⑤          내용 영역 | 법규범
난이도 | ★☆☆       문항 유형 | 언어 추리

**접근 전략**

구체적인 상황을 원리에 적용해야 하는 문항 유형으로, 나라문장의 도안 및 사용 규정을 이해하여 풀이한다.

**제시문 분석 & 해설**

① 옳지 않다. 세 번째 조 제3항에서 대통령 표창장의 경우 나라문장을 사용할 수 있다고 했으므로 국무총리 표창장의 경우 사용할 수 없다.

② 옳지 않다. 두 번째 조 제3항 단서를 통해 나라문장을 철인으로 하여 사용할 때는 색을 넣지 않음을 알 수 있다.

③ 옳지 않다. 세 번째 조 제1호는 외국·국제기구 또는 국내 외국기관에 발신하는 문서에 대하여 나라문장을 사용할 수 있다고 했으며, 국제 연합의 산하 전문기구인 세계보건기구가 대한민국 정부에 발신하는 공문서의 경우에는 나라문장을 사용할 수 없다.

④ 옳지 않다. 두 번째 조 제2항을 통해 꽃잎 아래쪽에 한글로 '대한민국'을 표기함을 알 수 있다.

⑤ 옳다. 세 번째 조 제1호를 근거로 대한민국 정부가 주한 영국대사관에 발신하는 공문서에 나라문장을 사용할 수 있으며, 이때 나라문장은 마지막 조에 의할 때 문서에 사용하는 경우이므로 해당 문서의 중앙상단부에 위치함을 알 수 있다.

# 26

정답 | ①          내용 영역 | 법규범
난이도 | ★☆☆       문항 유형 | 언어 추리

**접근 전략**

손해배상액의 결정에서 과실상계와 손익상계의 개념과 적용 방식을 이해하고, 주어진 사례에 적절하게 적용할 수 있어야 한다. 손익상계의 경우 공제되지 않은 예외적인 경우에 유의하고, 과실상계와 손익상계의 선후관계를 잘 파악해야 한다.

**제시문 분석 & 해설**

O 과실상계 : 피해자에게 과실이 있으면 손해액에서 그 과실 비율만큼 공제하여 손해배상액을 정함

O 손익상계 : 손해배상 청구권자가 손해를 본 것과 같은 원인에 의하여 이익도 보았을 때, 손해액에서 그 이익만큼 공제하여 손해배상액을 정함. 단, 생명보험금, 부의금 등 책임 원인과 무관한 이익은 공제하지 않음

O 과실상계 사유와 손익상계 사유가 모두 있을 경우, 과실상계를 먼저 한 후 손익상계를 함

〈상황〉을 정리하면 다음과 같다.
ⅰ) 공무수행 중 사망한 갑 ⇒ 갑에게 손해배상 청구권 인정, 손해액 6억 원
ⅱ) 갑의 과실(A%)과 국가의 과실(B%) 모두 있음 ⇒ 과실상계 대상
ⅲ) 을의 유족보상금 : 3억 원 ⇒ 손익상계 대상
ⅳ) 갑의 개인적인 생명보험금 : 6천만 원 ⇒ 손익상계 대상 아님
∴ 과실상계와 손익상계 후 손해배상금 : 1억 8천만 원

제시문에 따르면 갑의 손해배상금은 다음과 같이 구해진다.
[손해액] − [갑의 과실상계분] − [손익상계분] = [손해배상금]
⇔ [6억 원] − [갑의 과실상계분] − [3억 원] = [1억 8천만 원]
⇔ [갑의 과실상계분] = [1억 2천만 원] = [6억 원] × 20%
∴ 갑의 과실 20%, 국가 과실 80%로 판단하여, 손해배상액을 정하는 데 이를 참작하였다.

따라서 정답은 ①이다.

# 27

| 정답 | ② | 내용 영역 | 과학기술 |
| --- | --- | --- | --- |
| 난이도 | ★☆☆ | 문항 유형 | 언어 추리 |

**접근 전략**

THC와 CBD의 차이점을 분석하고, 각 화학물질 유형의 작용기전을 확인하여 풀이한다.

**제시문 분석 & 해설**

ㄱ. 적절하지 않다. CBD는 THC와 달리 테트라하이드로퓨란 고리를 가지지 않는다. 대신 CBD는 엔도칸나비노이드의 일종인 아난다마이드를 소포체로 옮기는 효소의 작용을 억제해 세포 내에 아난다마이드가 더 오래 머물도록 한다. 즉, CBD에 테트라하이드로퓨란 고리가 없어서 아난다마이드의 작용을 둔화시키는 것이 아니다.

ㄴ. 적절하지 않다. THC는 CB1, CB2 수용체와 직접 결합하여 작용한다. 그리고 THC가 뇌 쪽에 위치한 CB1과 강하게 결합하면 도파민이 과도하게 분비되어 향정신성 작용을 유발한다. THC는 주로 뇌에서 작용하기 때문에 대마를 장기적으로 사용할 경우 단기 기억 상실이나 정신적 병증 등의 큰 부작용으로 이어질 수 있다.

이에 비해 CBD는 CB1, CB2와 직접 결합하지 않는다. 엔도칸나비노이드의 일종인 아난다마이드를 소포체로 옮기는 효소의 작용을 억제해 세포 내에 아난다마이드가 더 오래 머물도록 하는 것은 CBD이다.

ㄷ. 적절하다. 헴프는 THC가 0.3% 이하로 포함된 대마 품종, 파생물 및 추출물 등을 의미한다. THC와 CBD는 세 개의 고리에 알킬 사슬과 수산기가 붙어 있다. 그리고 제시문에 따르면 THC 성분이 0.3% 이하가 되도록 품종이 개량된 대마나 THC가 0.3% 이하인 대마 오일, 대마에서 추출한 CBD 등이 모두 헴프인 셈이다.

# 28

| 정답 | ① | 내용 영역 | 사회 |
| --- | --- | --- | --- |
| 난이도 | ★☆☆ | 문항 유형 | 언어 추리 |

**접근 전략**

구체적인 상황을 원리에 적용해야 하는 원리 적용 유형으로, 제시문에 있는 감봉에 관한 법칙을 통해 선지의 정오를 판단하여 풀이할 필요가 있다.

**제시문 분석 & 해설**

ㄱ. 옳다. 두 번째 문단에 따르면 근이 든 해에는 대부 이하 벼슬하는 사람들은 모두 봉록의 5분의 1을 감봉한다. 또한 궤가 든 해에는 5분의 4를 감봉한다. 따라서 근이 들었을 때의 봉급은 기존의 4/5이며, 궤가 들었을 때 봉급은 기존의 1/5이다.

ㄴ. 옳지 않다. 두 번째 문단에 따르면 다섯 가지 곡식 모두 제대로 수확되지 않으면 이것을 기라고 한다. 또한 기가 든 해에는 아예 봉록을 주지 않고 약간의 식량만을 지급할 뿐이다. 따라서 기가 들었으면 봉록은 받지 못하지만 약간의 식량은 지급받는다.

ㄷ. 옳지 않다. 세 번째 문단에 따르면 군주가 행차할 때 수레를 끄는 말의 수도 반으로 줄여 두 마리만으로 수레를 끌게 하고, 말에게 곡식을 먹이지 않는다. 따라서 두 마리의 말이 마차를 끄는 것은 맞지만 말에게 곡식을 먹이지는 않는다.

ㄹ. 옳지 않다. 세 번째 문단에 따르면 곡식이 제대로 수확되지 않으면 군주는 먹던 요리의 5분의 3을 줄인다. 따라서 군주가 먹는 양은 요리의 2/5이다.

## 29

| 정답 | ⑤ | 내용 영역 | 법규범 |
|---|---|---|---|
| 난이도 | ★☆☆ | 문항 유형 | 언어 추리 |

접근 전략

제시문에서 행위제한에 관련된 규정을 파악하고, 선지의 설명과 비교하며 풀이한다.

제시문 분석 & 해설

① 옳지 않다. 제○○조(행위제한) 제1항에 따르면 특정도서에서 도로 신설을 하여서는 아니 되지만, 동조 제2항에 따르면 군사 행위는 제2항에 명시된 행위 중 하나이므로 제1항이 적용되지 아니한다. 그리고 동조 제3항에 따르면 제2항에 명시된 행위를 한 자는 그 행위의 내용과 결과를 환경부장관에게 통보하여야 한다. 따라서 특정도서에서의 도로 신설이 군사 행위인 경우 그 행위의 내용과 결과를 환경부장관에게 통보해야 한다.

② 옳지 않다. 제○○조(행위제한) 제1항에 따르면 특정도서에서 공작물의 신축을 하여서는 아니 되지만, 동조 제2항에 따르면 재해의 발생 방지 및 대응을 위하여 필요한 행위는 제2항에 명시된 행위 중 하나이므로 제1항이 적용되지 아니한다. 따라서 특정도서에 거주하는 주민은 재해발생 방지를 위해 필요한 경우 특정도서에서의 공작물 신축 행위를 할 수 있다.

③ 옳지 않다. 제○○조(허가)에 따르면 환경부장관은 특정도서의 지정 목적에 지장이 없다고 인정하는 경우에는 '국가나 지방자치단체가 등산로, 산책로, 공중화장실, 정자 등을 설치하는 행위' 또는 '자연생태계의 연구·조사를 목적으로 하는 행위'를 허가할 수 있다. 다만 문화 유산으로 지정된 특정도서에 대하여는 미리 국가유산청장과 협의하여야 한다. 건축물의 증축은 위에 제시된 행위에 해당하지 않으며, 제○○조(행위제한) 제1항에 따르면 원칙적으로 하여서는 아니 되나, 동조 제2항에 명시된 행위 중 하나인 경우 가능하다. 따라서 환경부장관이 특정도서에서 건축물의 증축을 허가하기 위해서는 미리 국가유산청장과 협의할 필요는 없다.

④ 옳지 않다. 제○○조(허가)에 따르면 환경부장관이 특정도서에서 허가할 수 있는 산책로 설치 행위는 '국가나 지방자치단체가 산책로를 설치하는 행위'이다. 따라서 국가, 지방자치단체가 아닌 민간기업이 영리 목적으로 특정도서에 산책로를 설치하려는 경우 환경부장관은 이를 허가할 수 없다.

⑤ 옳다. 제○○조(허가)에 따르면 환경부장관은 특정도서의 지정 목적에 지장이 없다고 인정하는 경우에는 '자연생태계의 연구·조사를 목적으로 하는 행위'를 허가할 수 있다. 따라서 특정도서에서 자연생태계의 연구·조사를 목적으로 하는 행위에 대해 환경부장관의 허가를 얻으면 그 행위를 할 수 있다.

## 30

| 정답 | ③ | 내용 영역 | 법규범 |
|---|---|---|---|
| 난이도 | ★☆☆ | 문항 유형 | 언어 추리 |

접근 전략

이 문제에서는 손해배상액의 예정이 있으면 채권자는 실제 손해액과 상관없이 예정된 배상액을 청구할 수 있다. 하지만 이때 예정액을 초과할 수 없다는 단서에 유의해야 한다. 그리고 손해배상액을 예정한 사유와 다른 사유로 발생한 손해에 대해서는 약정의 효력이 미치지 않고 별도의 손해배상청구가 가능하다는 점도 파악해 두어야 한다.

제시문 분석 & 해설

〈손해배상액의 예정 원칙〉
- ○ 손해배상액을 예상한 사유의 경우 : 예상된 배상액 청구
  (※ 실손해액이 예정액을 초과할 경우, 초과액은 배상×)
- ○ 손해배상액을 예상한 사유가 아닌 다른 사유인 경우
  : 별도 손해 배상 청구

〈사례〉
- ○ 甲과 乙의 손해배상액의 예정 : 공사기간 내에 X건물의 리모델링을 완료하지 못할 경우, 지연기간 1일당 위 공사대금의 0.1%를 乙이 甲에게 지급 (공사대금은 1억 원)
- ○ 乙의 과실로 X건물의 리모델링 30일 지연, 이로 인한 甲의 손해는 500만 원
- ○ 乙이 불량자재를 사용, 이로 인한 甲의 손해는 1,000만 원

ⅰ. 〈사례〉에서 손해배상액을 예정한 사유는 공사기간의 지연이다. 지연기간은 30일이므로 1일당 공사대금의 0.1%로 계산한 금액은 300만 원이다. 지연으로 인한 甲의 손해는 500만 원이지만, 손해배상액의 예정을 초과하는 금액은 배상 받을 수 없으므로 200만 원에 대해서는 배상을 받을 수 없다.

ⅱ. 부실공사로 인한 손해액은 1,000만 원이고 부실공사는 손해배상을 예정한 사유가 아니므로 별도로 손해 발생사실과 손해액을 증명하여 손해배상을 받을 수 있다. 甲은 손해발생사실과 손해액을 증명하여 乙에게 손해배상을 청구하였으므로, 이와 관련하여 甲은 최대 1,000만 원을 배상받을 수 있다.

⇨ 따라서 甲이 받을 수 있는 최대 손해배상액은 ⅰ의 300만 원과 ⅱ의 1,000만 원을 합한 1,300만 원이다.

# 31

| 정답 | ② | 내용 영역 | 법규범 |
|---|---|---|---|
| 난이도 | ★☆☆ | 문항 유형 | 언어 추리 |

접근 전략

구체적인 상황을 원리에 적용해야 하는 원리 적용 유형으로, 서로 다른 단위를 환산하여 풀이할 필요가 있다.

제시문 분석 & 해설

중세 초기 아일랜드 법체계에 따른 배상금과 명예가격을 정리하면 다음과 같다.

| 사람 | 명예가격 |
|---|---|
| 주교 | 5쿠말 = 젖소 10마리 = 은 20온스 |
| 영주 | 5쿠말 |
| 부유한 농민 | 젖소 2.5마리 + 하인 1명당 젖소 0.5마리 |

| 범죄 | 배상금 |
|---|---|
| 살해 | 10쿠말 |
| 상해 | 왕, 영주, 주교 : 2쿠말<br>부유한 농민 : 젖소 1마리<br>여성, 아이 : 은 1온스 |

주교를 살해했으므로 명예가격은 5쿠말, 살해 배상금은 10쿠말이다. 영주의 얼굴에 상처를 입혔으므로 명예가격은 5쿠말, 상해 배상금은 2쿠말이다. 영주의 아내의 다리를 부러뜨렸으므로 영주의 명예가격을 청구한다. 따라서 영주의 명예가격 5쿠말과 상해 배상금으로 은 1온스를 지급한다. 하인 10명을 거느리고 있는 부유한 농민 2명을 살해했으므로 명예가격은 (2.5 + 0.5 × 10) × 2 = 15, 즉 젖소 15마리이고, 배상금은 10 × 2 = 20쿠말이다.
이를 모두 더하면 47쿠말 + 젖소 15마리 + 은 1온스이다. 5쿠말은 젖소 10마리, 은 20온스와 같으므로 1쿠말은 은 4온스, 젖소 1마리는 은 2온스이다. 따라서 A가 지급하여야 하는 총액은 47 × 4 + 15 × 2 + 1 = 219, 즉 은 219온스이다.

# 32

| 정답 | ② | 내용 영역 | 과학기술 |
|---|---|---|---|
| 난이도 | ★☆☆ | 문항 유형 | 언어 추리 |

접근 전략

구체적인 상황을 원리에 적용해야 하는 원리 적용 유형으로, 행성에 명칭을 붙이는 규정에 따라 풀이할 필요가 있다.

제시문 분석 & 해설

① 옳다. 두 번째 문단에 따르면 목성 질량의 0.9배 이상은 목성형 행성이다. 〈정보〉에서 'GJ 504 b'는 목성 질량의 4배이므로 목성형 행성이다.
② 옳지 않다. 첫 번째 문단에 따르면 행성이 공전하고 있는 항성의 이름 바로 뒤에 발견된 순서에 따라 알파벳 b부터 순서대로 붙인다. 〈정보〉에서 최근 발견된 핑크색 외계행성이 'GJ 504 b'로 명명되었으므로 'GJ 504' 항성 주변을 돌고 있는 행성 중 발견된 것은 1개이다.
③ 옳다. 두 번째 문단에 따르면 지구는 목성보다 작은 질량을 가진 행성이다. 〈정보〉에서 역대 발견된 외계 행성 중에서 가장 질량이 작은 이 핑크색 외계행성은 목성 질량의 4배이므로 역대 발견된 외계행성은 모두 지구보다 질량이 크다.
④ 옳다. 마지막 문단에 따르면 생물이 생존하는 데 필요한 액체 상태의 물이 존재할 수 있는 표면온도를 갖는 행성을 골디락스 행성이라고 부른다. 〈정보〉에서 'GJ 504 b' 행성의 표면온도는 섭씨 약 238도이므로 골디락스 행성이라 불릴 수 없다.
⑤ 옳다. 두 번째 문단에 따르면 질량이 큰 목성형 행성이 항성에서 멀리 떨어져 있는 경우, 내부의 다른 지구형 행성으로 날아가는 소행성이나 혜성을 막아주는 역할을 하므로 선량한 행성으로 불린다. 〈정보〉에서 'GJ 504 b' 행성은 목성이 태양 주위를 도는 궤도보다 9배 더 먼 거리에서 항성 주위를 공전하므로 'GJ 504 b'가 내부의 다른 지구형 행성으로 날아가는 소행성이나 혜성을 막아주는 역할을 하게 된다면, 선량한 행성으로 불릴 수 있다.

# 33

| 정답 | ④ | 내용 영역 | 법규범 |
|---|---|---|---|
| 난이도 | ★☆☆ | 문항 유형 | 언어 추리 |

구체적인 상황을 원리에 적용해야 하는 원리 적용 유형으로, 절차의 준수 및 기간의 산정, 그 외 규정 등을 고려하여 풀이할 필요가 있다.

ㄱ. 계약 위반행위이다. (라)에 따르면 乙은 사업비를 위탁받은 교육훈련 이외의 다른 용도로 사용하여서는 안 된다. 그러나 乙은 9월 10일 교육훈련과 관련없는 甲의 등산대회에 사업비에서 100만 원을 협찬하여 사업비를 위탁받은 교육훈련 이외의 다른 용도로 사용하였으므로 (라)를 위반하였다.

ㄴ. 계약 위반행위이다. (나)에 따르면 甲은 乙에게 사업비의 50%에 해당하는 금액을 반기별로 지급하며, 乙이 청구한 날로부터 14일 이내에 지급하여야 한다. 甲은 乙이 사업비 지급을 1월 25일에 청구하였는데 2월 10일에 지급하였으므로 14일을 초과하여 (나)를 위반하였다.

ㄷ. 계약 위반행위가 아니다. (다)에 따르면 乙은 하반기 사업비 청구 시 상반기 사업추진실적과 상반기 사업비 사용내역을 함께 제출하여야 하며, 甲은 이를 확인한 후 지급한다. 한편 乙은 하반기 사업비 청구 시 상반기 사업추진실적과 사업비 사용내역을 제출하였으므로 (다)를 위반하지 않았다.

ㄹ. 계약 위반행위이다. (바)에 따르면 甲은 (마)에 따른 관련 증빙서류를 확인한 후 인정된 취업실적에 대한 성과인센티브를 취업자 1인당 10만 원씩 지급한다. 즉, 甲은 관련 증빙서류를 확인하여 성과 인센티브를 지급하여야 하나 증빙서류의 확인을 거부하고 지급하지 않았으므로 (바)를 위반하였다.

# 34

| 정답 | ③ | 내용 영역 | 법규범 |
|---|---|---|---|
| 난이도 | ★☆☆ | 문항 유형 | 언어 추리 |

구체적인 상황을 원리에 적용해야 하는 원리 적용 유형으로, 빌린 금액, 선이자 공제 금액을 고려하여 풀이할 필요가 있다.

문제의 상황과 법조문에 따르면 약정금액은 2,000만 원, 선이자는 800만 원 그리고 채무자(乙)가 실제 수령한 금액은 1,200만 원이다. 1항에 따르면 계약상 최고이자율은 연 30%라고 되어 있기 때문에 최대 공제 가능 액수는 $1,200만 \times 0.3 = 360만$ 원이다. 2항에 따르면 1항에서 정한 최고이자율 30%를 초과하는 부분은 무효로 하기로 되어 있으므로 현재 총 공제액 800만 원에서 최대 공제 가능 액수인 360만 원을 뺀 440만 원은 무효가 된다. 3항 역시 약정금액(2,000만 원)에서 선이자(800만 원)를 사전공제한 후, 그 공제액이 '채무자가 실제 수령한 금액(1,200만 원)'을 기준으로 하여 1항에서 정한 최고이자율(30%)에 따라 계산한 금액(360만 원)을 초과하면 그 초과부분(440만 원)은 약정금액의 일부를 변제한 것(2,000만 − 440만)으로 보기 때문에 乙이 갚기로 한 날짜에 甲에게 전부 변제하여야 할 금액은 1,560만 원이다.

# 35

www.megale.co.kr

| | | | |
|---|---|---|---|
| 정답 | ④ | 내용 영역 | 법규범 |
| 난이도 | ★☆☆ | 문항 유형 | 언어 추리 |

**접근 전략**

주어진 사례가 제시문의 규정 가운데 어느 것에 관련되는지 파악하고, 규정에 따를 때 포섭되는 사례인지 그렇지 않은지 판단한다.

**제시문 분석 & 해설**

① 옳지 않다.

| 규정 | 사실관계 | 포섭여부 |
|---|---|---|
| 합병을 하는 회사의 일방 또는 쌍방이 주식회사 또는 유한회사인 때에는 | 갑 주식회사와 을 유한회사는 합병을 통해 | ○ |
| 합병으로 인하여 설립되는 회사는 주식회사 또는 유한회사이어야 한다. | 두 회사를 모두 소멸시키고 새로운 병 합명회사를 설립할 수 있다. | × (합명회사는 설립할 수 없다.) |

② 옳지 않다.

| 규정 | 사실관계 | 포섭여부 |
|---|---|---|
| 상호를 양도하기 위해서는 영업을 폐지하여야 한다. | '진국설렁탕'이라는 명칭으로 식당을 운영해 온 갑은 자신이 영업을 계속하면서 '진국설렁탕'이라는 명칭을 을에게 양도할 수 있다. | × (영업을 계속할 수 없다.) |

③ 옳지 않다.

| 규정 | 사실관계 | 포섭여부 |
|---|---|---|
| 고객의 물건을 창고에 보관해 주고 대가를 받는 것을 영업으로 하는 사람이 | '안전창고'라는 명칭으로 물건보관의 영업을 해 온 갑은 | ○ |
| 그 보관 물건의 멸실이나 훼손으로 인하여 책임을 부담해야 하는 경우, | 을의 물건을 보관하던 중 관리직원의 실수로 그 물건을 훼손했는데, | ○ |
| 고객은 물건이 출고된 날로부터 1년 이내에 그 책임을 물을 수 있다. | 을은 그 물건을 찾아갔다. 을은 2년 뒤 갑에게 손해배상을 청구할 수 있다. | × (2년 뒤에는 손해배상을 청구할 수 없다.) |

④ 옳다.

| 규정 | 사실관계 | 포섭여부 |
|---|---|---|
| 영업주(상점주인)가 자신을 대신하여 물건을 판매할 지배인을 고용한 경우, | '명품가구대리점' 주인인 갑을 대신하여 가구를 판매하기 위해 고용된 지배인 을은 | ○ |
| 지배인은 물건을 판매하면서 영업주를 위하여 판매한다고 고객에게 표시하지 않아도 | 갑이 주인이라는 것을 밝히지 않고 고객 병과 침대 매매계약을 체결하면서 | ○ |
| 그 판매행위는 영업주가 한 행위와 같은 것으로 본다. | 받은 계약금을 가지고 잠적하였다. 병은 갑에게 잔금을 지급하면서 침대의 인도를 청구할 수 있다. | ○ |

⑤ 옳지 않다.

| 규정 | 사실관계 | 포섭여부 |
|---|---|---|
| 타인의 부탁을 받고 타인의 물건을 자신의 이름으로 직접 매매하고 그 대가를 받는 사람은, | 갑은 을에게 자신의 물건을 을의 이름으로 팔아줄 것을 부탁하면서 물건 값의 5%를 수고의 대가로 지급하기로 하였다. | ○ |
| 그 물건을 매수한 사람에 대하여 매매로 인하여 발생하는 권리를 직접 취득하고 의무를 부담한다. | 을은 친구 병을 믿고 매매계약을 체결한 후 대금도 받기 전에 먼저 갑의 물건을 넘겨주었다. 병에게 물건대금의 지급을 청구할 수 있는 사람은 갑이다. | × (병에게 물건대금의 지급을 청구할 수 있는 사람은 갑이 아니라 을) |

# 36

| | | | |
|---|---|---|---|
| 정답 | ② | 내용 영역 | 사회 |
| 난이도 | ★☆☆ | 문항 유형 | 언어 추리 |

**접근 전략**

구체적인 상황을 원리에 적용해야 하는 원리 적용 유형으로, 전체 집합에 대한 비율인지, 부분 집합에 대한 비율인지를 고려하여 풀이할 필요가 있다.

**제시문 분석 & 해설**

ㄱ. 옳다. 1970년 하원의원 선거가 처음 실시되었고, 상원의원 선거는 그로부터 2년 후에 처음 실시되었다고 언급되어 있으므로 상원의원 선거가 처음 실시된 해는 1972년이다. 따라서 상·하원의원 임기는 모두 4년이므로 1980년에 실시된 선거는 상원의원 선거이다.

ㄴ. 옳지 않다. ○○국의 하원의원 선거 투표율이 1982년부터 1990년까지 지속적으로 하락했다는 것만 알 수 있을 뿐, 1984년 상원의원 선거의 투표율에 대해서는 알 수 없다.

ㄷ. 옳지 않다. 1990년 선거에서 투표율이 가장 높은 선거구가 A선거구라는 것만 알 수 있을 뿐, 매 선거마다 가장 높은 투표율을 기록했다는 것에 대해서는 알 수 없다.

ㄹ. 옳다. 1990년 선거에서 투표율이 가장 높은 선거구는 A선거구로 37%의 투표율을, 그 다음은 B선거구로 31%의 투표율을 기록했다는 것을 알 수 있다. 따라서 나머지 24개 선거구 중에서 총 32%의 투표율을 기록한 것이므로, 얼마든지 20%가 넘는 선거구가 존재할 수 있다.

ㅁ. 옳지 않다. 1982년 선거와 1990년 선거를 비교했을 때의 여당과 야당의 득표율 차이가 줄어든 것이지, 1982년부터 1990년까지 지속적으로 득표율 차이가 줄어들었는지 여부는 1986년에 대한 정보가 없어 알 수 없다.

# 37

| 정답 | ③ | 내용 영역 | 사회 |
|---|---|---|---|
| 난이도 | ★☆☆ | 문항 유형 | 언어 추리 |

**접근 전략**

구체적인 상황을 원리에 적용해야 하는 원리 적용 유형으로, 비율에 따른 수치를 확인하여 풀이할 필요가 있다.

**제시문 분석 & 해설**

甲국 조세정책 변화 전후 A, B의 소득세 징수 현황을 나타내면 다음과 같다.

| (단위 : $) | 조세정책 변화 전 | | 조세정책 변화 후 | |
|---|---|---|---|---|
| | A | B | A | B |
| 주민 1인당 소득 | 100 | 200 | 100 | 200 |
| 중장정부의 소득세 | 20 | 40 | 10 | 20 |
| 지방정부의 소득세 | 10 | 20 | 20 | 40 |
| 1인당 소득세 | 30 | 60 | 30 | 60 |
| 1인당 공공지출 | 40 | 50 | 35 | 55 |

○ 조세정책 변화 전 1인당 공공지출은 지방정부의 소득세에 중앙정부의 소득세 $60의 절반을 더하여 도출한다. 따라서 A의 1인당 공공지출은 $40이며, B의 1인당 공공지출은 $50이다.

○ 조세정책 변화 후 1인당 공공지출은 지방정부의 소득세에 중앙정부의 소득세 $30의 절반을 더하여 도출한다. 따라서 A의 1인당 공공지출은 $35이며, B의 1인당 공공지출은 $55이다.

ㄱ. 옳지 않다. 중앙정부와 지방정부에서 징수하는 소득세율에만 변화가 있을 뿐 각 주민이 부담하는 세금은 동일하기 때문에 甲국 조세정책 변화와 관계없이 A, B지역 모두의 공공지출은 불변이다.

ㄴ. 옳다. 올해 A지역의 주민 1인당 소득대비 공공부문 이득비율은 $\frac{40-30}{100} \times 100 = 10\%$이다.

ㄷ. 옳지 않다. 내년 A지역의 주민 1인당 소득대비 공공부문 이득비율은 $\frac{35-30}{100} \times 100 = 5\%$이다. 따라서 올해에 비해 5%p 감소할 것이다.

ㄹ. 옳다. 내년 B지역의 주민 1인당 소득대비 공공부문 이득비율은 $\frac{55-60}{200} \times 100 = -2.5\%$이다.

# 38

| 정답 | ⑤ | 내용 영역 | 인문 |
|---|---|---|---|
| 난이도 | ★☆☆ | 문항 유형 | 언어 추리 |

**접근 전략**

구체적인 상황을 원리에 적용해야 하는 원리 적용 유형으로, 해당 단어가 사용된 맥락을 고려하여 풀이할 필요가 있다.

**제시문 분석 & 해설**

세 번째 문단에 따르면 '지능'이라는 의미에는 '부사적 지능'과 '명사적 지능'이 있음을 알 수 있고 두 의미 중 하나만이 적용될 수 있다. '부사적 지능'은 어떤 것이 외부에서 주어진 과제를 효율적으로 수행하고 있다는 것이며 '명사적 지능'은 주어진 과제를 수행하는 과정에서 실수를 하기도 하고 이 과정을 수행하는 데 필요한 것보다 더 많은 것을 동원하기도 하지만, 여러 수단 중에서 하나를 선택하고 그 결과를 미리 예상하는 것이다.

㉠ '명사적 지능'으로 사용된다. 첫 번째 문단에 따르면 열매를 따기 위해서(＝주어진 과제) 침팬지는 직접 나무를 올라가거나 도구를 쓰거나 막대기를 휘두르는 등 여러 방법 중에서 하나의 방법을 선택한다. 즉, 효율적인 방법으로 수행하는 것이 아니다.

㉡ '부사적 지능'으로 사용된다. 두 번째 문단에 따르면 동일한 문제를 똑같이 잘 해결하는 두 개의 시스템 중 단순하게 구성된 시스템을 더 지능적이라고 한다. 왜냐하면 똑같은 일을 훨씬 적은 힘을 들여 처리할 수 있기 때문이다. 즉, 주어진 과제를 효율적으로 수행한 것이다.

㉢ '부사적 지능'으로 사용된다. 세 번째 문단에 따르면 '이 기계는 주어진 과제를 지능적으로 해결하고 있다'고 말할 수 있다고 한다. 그리고 다음 문장에서 '지능적'의 의미를 어떤 것이 외부에서 주어진 과제를 효율적으로 수행하고 있다는 것이며, 이런 의미의 '지능'을 '부사적 지능'이라고 부를 수 있다고 설명한다.

㉣ '부사적 지능'으로 사용된다. 네 번째 문단에 따르면 뛰어난 체스 컴퓨터는 대부분의 사람들을 상대로 체스 게임에서 상대방보다 더 지능적으로 말을 움직인다. 즉, 체스 게임이라는 주어진 과제를 상대방보다 더 효율적으로 수행한다는 의미이다.

# 39

| 정답 | ③ | 내용 영역 | 법규범 |
|---|---|---|---|
| 난이도 | ★★★ | 문항 유형 | 언어 추리 |

**접근 전략**

위헌여부심판과 헌법소원심판 관련 규정을 구분한 후, 선지를 판단해야 한다.

**제시문 분석 & 해설**

첫 번째 규정과 두 번째 규정을 비교하여 정리하면 다음과 같다.

| | 위헌여부심판 | 헌법소원심판 |
|---|---|---|
| 요건 | 법률이 헌법에 위반되는 여부가 재판의 전제가 된 때 | 국가 공권력의 행사 또는 불행사로 인하여 헌법상 보장된 기본권을 직접 침해받았을 때 |
| 청구 주체 | 법원(by 직권 또는 당사자의 신청) if 당사자의 제청신청 기각 → 당사자가 직접 청구 | 당사자가 직접 청구 |
| 기간 | 당사자가 직접 청구하는 경우 기각 결정을 통지받은 날로부터 30일 이내 | 그 사유가 있음을 안 날로부터 90일 이내 또는 그 사유가 있은 날부터 1년 이내 |

주어진 규정을 편의상 순서대로 (가)~(바)라고 하기로 한다.

① 옳지 않다. 판결은 법원의 재판 결과이므로 (라)에 따르면 헌법소원심판의 대상이 아니다.

② 옳지 않다. (가)에 따르면 위헌여부심판은 재판을 전제로 법원의 직권 또는 당사자의 신청에 의한 결정이 있어야 하는데 국회의원 B는 법원도 아니고 당사자도 아니므로 위헌여부심판을 청구할 수 없다.

③ 옳다. (바)에 의하면 체포를 할 때에는 영장을 제시하여야 하는데 C는 영장 없이 체포되었으므로 (가)의 '국가 공권력의 행사로 인하여 헌법상 보장된 기본권을 직접 침해받은 자'에 해당한다. 따라서 C의 헌법소원청구는 가능하다.

④ 옳지 않다. 위헌여부심판 청구는 법원이 제청하는 것이고 당사자는 법원에 신청만 할 수 있다.

⑤ 옳지 않다. 헌법소원심판은 국가 공권력의 행사 또는 불행사로 인하여 헌법상 보장된 기본권을 직접 침해받은 자가 청구할 수 있는데 회사는 국가 공권력이 아니므로 헌법소원심판 청구는 불가능하다.

# 40

| 정답 | ④ | 내용 영역 | 법규범 |
|---|---|---|---|
| 난이도 | ★★★ | 문항 유형 | 언어 추리 |

**접근 전략**

규정의 개념과 규정이 가정하고 있는 상황이 다소 복잡하기 때문에 규정을 면밀히 분석하여 사례를 판단하여야 한다. 다만, 규정 자체를 먼저 분석하느라 시간을 소비하기보다는 규정과 〈보기〉를 모두 읽은 다음 〈보기〉의 사례에 해당하는 규정을 찾고 나서 규정과 사례의 각 부분이 잘 들어맞는지를 판단하는 것이 효율적이다.

**제시문 분석 & 해설**

ㄱ. 옳지 않다.

A가 밤늦게 길을 가다가 MP3기기를 주웠는데 MP3기기의 소유자를 알 수 없는 경우

⇨ 유실물

⇨ 법률에 정한 바에 의하여 공고한 후 1년 내에 그 소유자가 권리를 주장하지 않으면 습득자가 그 소유권을 취득함

∴ 습득인인 A가 공고 없이 MP3기기의 소유권을 취득할 수는 없음

ㄴ. 옳다.

i) A가 한 달 전에 잃어버린 자전거를 → 유실물을

ii) B가 평온·공연하게 선의이며 과실 없이 중고 자전거판매점에서 구입하여 → 같은 종류의 물건을 판매하는 상인으로부터 선의로 매수한 때에는

iii) A는 B가 지급한 대가를 변상하고 자전거의 반환을 청구할 수 있다. → 유실자는 양수인이 지급한 대가를 변상하고 그 물건의 반환을 청구할 수 있다.

ㄷ. 옳지 않다.

i) A가 3년 전에 도난당한 시계를 B가 정육점 주인 C로부터 선의취득한 경우

→ 유실물이지만 양수인이 유실물을 경매나 공개시장에서 또는 같은 종류의 물건을 판매하는 상인으로부터 선의로 매수한 것이 아니라 다른 종류의 물건을 판매하는 상인으로부터 선의로 매수한 것이므로 두 번째 규정이 적용된다.

→ 유실한 날로부터 2년 내에 물건의 반환을 청구할 수 있는데 3년이 지났으므로 반환을 청구할 수 없다.

ㄹ. 옳다.

i) A가 B소유의 카메라를 빌려 사용하고 있는 C로부터 → 양도인이 정당한 소유자가 아닌 때에도

ii) 평온·공연하게 선의이며 과실 없이 그 카메라를 구입하여 사용하고 있는 경우 → 평온·공연하게 동산을 양수한 자가 선의이며 과실 없이 그 동산을 점유한 경우에는

iii) A는 카메라의 소유자가 된다. → 즉시 그 동산의 소유권을 취득한다.

# 41

| 정답 | ⑤ | 내용 영역 | 법규범 |
| 난이도 | ★★★ | 문항 유형 | 언어 추리 |

**접근 전략**

복잡한 〈상황〉을 명확히 정리한 다음 발문을 확인하여 적용해야 할 규정이 무엇인지 파악한다.

**제시문 분석 & 해설**

○ A군의 국적 : 대한민국
○ B양의 국적 : 일본
○ 혼인거행지 : 독일
○ 상거소지 : 미국 X주

발문을 보면 A군과 B양의 '혼인의 성립요건'에 관하여 '대한민국 법원'에서 다툼이 있을 때 어떤 준거법을 적용해야 하는지를 묻고 있다.

먼저 〈상황〉에 제시문의 규정들을 적용해도 되는지를 판단해야 한다. 제시문의 첫 번째 규정 '제○○조(목적)' 및 하단의 '준거법' 정의를 살펴보면, 제시문 규정들은 다음 두 조건을 만족하는 경우 그 사건에 적용하여야 할 본국법 또는 외국법을 정하는 것임을 알 수 있다.

ⅰ. 내국인과 외국인 사이의 법률 분쟁을 해결하기 위해서
ⅱ. 당사자들이 대한민국 법원에 소를 제기한 경우

그런데 A군과 B양은 내국인과 외국인이고(ⅰ) 대한민국 법원에서 다툼이 있으므로(ⅱ) 제시문의 규정을 적용할 수 있다.

발문이 혼인의 성립요건에 대하여 묻고 있으므로 제○○조(혼인의 성립)의 제1호 규정을 확인하면 된다.

A군과 B양의 혼인의 '성립요건'에 관한 규정은 다음과 같다.
혼인의 성립요건은 각 당사자에 관하여 그 '본국법'에 의한다.
그런데 A군의 본국은 대한민국이고 B양의 본국은 일본이다.
그러므로 A군에게는 대한민국 법이, B양에게는 일본 법이 각각 적용된다.

따라서 정답은 ⑤이다.

# 42

| 정답 | ④ | 내용 영역 | 법규범 |
| 난이도 | ★★★ | 문항 유형 | 언어 추리 |

**접근 전략**

이 문제는 〈상황〉을 꼼꼼히 확인해야 적용해야 할 규정을 혼동하지 않을 수 있음에 유의해야 한다.

**제시문 분석 & 해설**

〈상황〉을 정리하면 다음과 같다.
○ C의 국적 : 대한민국
○ D의 국적 : 일본
○ 혼인거행지 : 미국 X주
○ 상거소지 : 미국의 Y주
○ 당첨금 투자지 : Z주(부동산), Y주(은행)

C와 D가 재산에 관한 다툼을 당해 부동산 소재지법에 따라 해결한다고 합의한 사실 때문에 '제○○조(부부재산제)'의 제2호를 적용하는 것으로 오해할 수 있으나, 제2호는 그 합의가 일자와 부부의 기명날인 또는 서명이 있는 서면으로 작성된 경우에만 효력이 있다고 규정하고 있다. 그런데 C와 D는 날짜를 기입하지 않았다. 따라서 제2항을 적용해서는 안 되고 제1호에 따라야 한다. 제1호에 따르면 부부재산제는 '제○○조(혼인의 일반적 효력)' 규정을 준용해야 한다.

부부재산제에 관하여는 제○○조(혼인의 일반적 효력) 규정을 준용한다.

제○○조(혼인의 일반적 효력) 다음 각 호에 정한 법의 순위에 의한다.
① 부부의 동일한 본국법
② 부부의 동일한 상거소지법(常居所地法)

그런데 C와 D는 국적이 각각 대한민국과 일본으로 서로 달라 동일한 본국법이 없다. 따라서 제2호를 적용하여 부부의 동일한 상거소지인 미국의 Y주 법을 따라야 한다.

따라서 정답은 ④이다.

# 43

정답 | ①　　　내용 영역 | 법규범

난이도 | ★☆☆　　　문항 유형 | 언어 추리

도서관자료 납본 절차에 관한 제시문의 정보를 파악하고, 그 정보를 각 상황에 맞게 활용한다.

**제시문 분석 & 해설**

① 옳다. 첫 번째 조 제1항을 통해 온라인 자료라 하더라도 국제표준자료번호를 부여받은 경우에는 발행 또는 제작한 경우 도서관자료를 국립중앙도서관에 납본하여야 함을 알 수 있고, 같은 조 제3항을 통해 국립중앙도서관은 납본한 자에게 지체 없이 납본 증명서를 발급하여야 함을 알 수 있다.

② 옳지 않다. 첫 번째 조 제1항을 통해 국제표준자료번호를 부여받지 않은 온라인 자료는 납본의무가 없음을 알 수 있다.

③ 옳지 않다. 첫 번째 조 제3항을 통해 납본한 도서관자료의 전부 또는 일부가 판매용인 경우 그 도서관자료에 대하여 정당한 보상을 하여야 함을 알 수 있고, 이에 대해서는 국가, 지방자치단체 및 공공기관이라 하더라도 예외가 없음을 알 수 있다.

④ 옳지 않다. 첫 번째 조 제1항에 의할 때 수정증보판인 경우에 기존 도서를 납본했더라도 납본의무가 있는 것이지 내용 변경 없이 일정 부수를 추가 인쇄한 경우는 해당하지 않음을 알 수 있다.

⑤ 옳지 않다. 두 번째 조 제1항은 국립중앙도서관이 국내에서 서비스되는 온라인 자료 중에서 보존가치가 높은 온라인 자료를 선정하여 수집·보존하여야 함을 알 수 있다.

# 44

정답 | ④　　　내용 영역 | 법규범

난이도 | ★☆☆　　　문항 유형 | 언어 추리

제시문에서 특수건강진단에 관련된 규정을 파악하고, 선지의 설명과 비교하며 풀이한다.

**제시문 분석 & 해설**

① 옳지 않다. 제□□조(특수건강진단에 관한 사업주의 의무) 제1항에 따르면 사업주는 특수건강진단을 실시하는 경우 근로자대표가 요구하면 근로자대표를 참석시켜야 한다. 따라서 사업주는 특수건강진단을 실시하는 경우, 고용노동부장관이 아니라 근로자대표가 요구하면 근로자대표를 참석시켜야 한다.

② 옳지 않다. 제□□조(특수건강진단에 관한 사업주의 의무) 제2항에 따르면 사업주는 산업안전보건위원회 또는 근로자대표가 요구할 때에는 특수건강진단 결과에 대하여 설명하여야 한다. 즉 산업안전보건위원회가 요구하지 않아도, 근로자대표가 요구할 때에는 특수건강진단 결과에 대하여 설명하여야 한다. 따라서 근로자대표는 산업안전보건위원회의 동의 없이도 사업주가 특수건강진단 결과에 대하여 설명하도록 요구할 수 있다.

③ 옳지 않다. 제□□조(특수건강진단에 관한 사업주의 의무) 제3항에 따르면 사업주는 특수건강진단의 결과 근로자의 건강을 유지하기 위하여 필요하다고 인정할 때에는 야간근로 등 적절한 조치를 하여야 한다. 따라서 사업주가 아닌 산업안전보건위원회가 특수건강진단의 결과 근로자의 건강을 유지하기 위하여 필요하다고 인정할 때에는 야간근로를 제한하는 조치를 하여야 하는 것은 아니다.

④ 옳다. 제△△조(특수건강진단기관) 제3항에 따르면 고용노동부장관은 특수건강진단기관을 평가하고 그 결과(제2항에 따른 진단·분석능력의 확인 결과를 포함한다)를 공개할 수 있다. 따라서 고용노동부장관은 특수건강진단기관의 진단·분석능력 확인 결과를 포함하여 특수건강진단기관에 대한 평가 결과를 공개할 수 있다.

⑤ 옳지 않다. 제□□조(특수건강진단에 관한 사업주의 의무) 제2항에 따르면 개별 근로자의 특수건강진단 결과는 본인의 동의 없이 공개해서는 아니 된다. 따라서 사업주는 근로자대표의 요구가 있더라도 개별 근로자의 특수건강진단 결과를 본인 동의 없이 공개할 수 없다.

# 45

정답 | ③  내용 영역 | 법규범
난이도 | ★☆☆  문항 유형 | 언어 추리

**접근 전략**

제시문에서 소방활동에 관련된 규정을 파악하고, 선지의 설명과 비교하며 풀이한다.

**제시문 분석 & 해설**

① 옳지 않다. 제○○조(소방활동 종사명령, 소방활동 비용지급) 제1항과 제2항에 따르면 소방대장의 명령에 따라 소방활동에 종사한 사람은 시·도지사로부터 소방활동의 비용을 지급받을 수 있다. 다만 소방대상물의 소유자·관리자 또는 점유자의 경우에는 그러하지 아니하다. 따라서 화재가 발생한 건물의 소유자가 소방대장의 소방활동 종사명령에 따라 해당 건물에서 사람을 구출하는 일을 한 경우, 그는 소방활동의 비용을 지급받을 수 없다.

② 옳지 않다. 제○○조(소방활동 종사명령, 소방활동 비용지급) 제2항에 따르면 동조 제1항에 따른 명령에 따라 소방활동에 종사한 사람은 시·도지사로부터 소방활동의 비용을 지급받을 수 있으나, 고의 또는 과실로 화재를 발생시킨 사람의 경우에는 그러하지 아니하다. 그리고 제△△조(손실보상)에 따르면 소방청장 또는 시·도지사는 '제○○조 제1항에 따른 소방활동 종사로 인하여 사망하거나 부상을 입은 자'에게 손실보상을 하여야 한다.
이를 고려하면 과실로 화재를 발생시킨 사람이 소방대장의 소방활동 종사명령에 따라 불을 끄는 일을 하던 중 부상을 입은 경우, 그는 소방활동의 비용을 지급받을 수 없다. 하지만 이 사람은 '제○○조 제1항에 따른 소방활동 종사로 인하여 사망하거나 부상을 입은 자'에 해당하므로, 이 사람은 소방청장 또는 시·도지사로부터 손실보상을 받게 된다.

③ 옳다. 제□□조(강제처분 등) 제1항에 따르면 소방대장은 사람을 구출하거나 불이 번지는 것을 막기 위하여 필요할 때에는 화재가 발생하거나 불이 번질 우려가 있는 소방대상물 및 토지에 대한 일시적 사용·사용제한 등 소방활동에 필요한 처분을 할 수 있다. 따라서 소방대장은 사람을 구출하기 위하여 필요할 때에는 불이 번질 우려가 있는 토지의 사용을 일시적으로 제한할 수 있다.

④ 옳지 않다. 제△△조(손실보상)에 따르면 소방청장 또는 시·도지사는 '제□□조 제2항에 따른 처분으로 인하여 손실을 입은 자'에게 손실보상을 하여야 한다. 다만 법령을 위반하여 소방자동차의 통행과 소방활동에 방해가 된 경우는 제외한다. 불법 주차 차량은 법령을 위반하여 소방자동차의 통행에 방해가 된 경우에 해당한다. 따라서 소방대장이 화재진압을 위한 소방자동차의 긴급 출동에 방해가 되는 불법 주차 차량을 이동시키던 중 그 차량이 파손된 경우, 해당 차량을 주차한 소유자는 손실보상을 받지 못한다.

⑤ 옳지 않다. 제□□조(강제처분 등) 제3항과 제4항에 따르면 시·도지사는 소방활동에 방해가 되는 주차 또는 정차된 차량의 제거나 이동을 위하여 견인차량과 인력 등을 지원한 자에게 비용을 지급할 수 있다. 따라서 소방청장이 소방대장의 요청에 따라 견인차량을 지원한 자에게 견인비용을 지급하여야 하는 것은 아니다.

# 46

정답 | ③  내용 영역 | 법규범
난이도 | ★★☆  문항 유형 | 언어 추리

**접근 전략**

○ 공소시효가 완성된 범죄에 대한 검사의 공소제기 : 위법함
○ 공소시효 산정 기준 : 범죄행위가 종료된 날부터 공소시효를 계산함
○ 공소시효 정지되는 경우
  (1) 형사처벌을 면할 목적으로 국외로 도피한 경우(단, 국외로 출국하지 않은 공범은 공소시효 정지되지 않음)
  (2) 공소가 제기되면 공소시효가 정지됨(단, 공범의 경우에 무죄 판결을 받은 경우 다른 공범에 대한 공소시효 정지되지 않음)

**제시문 분석 & 해설**

① 옳지 않다. 범죄행위가 종료된 날부터 공소시효를 산정하므로, 피해자가 감금에서 풀려난 2016년 5월 2일부터 甲의 공소시효를 산정할 것이다. 따라서 甲이 범죄행위가 종료되기 전에 국외로 도피한 것은 공소시효 정지 사유에 해당하지 않는다.

② 옳지 않다. 갑은 피해자를 불법으로 감금하였으므로 감금죄가 성립하며, 공소시효는 2016년 5월 2일로부터 7년이다. 즉, 갑의 공소시효는 2023년 5월 1일 24시에 완성된다. 따라서 2023년 5월 1일 甲에 대해 공소가 제기된다면 적법한 공소제기이다.

③ 옳다. 丙은 범죄행위 종료 후 형사처벌을 면할 목적으로 1년간 국외에서 도피 생활을 하다가 귀국하였다. 형사처벌을 면할 목적으로 국외로 도피한 경우는 공소시효 정지 사유에 해당하므로, 丙에 대해 공소가 제기되기 전 정지된 공소시효 기간은 1년이다.

④ 옳지 않다. 범인이 형사처벌을 면할 목적으로 1년간 국외에 있다가 귀국하였다면 공소시효가 1년간 정지된다. 다만 공범이 있는 경우 국외로 출국하지 않은 공범은 그 기간에도 공소시효가 정지되지 않는다. 즉, 丙이 범죄행위 종료 후 형사처벌을 면할 목적으로 1년간 국외에서 도피생활을 하였으므로, 丙의 공소시효는 1년간 정지되지만 국외로 도피하지 않은 丁의 공소시효는 정지되지 않는다.

⑤ 옳지 않다. 丁은 A죄의 범죄행위를 2015년 2월 1일에 종료하였으며, 계속 국내에서 도피 중이다. 그리고 공범 1인에 대하여 공소가 제기되면 그날부터 다른 공범의 공소시효도 정지되었다가 공범이 재판에서 유죄로 확정된 날부터 다른 공범에 대한 나머지 공소시효 기간이 진행된다. A죄의 공소시효는 5년이며, 丁의 공소시효는 범죄행위가 종료된 날부터 진행되며, 丁의 공범인 丙이 2020년 1월 1일 공소가 제기되어 2020년 12월 31일에 유죄 확정판결을 받았으므로 이 기간 동안 丁의 공소시효는 정지된다. 따라서 丁의 공소시효는 2021년 1월 31일에 완성될 것이다. 따라서 2022년 1월 31일 丁에 대해 공소가 제기된다면, 이는 공소시효가 완성된 범죄에 대한 공소제기이므로 위법하다.

# 47

| 정답 | ③ | 내용 영역 | 법규범 |
|---|---|---|---|
| 난이도 | ★☆☆ | 문항 유형 | 언어 추리 |

**접근 전략**

제시문의 길이가 길기 때문에, 선지를 통해 필요한 정보만 발췌하여 풀이한다.

**제시문 분석 & 해설**

① 옳다. 제시문 네 번째 문단에 따르면, 공기업·준정부기관은 이사회의 심의·의결 또는 관계법령에 따라 예산이 확정되거나 변경된 때에는 지체 없이 그 내용을 기획재정부, 주무부처 및 감사원에 보고한다고 제시되어 있다.

② 옳다. 제시문 두 번째 문단에 따르면, 편성·제출된 예산안은 이사회의 의결로 확정된다. 다만, 준정부기관의 예산에 관하여 주무기관의 장의 승인을 거쳐 확정하도록 한 경우에는 이사회 의결을 거친 후 주무기관의 장의 승인을 얻도록 하고 있다.

제시문 네 번째 문단에 따르면, 공기업·준정부기관은 「공기업·준정부기관 예산편성지침」에 따라 이사회 개최일 15일 전까지 예산안 및 부속서류(수입·지출계획서 등)를 이사회 구성원, 주무부처 및 기획재정부에 송부한다.

따라서 주무기관의 장의 승인을 거쳐 예산안이 확정되는 준정부기관의 경우, 주무기관의 장의 예산에 관한 승인 이전에 이사회 의결을 거쳐야 하며, 이사회 개최일 15일 전까지 수입·지출계획서를 주무부처에 송부해야 하므로, 순서 상 주무기관의 장의 예산에 관한 승인 이전에 수입·지출계획서를 주무부처에 송부한다.

③ 옳지 않다. 제시문 두 번째 문단에 따르면, 다른 법률에서 규정된 사원총회의 의결 등 별도의 절차가 있는 경우 이사회 의결 후 해당 절차를 거쳐 확정하도록 하고 있다. 즉, 이사회 의결 후 사원총회 의결을 거쳐 확정해야 한다.

④ 옳다. 제시문 첫 번째 문단에 따르면, 총사업비가 1,000억 원 이상이고 국가재정·공공기관 부담 합계액이 500억 원 이상인 신규 투자사업 및 자본 출자에 대해서는 미리 예비타당성조사를 실시하여야 한다. 따라서 총사업비가 1,300억 원, 국가재정·공공기관 부담 합계액이 800억 원인 신규 투자사업 및 자본 출자에 대해서는 미리 예비타당성조사를 실시하여야 한다.

⑤ 옳다. 제시문 세 번째 문단에 따르면, 「공공기관의 운영에 관한 법률」 제38조에 따라 공기업·준정부기관의 회계연도가 정부의 회계연도에 따른다.

# 48

| 정답 | ⑤ | 내용 영역 | 법규범 |
|---|---|---|---|
| 난이도 | ★☆☆ | 문항 유형 | 언어 추리 |

**접근 전략**

법규정 문제는 선지에 제시된 정보를 제시문에서 확인하여 해당 부분만 발췌하여 풀이한 후, 예외 규정이 있는지 확인하여 풀이한다.

**제시문 분석 & 해설**

① 옳다. 제2항에 따르면, △△부장관은 분야별 단체 등에 위원의 추천을 요청할 수 있다.

② 옳다. 제1항에 따르면, 위원회는 위원장 1명, 부위원장 2명을 포함한 20명 이상 25명 이내의 위원으로 구성한다. 따라서 위원회의 위원 수가 25명이라면 그중 위원장 1명, 부위원장 2명을 제외하면 위원장이나 부위원장이 아닌 위원이 22명일 수 있다.

③ 옳다. 제4항에 따르면, 위원에 결원이 생겼을 때에는 제2항에 따라 보궐위원을 위촉하여야 한다. 다만, 결원 외의 위원의 수가 20명 이상인 경우에는 보궐위원을 위촉하지 아니할 수 있다. 위원의 수가 20명인 상황에서 1명의 결원이 발생한 경우에는 결원 외의 위원의 수가 20명 미만이므로, 제4항 단서에 해당하지 않기 때문에 보궐위원을 반드시 위촉하여야 한다.

④ 옳다. 제2항 제2호에 따르면 변호사의 자격이 있는 사람은 해당 자격만 갖추어도 위촉될 수 있다. 따라서 지난해 정교수의 직급으로 대학에서 퇴직하여 현재 변호사 개업 상태에 있는 사람은 ◇◇ 관련 분야 전공자가 아니더라도 신규 위원으로 위촉될 수 있다.

⑤ 옳지 않다. 제3항에 따르면, 위원의 임기는 3년으로 하며, 한 차례만 연임할 수 있다. 그러나 단서에 따르면, 직위를 지정하여 위촉하는 위원의 임기는 해당 직위에 재임하는 기간으로 한다. 해당 직위에 재임하는 기간이 3년 미만이라면, 보궐위원으로 위촉되지 않았더라도 임기가 3년 미만일 수 있다.

# 49

| 정답 | ④ | 내용 영역 | 법규범 |
|---|---|---|---|
| 난이도 | ★☆☆ | 문항 유형 | 언어 추리 |

**접근 전략**

제시문의 규정 중 상황에 적용할 수 있는 규정을 확인하여 풀이한다.

**제시문 분석 & 해설**

○ 甲 : 임대인(乙에게 2022. 1. 1. ~ 2024. 12. 31.까지 임대, 월 차임 100만 원, 매월 말일 후불)

○ 乙 : 임차인(丙에게 2023. 1. 1. ~ 2024. 12. 31.까지 전대, 월 차임 100만 원, 매월 말일 후불)

○ 丙 : 전차인

1. 乙은 甲에게 2022. 1. 1. ~ 2023. 12. 31.까지는 각 차임 지급 시기에 차임을 모두 지급

2. 丙은 乙에게 2022. 1. 1. ~ 2023. 12. 31.까지는 각 차임 지급 시기에 차임을 모두 지급

3. 2024. 1. 10. 乙은 丙으로부터 2024. 1. 1. ~ 2024. 12. 31.까지의 1년치 차임 1,200만 원을 먼저 수령, 2024년에 甲에게 지급해야 할 차임을 전혀 지급하지 않음

4. 甲은 2024. 5. 20. 丙에게 2024. 1. 1. ~ 2024. 4. 30.까지의 차임 400만 원 및 2024. 5. 1. ~ 2024. 12. 31.까지의 월 차임 100만 원을 매달 말일에 자신에게 지급할 것을 청구

甲은 丙에게 2024. 5. 20.에 월 차임을 요구하였다. 그리고 丙은 乙에게 2024. 1. 10.에 2024. 1. 1. ~ 2024. 12. 31.까지의 1년치 차임을 지급하였다. 제시문의 (2)에 따르면 전차인이 전대차계약상의 차임 지급 시기 전에 임차인에게 차임을 지급했는데 그 후 임대인이 전차인에 대해 차임 지급을 요구한 경우, 전차인은 임대인에 대해서도 차임 지급 의무가 있다. 그러나 이 경우에도 임대인의 차임 청구 시점 이전에 전대차계약상의 차임 지급 시기가 도래한 부분에 관해서는 전차인은 임대인에 대한 차임 지급 의무를 면한다.

丙은 매달 말일 월 차임비를 지급하기로 계약하였고 甲은 2024. 5. 20.일에 차임 지급을 요구하였으므로, 丙은 2024. 1. ~ 4.말일까지는 전대차계약상의 차임 지급 시기가 도래하였으므로 甲에 대한 차임 지급 의무를 면한다.

그러나 2024. 5. 말일부터는 임대인에 대해서 차임 지급 의무가 있으므로, 丙은 2024. 5. 1. ~ 2024. 12. 31.까지의 월 차임 100만 원을 매달 말일에 甲에게 지급해야 한다. 따라서 전차인 丙이 임대인 甲에게 지급해야 하는 차임의 총액은 100 × 8 = 800만 원이다.

# 50

| 정답 | ① | 내용 영역 | 법규범 |
|---|---|---|---|
| 난이도 | ★☆☆ | 문항 유형 | 언어 추리 |

**접근 전략**

제시문의 규정을 통해 선지의 정오를 판단하는 문항 유형으로, 과세 기준 및 비과세에 대한 법규범의 내용을 정확히 읽어내야 한다.

**제시문 분석 & 해설**

ㄱ. 부과된다. 첫 번째 조에서는 재산세가 과세기준일인 12월 1일을 기준으로 부과된다고 하고 있다. 따라서 2024년 과세 기준일에는 甲이 사용하고 있던 W건축물이 철거명령을 받지 않은 상태이므로 재산세가 부과된다.

ㄴ. 부과되지 않는다. 두 번째 조 제1항을 통해 국가, 지방자치단체 또는 지방자치단체조합이 1년 이상 무상으로 공용 또는 공공용으로 사용하는 재산에 대하여는 재산세를 부과하지 않음을 알 수 있다. X토지의 경우 지방자치단체인 A광역시가 2023. 1. 1.부터 과세 기준일을 기준으로 볼 때 1년 이상 공공용으로 무상 사용했으므로 재산세가 부과되지 않는다.

ㄷ. 부과되지 않는다. 두 번째 조 제2항 3호에는 임시로 사용하기 위하여 건축된 건축물로서 재산세 과세 기준일 현재 건축일로부터 1년 미만의 것은 재산세를 부과하지 않는다고 하였다. Y임시건축물은 2024. 4. 19.에 건축됐으므로 2024년 12월 1일인 과세기준일로부터 1년이 경과되지 않아 재산세가 부과되지 않는다.

ㄹ. 부과되지 않는다. 두 번째 조 제2항 4호는 비상재해구조용, 무료도선용, 선교 구성용 등으로 사용하는 선박은 재산세를 부과하지 않는다고 하였다. Z선박의 경우 비상재해구조용 선박으로 무상으로 사용했으므로 재산세가 부과되지 않는다.

# 51

정답 | ④     내용 영역 | 사회
난이도 | ★★☆     문항 유형 | 언어 추리

### 접근 전략

합리적 추론을 위해서는 증언의 신뢰도뿐 아니라 전체 집단에서의 비율, 즉 기저율까지 고려하는 전체 증거의 원칙을 지켜야 함을 이해할 수 있어야 한다.

### 제시문 분석 & 해설

ㄱ. 적절하지 않다. 기저율이란 A시에 있는 초록색/파란색 택시의 비율과 같이, 어떤 사건의 기본적인 발생 빈도를 의미한다. 〈사례〉에서 기저율은 1/1,000,000의 확률로 걸리는 병 X의 발생 확률이다. 을은 이 병이 매우 희귀한 병이라는 사실을 이미 알고 있으므로, 검사 결과와 상관없이 병에 걸릴 확률이 매우 낮다는 것을 인식하고 있다. 따라서 검사 결과가 나오기 전, 단순히 검사 자체만으로 양성 반응이 나올 확률이 높다고 판단할 근거는 없다.

ㄴ. 적절하다. 제시문은 기저율 오류를 기저율을 무시하고 갑의 증언의 정확도에만 초점을 맞춰 추론하는 경향이라고 설명한다. 〈사례〉에서 갑의 증언의 정확도는 검사법의 정확도(99%)에 해당한다. 을이 기저율인 병 X가 1/1,000,000의 희귀병이라는 사실을 무시하고 검사법의 정확도인 99%에만 초점을 맞춘다면, 그는 양성 반응이 나왔을 때 99%의 확률로 병에 걸렸다고 착각하게 된다. 이는 실제로 병에 걸렸을 확률이 걸리지 않았을 확률보다 크다는 잘못된 결론으로 이어진다.

ㄷ. 적절하다. 제시문은 전체 증거의 원칙을 언급하며 기저율을 포함한 모든 증거를 고려해야 한다고 주장한다. 〈사례〉에서 전체 증거는 병의 기저율(1/1,000,000)과 검사 정확도(99%)를 모두 포함한다. 을이 이 두 가지 사실을 모두 고려한다면, 비록 검사에서 양성 반응이 나왔더라도, 이 병 자체가 워낙 희귀하기 때문에 양성 반응이 위양성(실제로 병에 걸리지 않았는데 양성으로 나온 경우)일 가능성이 훨씬 높다는 것을 깨닫게 된다. 따라서 실제로 병에 걸렸을 확률은 걸리지 않았을 확률보다 작다고 판단하게 된다.

# 52

정답 | ①     내용 영역 | 법규범
난이도 | ★★☆     문항 유형 | 언어 추리

### 접근 전략

구체적인 상황을 원리에 적용해야 하는 원리 적용 유형으로, 〈상황〉에 제시된 甲의 현황을 토대로 계산하여 풀이할 필요가 있다.

### 제시문 분석 & 해설

甲은 B전문대학 졸업 후 A대학 3학년에 편입하였으므로 두 번째 조 제1호에 해당한다. 첫 번째 조 제1항 제1호 및 제2항 제1호에 따르면 대학은 학생이 국내외의 다른 전문학사학위과정 또는 학사학위과정에서 학점을 취득한 경우 학칙으로 정하는 바에 따라 취득한 학점의 전부를 해당 대학에서 학점을 취득한 것으로 인정할 수 있다. A대학은 학칙을 통해 학점인정의 범위를 △△법에서 허용하는 최대 수준으로 정하고 있다. 따라서 B전문대학에서 취득한 졸업에 필요한 최소 취득학점인 63학점과 1년 동안 미국의 C대학에 교환학생으로 파견되어 취득한 12학점은 전부 A대학에서 취득한 것으로 인정된다. 또한 첫 번째 조 제1항 제3호 및 제2항 제3호에 따르면 군복무로 인한 휴학기간에 원격수업을 수강하여 취득한 6학점은 연 12학점 이내이므로 전부 A대학에서 취득한 것으로 인정된다. 한편 A대학에 복학한 이후 취득한 30학점은 △△법과 무관하게 학점이 인정된다. 따라서 甲은 현재 $63 + 12 + 6 + 30 = 111$점을 취득한 것으로 인정된다. A대학을 졸업하기 위해 필요한 최소 취득학점은 120학점이므로, 앞으로 최소 9학점이 필요하다.

# 53

| 정답 | ④ | 내용 영역 | 법규범 |
|---|---|---|---|
| 난이도 | ★★☆ | 문항 유형 | 언어 추리 |

### 접근 전략

선지의 사실관계에 따라 제시문의 각 조항에 따라 풀이한다.

### 제시문 분석 & 해설

ㄱ. 옳다. 甲은 □□시 △△동에 주소를 두었다. 제2항 본문에 따르면 농촌(읍·면) 이외의 지역에 주소를 두었더라도 제2항 제1호와 제2호에 따르면 기본직접지급불금의 지급대상자가 된다. 그럼에도 불구하고 제3항 제1호와 제2호에 해당하면 기본직접지불금의 지급대상자가 될 수 없다.

제2항 제2호에 따르면 연간농업소득금액이 900만 원이상이어야 기본직접지불금의 지급대상자가 되며, 제3항 제1호에 따르면 연간 비농업소득금액이 3,700만 원 이상이 아니어야 하고, 또한 제3항 제2호에 따르면 경작하는 농지의 면적이 1천제곱미터 미만이 아니어야 한다. 甲은 연간 농업소득금액이 900만 원으로 제2항 제2호에 해당하고, 연간 비농업소득금액은 4500 − 900 = 3,600만 원으로 제3항 제1호에 해당하지 않는다. 그리고 甲은 0.5헥타르의 농지를 경작하고 있으며 0.5헥타르 × 10000 = 5,000m²이므로 제3항 제2호에도 해당하지 않는다.

제1항 제2호에 따르면 2016년 1월 1일부터 2019년 12월 31일까지의 기간 중 종전의 농업소득보전직접지불금 또는 종전의 조건불리지역소득보조금을 1회 이상 정당하게 지급받은 농업인이어야 하는데, 甲은 2018년 3월 1일에 종전의 조건불리지역소득보조금을 받았다. 따라서 甲은 기본직접지불금의 지급대상자가 된다.

ㄴ. 옳다. 乙은 □□시 ◇◇읍에 주소를 두고 있으므로, 제2항과는 관련이 없다. 그리고 전업농업인이므로, 제1항 제1호에 따라 기본직접지불금의 지급대상자가 된다.

제3항의 각 호에 해당하는지를 파악하면, 제1호에 따르면 연간 비농업소득금액이 4400 − 800 = 3,600만 원이므로 제1호에는 해당하지 않는다. 제2호에 해당하는지를 보면 20,000m²의 농지를 경작하지만 1헥타르 농지에 대하여 휴경 중이고 제4항 제1호에 따라 경작 농지 중 휴경 농지를 제외하면 20000 − (1×10000) = 10,000m²이므로 제3항 제2호에도 해당하지 않는다. 따라서 乙은 기본직접지불금의 지급대상자가 된다.

ㄷ. 옳다. 丙은 1.5헥타르의 농지를 경작하는 후계농업경영인이지만, 14,700m²의 농지에 대하여 「농지법」 제11조 제1항에 따라 농지처분 명령을 받았다. 따라서 제4항에 따라 경작 농지 중 농지처분 명령을 받은 농지를 제외하면 (1.5×10000) − 14700 = 300m²이므로, 제3항 제2호에 의해 기본직접지불금의 지급대상자가 될 수 없다.

ㄹ. 옳지 않다. 丁은 농업인이지만, 제1항 제1호에 따른 후계농업경영인, 전업농업인인지의 여부는 알 수 없다. 또한 정은 제1항 제2호에 따라 2015년 8월 28일에 종전의 조건불리지역소득보조금을 정당하게 지급받은 적이 있지만, 2016년 1월 1일부터 2019년 12월 31일까지의 기간 중 종전의 농업소득보전직접지불금 또는 종전의 조건불리지역소득보조금을 1회 이상 정당하게 지급받은 농업인인지의 여부도 알 수 없다. 따라서 제1항의 요건을 충족하지 못할 수 있기 때문에 기본직접지불금의 지급대상자가 되는지의 여부는 알 수 없다.

# 54

| 정답 | ③ | 내용 영역 | 과학기술 |
|---|---|---|---|
| 난이도 | ★★☆ | 문항 유형 | 언어 추리 |

### 접근 전략

제시문은 '왜 인공태양은 태양보다 더 높은 온도를 유지해야 하는가'라는 설명 구조를 가진다. 따라서 문제 풀이에서는 각 주장(초고온 필요성, 가열 방식의 효과, 케이스타 성과)을 뒷받침하는 근거 자료가 무엇인지 연결하는 것이 핵심이다. 태양과 지구의 플라스마 조건 비교, 가열 방식의 실험 데이터, 케이스타 실험 결과와 검증 자료가 주장과 연결되는지를 확인해야 한다.

### 제시문 분석 & 해설

① 알 수 있다. 제시문에 따르면 케이스타는 공명 가열 방식을 사용하며 1억℃에서 48초간 플라스마를 유지하는 실험에 성공하였다. 이를 통해 케이스타는 고온의 플라스마를 얻기 위해 공명 가열 방식을 사용하고 있음을 알 수 있다.

② 알 수 있다. 제시문에 따르면 이온 공명 가열의 경우에는 수십 메가헤르츠 대역의 주파수를, 전자 공명 가열의 경우에는 수만 ~ 수십만 메가헤르츠 대역의 주파수를 사용한다. 따라서 핵융합 장치에서 공명을 일으킬 때 전자의 경우는 이온의 경우보다 더 높은 주파수를 사용한다.

③ 알 수 없다. 제시문에 따르면 중성 입자 빔 주입은 외부에서 가속된 고에너지 중성 입자를 플라스마 속으로 투입하여 플라스마를 가열하는 방식이다. 따라서 플라스마 내로 투입되는 중성 입자는 플라스마 속에 들어와서 가속된다고 볼 수 없다.

④ 알 수 있다. 제시문에 따르면 외부에서 가하는 힘의 주파수가 힘이 가해진 이온이나 전자가 가진 고유 주파수와 같으면 공명이 일어난다.

⑤ 알 수 있다. 제시문은 핵융합 반응이 플라스마의 밀도와 온도의 곱이 일정 수준에 도달할 때 발생한다고 설명한다. 태양은 높은 밀도를 바탕으로 1,500만℃라는 낮은 온도에서도 핵융합이 가능하지만, 지구는 그만큼의 밀도를 구현할 수 없어 온도를 1억℃ 이상으로 높여야 한다고 했다. 이는 곧 지구에서도 플라스마 밀도를 더 높일 수 있다면, 온도를 지금보다 낮춰도 반응을 일으킬 수 있다는 의미가 된다.

# 55

정답 | ③     내용 영역 | 과학기술
난이도 | ★★☆     문항 유형 | 언어 추리

**접근 전략**

제시문은 금속 내부 전자와 표면 전자의 차이를 구별하는 데 초점을 둔다. 내부 전자는 합력이 0이 되도록 배치되며, 전자가 추가되면 모두 표면에 위치한다. 표면 전자는 합력이 0이 아니고 바깥 방향 전기력을 받는다. 따라서 각 선지가 내부·표면 전자의 전기력 상태와 부합하는지를 따져 풀이해야 한다.

**제시문 분석 & 해설**

ㄱ. 추론할 수 있다. 제시문 첫 부분에서 "도체 내부에서 자유 전자는 … 각각에 작용하는 전기력의 합력이 0이 되도록 위치하게 된다"라고 설명하였다. 이는 대전 여부와 관계없이 내부 자유 전자는 합력이 0인 상태에 있음을 뜻한다.

ㄴ. 추론할 수 있다. 제시문 마지막 부분에서 "표면의 전자에는 표면에 수직인 바깥 방향으로 전기력의 합력이 작용한다"고 하였다. 이는 곧 금속 표면 전자가 외부로 향하는 힘을 받는다는 의미이므로 추론할 수 있다.

ㄷ. 추론할 수 없다. 제시문은 "대전된 금속의 내부에 있는 자유 전자에 작용하는 전기력의 합력은 0"이라고 말한다. 따라서 내부 전자는 대전된 경우에도 합력이 0이다.

# 56

정답 | ③     내용 영역 | 과학기술
난이도 | ★★☆     문항 유형 | 언어 추리

**접근 전략**

제시문의 정보를 통해 선지의 정오를 판단하는 문항 유형으로, 사람의 폐와 호흡에 대한 내용을 정확히 읽어내야 한다.

**제시문 분석 & 해설**

2문단에 따르면 호흡 중 폐와 기도에 수용되는 공기량은 다음 네 종류로 나뉜다.

| 공기량의 종류 | 정의 |
| --- | --- |
| 1회 호흡량 | 들이마시거나 내쉬는 공기량 |
| 흡식예비용량 | 최대로 공기를 들이마실 때 1회 호흡량에서 추가로 늘어나는 공기량 |
| 호식예비용량 | 최대로 공기를 내쉴 때 1회 호흡량에서 추가로 나가는 공기량 |
| 잔기량 | 공기를 최대한 내쉬고도 여전히 폐와 기도에 남아 있는 공기량 |

3문단에 따르면 폐용량의 종류를 다음과 같이 구분할 수 있다.

| 폐용량의 종류 | 정의 |
| --- | --- |
| 폐활량 | 흡식예비용량 + 호식예비용량 + 1회 호흡량 |
| 전폐용량 | 폐활량 + 잔기량 |
| 흡식용량 | 1회 호흡량 + 흡식예비용량 |
| 기능적 잔기용량 | 호식예비용량 + 잔기량 |

ㄱ. 추론할 수 있다. 1문단에 따르면 숨을 쉬는 동안 교환되는 공기량은 들이마시고 내쉬는 공기량을 측정하는 장치인 폐활량계로 직접 측정할 수 있지만, 폐나 기도에 남아 있는 공기량은 직접 측정할 수 없다. 2문단과 3문단에 따르면 전폐용량은 폐활량과 잔기량을 합친 것을, 잔기량은 공기를 최대한 내쉬고도 여전히 폐와 기도에 남아 있는 공기량을 말한다. 따라서 전폐용량은 잔기량을 포함하고 있다는 점에서 폐활량계로 직접 측정할 수 없다.

ㄴ. 추론할 수 없다. 3문단에 따르면 폐용량의 크기는 전폐용량이 가장 크고, 폐활량이 그 다음으로 크다. 하지만 기능적 잔기용량(호식예비용량+잔기량)과 흡식용량(1회 호흡량+흡식예비용량)은 서로 다른 종류의 공기량을 더해 계산한 결과이므로, 전자와 후자 중 어느 쪽의 크기가 더 큰지를 비교하기는 어렵다.

ㄷ. 추론할 수 있다. 공기를 최대한 들이마시는 경우, 1회 호흡량과 흡식예비용량에 해당하는 공기가 폐에 추가로 들어올 것이다. 숨을 내쉬지 않았으므로 폐에는 호식예비용량과 잔기량에 해당하는 공기량이 남아 있을 것이다. 이를 정리하면 공기를 최대한 들이마셔 폐에 들어간 공기량은 전폐용량과 동일하다고 볼 수 있다. 따라서 공기를 최대한 들이마신 상태에서 폐와 기도 내에 들어 있는 공기량은 폐활량보다 크다.

## 57

| 정답 | ② | 내용 영역 | 사회 |
| --- | --- | --- | --- |
| 난이도 | ★★☆ | 문항 유형 | 언어 추리 |

**접근 전략**

구체적인 상황을 원리에 적용해야 하는 원리 적용 유형으로, 〈대안〉에 제시된 방안별로 〈상황〉에 맞게 대입하여 풀이할 필요가 있다.

**제시문 분석 & 해설**

A : 모든 빈곤 가구에게 월 평균 소득의 25%를 지급한다. 따라서 자녀 수에 따른 구분을 할 필요가 없이, 총 빈곤가구를 계산한다. 따라서 1,500 × 0.2 × 200 × 1/4 = 15,000만 원이 소요된다.

B : 한 자녀 가구에는 10만 원, 두 자녀 가구에는 20만 원, 세 자녀 가구에는 30만 원을 지급한다. 한 자녀 가구는 600가구, 두 자녀 가구는 500가구, 세 자녀 가구는 100가구이다. 따라서 600 × 10 + 500 × 20 + 100 × 30 = 19,000만 원이 소요된다.

C : 자녀가 있는 모든 맞벌이 가구 자녀당 30만 원을 지급하고, 세 자녀 이상의 경우 100만 원을 지급한다. 이는 한 자녀 가구에 30만 원, 두 자녀 가구에는 60만 원, 세 자녀 이상 가구에는 100만 원의 보조금을 지급하는 것과 같다. 따라서 600 × 0.3 × 30 + 500 × 0.3 × 60 + 100 × 0.3 × 100 = 17,400만 원이 소요된다.

따라서 월 소요 예산의 규모는 A < C < B이다.

## 58

| 정답 | ① | 내용 영역 | 사회 |
| --- | --- | --- | --- |
| 난이도 | ★★☆ | 문항 유형 | 언어 추리 |

**접근 전략**

구체적인 상황을 원리에 적용해야 하는 원리 적용 유형으로, 제시문의 정보를 한번에 파악하기보다는 선지의 정오를 판단할 때 필요한 정보 위주로 풀이할 필요가 있다.

**제시문 분석 & 해설**

① 옳지 않다. 세 번째 문단에 따르면 @키는 20세기까지 자판에서 자리를 지키고 있었지만 사용 빈도는 점차 줄어들었다. 따라서 @키가 타자기 자판에서 사라진 것은 아니다.

② 옳다. 두 번째 문단에 따르면 @는 적어도 6세기부터 사용되었다. 즉, @이 사용되기 시작한 지 1,000년이 넘었다.

③ 옳다. 두 번째 문단에 따르면 '토마토 15개@3달러'는 토마토 1개당 3달러일 때 토마토 15개의 가격을 나타낸다. 따라서 @이 단가를 뜻하는 기호로 쓰였을 때, '토마토 15개@3달러'라면 토마토 15개의 가격은 15 × 3 = 45달러였을 것이다.

④ 옳다. 두 번째 문단에 따르면 @는 전치사, 측정단위, 단가로 사용되었으며, 세 번째 문단에 따르면 @는 이메일 기호로도 사용되었다. 즉, @는 전치사, 측정 단위, 단가, 이메일 기호 등 다양한 의미로 활용되어 왔다.

⑤ 옳다. 두 번째 문단에 따르면 스페인의 @는 현재 9.5kg에 해당하며 포르투갈의 @는 현재 12kg에 해당한다.

# 59

| 정답 | ④ | 내용 영역 | 과학기술 |
|---|---|---|---|
| 난이도 | ★★☆ | 문항 유형 | 언어 추리 |

I

**접근 전략**

탄소나노튜브의 종류와 특성이 무엇인지를 이해하고, 제시문과 〈실험 결과〉에 근거하여 선지의 정오를 판단해야 한다.

**제시문 분석 & 해설**

제시문과 〈실험 결과〉를 통해 파악한 CNT 샘플 관련 정보를 비교하면 아래와 같다.

o CNT 샘플 결정성: $\dfrac{\text{G 밴드 피크 높이}}{\text{D 밴드 피크 높이}}$에 비례

o $\alpha$ : D 밴드 피크 높이 = ($\beta$의 D 밴드 피크 높이)
  G 밴드 피크 높이 > ($\beta$의 G 밴드 피크 높이)

o $\beta$ : G 밴드 피크 높이 > D 밴드 피크 높이

o $\gamma$ : D 밴드 피크 높이 = G 밴드 피크 높이
  = ($\beta$의 D 밴드 피크 높이) × 2

조건에 맞게 임의의 수치를 채워 다음과 같이 표로 정리할 수 있다.

| | $\alpha$ | $\beta$ | $\gamma$ |
|---|---|---|---|
| G 밴드 피크 높이 | 3 | 2 | 2 |
| D 밴드 피크 높이 | 1 | 1 | 2 |
| $\dfrac{\text{G 밴드 피크 높이}}{\text{D 밴드 피크 높이}}$ | 3 | 2 | 1 |

o 파수 $300\,\text{cm}^{-1}$ 이하에서의 피크는 $\beta$에서만 관찰됨

ㄱ. 적절하다. 2문단에 따르면 $\dfrac{\text{G 밴드 피크 높이}}{\text{D 밴드 피크 높이}}$가 클수록 CNT 샘플의 결정성이 크다. 위 표를 참고하면 $\alpha$와 $\beta$는 D 밴드 피크 높이가 동일하지만, $\alpha$가 $\beta$보다 더 높은 G 밴드 피크 값을 가지므로 $\dfrac{\text{G 밴드 피크 높이}}{\text{D 밴드 피크 높이}}$는 $\alpha$가 $\beta$보다 더 크다. $\gamma$의 경우 $\dfrac{\text{G 밴드 피크 높이}}{\text{D 밴드 피크 높이}}$가 1로 가장 작다. 따라서 결정성이 큰 CNT 샘플부터 차례로 나열하면 $\alpha$, $\beta$, $\gamma$ 이다.

ㄴ. 적절하지 않다. ㄷ에서 확인한 것처럼 $\alpha$는 1종의 CNT(MW-CNT)로 이루어져 있다. 하지만 $\beta$의 경우 SW-CNT나 DW-CNT 중 1종으로만 이루어져 있거나, 2종 모두로 이루어져 있을 가능성이 있다. 따라서 $\beta$가 2종 이상의 CNT로 이루어져 있다고 단정할 수 없다.

ㄷ. 적절하다. 1문단에 따르면 CNT는 단일벽 나노튜브(SW-CNT), 이중벽 나노튜브(DW-CNT), 다중벽 나노튜브(MW-CNT) 세 종류뿐이다. 2문단에 따르면 CNT 샘플에 SW-CNT나 DW-CNT가 존재할 때 그리고 오직 그때에만 파수 $300\,\text{cm}^{-1}$ 이하에서 피크가 나타난다. 파수 $300\,\text{cm}^{-1}$ 이하에서의 피크는 $\beta$에서만 관찰되었으므로 $\beta$에만 SW-CNT나 DW-CNT가 존재함을 알 수 있고, $\alpha$와 $\gamma$는 MW-CNT로만 이루어져 있음을 알 수 있다.

# 60

| 정답 | ③ | 내용 영역 | 과학기술 |
|---|---|---|---|
| 난이도 | ★★☆ | 문항 유형 | 언어 추리 |

**접근 전략**

제시문에 언급된 태양광 발전소 규모에 따라 생산 전력을 계산하는 방법을 이해하고 문제를 풀이해야 한다.

**제시문 분석 & 해설**

(가) : 480

1 MW 태양광 발전소에서 하루 4시간씩 생산하는 전력은 $4,000\,\text{kW}$이며, 30일 동안 생산할 경우 $120,000\,\text{kW}$이다. 한 가구가 30일 동안 필요한 전력이 $250\,\text{kW}$이므로 $120,000\,\text{kW}$를 $250\,\text{kW}$로 나누면 480이 됨을 알 수 있다.

(나) : 200,000

마지막 문단을 통해 1 MW 태양광 발전소를 통한 전기 생산은 같은 양의 전기를 화석연료 발전 방식으로 생산할 때보다 연간 500톤의 이산화탄소를 감축하는 효과가 있음을 알 수 있다. 이는 $500,000\,\text{kg}$이며, 나무 한 그루가 연간 2.5 kg을 감축하므로 $500,000\,\text{kg}$을 2.5 kg으로 나누면 200,000이 됨을 알 수 있다.

# 61

| 정답 | ⑤ | 내용 영역 | 인문 |
|---|---|---|---|
| 난이도 | ★★☆ | 문항 유형 | 언어 추리 |

[접근 전략]

구체적인 상황을 원리에 적용해야 하는 원리 적용 유형으로, 제시문의 정보가 많으므로, 필요한 부분만을 우선적으로 파악하여 풀이할 필요가 있다.

[제시문 분석 & 해설]

ㄱ. 옳지 않다. 세 번째 문단에 따르면 상등 요호 1급의 권분량은 1,000석이고, 하등 요호 9급의 권분량은 2석이다. 따라서 두 권분량의 차이는 998석이다.

ㄴ. 옳지 않다. 세 번째 문단에 따르면 중등 요호 6급의 권분량은 50석이다. 따라서 시상은 50석 이상 권분을 행한 경우 가능하므로, 시상이 가능하다.

ㄷ. 옳다. 세 번째 문단에 따르면 丁은 중등 요호 7급이므로 벼 40석을 권분해야 한다. 시가 차액만 계산하면 되므로 시가차액은 $(6 - 1.5) \times 40 = 180$(냥)이다.

ㄹ. 옳다. 세 번째 문단에 따르면 상등 요호 9급의 권분량은 200석이다. 또한 두 번째 문단에 따르면 상등 요호는 봄에 무상으로 곡물을 내놓는 진희를 권분으로 행하였으므로, 따라서 권분 당시의 총 시가는 $6 \times 200 = 1,200$(냥)이다.

# 62

| 정답 | ⑤ | 내용 영역 | 법규범 |
|---|---|---|---|
| 난이도 | ★★☆ | 문항 유형 | 언어 추리 |

[접근 전략]

구체적인 상황을 원리에 적용해야 하는 원리 적용 유형으로, 각 시기에 맞게 규정을 적용하여 풀이할 필요가 있다.

[제시문 분석 & 해설]

제1항에 따르면 국가는 정당에 대한 보조금으로 최근 실시한 임기만료에 의한 국회의원선거의 선거권자 총수에 보조금 계상단가를 곱한 금액을 계상하여야 한다. 즉, 2014년 실시된 임기만료에 의한 국회의원선거의 선거권자 총수는 3천만 명에 보조금 계상단가를 곱해야 한다.

제3항과 〈상황〉에 따르면 보조금 계상단가는 2016년에 1,030원이다. 이때 제2항에 따르면 대통령선거, 동시지방선거 2개의 보조금 계상단가를 추가하여야 하므로, 2,060원을 추가하여 2016년의 보조금 계상단가는 3,090원이 된다. 따라서 2016년 정당에 지급할 국고보조금의 총액은 3천 만 × 3,090 = 927억 원이다.

# 63

정답 | ⑤    내용 영역 | 법규범
난이도 | ★★☆    문항 유형 | 언어 추리

**접근 전략**

제시문에서 보증금액 계산 방식을 확인하고, 상가건물의 임대차로 인정될 수 있는 요건들을 확인하여 문제를 풀이해야 한다.

**제시문 분석 & 해설**

① 해당하지 않는다. 제1항에서 이 법은 상가건물의 임대차에 대하여 적용한다고 했으므로 사업용 토지는 적용 대상이 아니다.

② 해당하지 않는다. 제1항에서 이 법은 사업자등록의 대상이 되는 건물로서 상가건물의 임대차에 대하여 적용한다고 했으므로 상가건물이라 하더라도 사업자등록 대상이 아닌 경우는 적용 대상이 아니다.

③ 해당하지 않는다. 제1항 단서에서 각호의 보증금액을 초과하는 상가건물 임대차에 대하여는 적용하지 않는다고 하였고, B시에서 7억 원의 임대차는 B시의 보증금액 기준인 6억 8천만 원을 초과하므로 적용 대상이 아니다.

④ 해당하지 않는다. 제2항에서 보증금 외에 차임이 있는 경우 월 단위 차임액에 100을 곱하여 환산한 금액을 포함하여야 한다고 되어 있다. 따라서 200만 원의 임대차에 100을 곱한 2억을 더하면 제1항의 C시 보증금액 기준인 5억 5천만 원을 초과한 6억이 되므로 적용 대상이 아니다.

⑤ 해당한다. D시의 경우 제1항의 그 밖의 지역에 해당하므로 4억 원이 기준이다. 보증금 3억 원에 연 차임액인 1,200만 원을 12로 나눠 100을 곱한 1억을 더하면 4억 원이므로 이 법이 적용되는 임대차에 해당한다.

# 64

정답 | ④    내용 영역 | 법규범
난이도 | ★★☆    문항 유형 | 언어 추리

**접근 전략**

구체적인 상황을 원리에 적용해야 하는 원리 적용 유형으로, 줄글의 형태로 제시되어 있는 규정을 선지의 각 상황에 맞게 적용하여 풀이할 필요가 있다.

**제시문 분석 & 해설**

ㄱ. 옳지 않다. 첫 번째 문단에 따르면 양도가액이 6,000만 원 이상인 것을 과세대상으로 규정한다. 또한 각주에 따르면 양도가액은 판매가격을 의미하므로 A가 석판화의 복제품을 5,000만 원에 판매한 경우 양도가격은 5,000만 원이다. 따라서 A의 석판화 복제품 거래는 과세 대상에서 제외된다. 한편 두 번째 문단에 따르면 '대통령령으로 정하는 서화·골동품' 종류에 석판화의 원본이 포함되어 있는데, A가 거래한 것은 석판화의 복제품이므로 과세 대상에서 제외된다. 따라서 A는 기타소득세를 납부하지 않아도 된다.

ㄴ. 옳지 않다. 첫 번째 문단에 따르면 양도가액이 6,000만 원 이상인 것을 과세대상으로 규정한다. 이때 단서에 따르면 국보와 보물 등 국가지정문화재의 거래 및 양도는 과세대상에서 제외된다. 따라서 B가 보물로 지정된 고려시대의 골동품 1점을 판매한 경우, 과세대상에서 제외되는 품목을 판매한 행위이므로 B는 기타소득세를 납부하지 않아도 된다.

ㄷ. 옳다. 첫 번째 문단에 따르면 양도가액이 6,000만 원 이상인 것을 과세대상으로 규정한다. 이때 단서에 따르면 양도일 현재 생존하고 있는 국내 원작자의 작품은 과세 대상에서 제외된다. 따라서 C가 판매한, 현재 생존하고 있는 국내 화가의 회화 1점은 과세 대상에서 제외되므로 C는 기타소득세를 납부하지 않아도 된다.

ㄹ. 옳지 않다. 첫 번째 문단에 따르면 양도가액이 6,000만 원 이상인 것을 과세대상으로 규정한다. 또한 각주에 따르면 양도가액은 판매가격을 의미하므로 D가 국내 화가의 회화 1점을 3,000만 원에 판매한 경우 양도가격은 3,000만 원이다. 따라서 D가 판매한, 국내 화가의 회화 1점은 과세 대상에서 제외되므로 D는 기타소득세를 납부하지 않아도 된다.

## 65

| 정답 | ② | 내용 영역 | 인문 |
|---|---|---|---|
| 난이도 | ★★☆ | 문항 유형 | 언어 추리 |

**접근 전략**

구체적인 상황을 원리에 적용해야 하는 원리 적용 유형으로, 한 쪽만 해당하는지, 양 쪽 모두 해당하는지 등의 수치 이외의 정보에 주의하여 풀이할 필요가 있다.

**제시문 분석 & 해설**

ㄱ. 옳다. 첫 번째 문단에 따르면 통제영 귀선의 포구멍은 좌우 방패판에 각각 22개, 거북머리 위에 2개, 거북머리 아래 2개의 문 옆에 각각 1개, 좌우 복판에 각각 12개 있으므로 총 72개의 포구멍이 있다. 또한 두 번째 문단에 따르면 전라좌수영 귀선의 포구멍은 거북머리 아래 2개, 현판 좌우에 각각 10개, 복판 좌우에 각각 6개 있으므로 총 34개의 포구멍이 있다.

ㄴ. 옳지 않다. 첫 번째 문단에 따르면 선장은 왼쪽 포판 위의 방 한 간을 사용하였다.

ㄷ. 옳지 않다. 포판 위에 쇠못을 박아 적군의 귀선 접근을 막았는지 여부는 본문을 통해서는 알 수 없다.

ㄹ. 옳지 않다. 첫 번째 문단에 따르면 통제영 귀선은 뱃머리에 거북머리를 설치하였고, 두 번째 문단에 따르면 전라좌수영 귀선에도 거북머리가 사용되었음을 알 수 있다.

ㅁ. 옳다. 첫 번째 문단에 따르면 통제영 귀선은 노가 좌우 각각 10개씩 있어 20명의 노 담당 군사가 필요하며, 두 번째 문단에 따르면 전라좌수영 귀선은 노가 좌우 각각 8개씩 있어 16명의 노 담당 군사가 필요하다.

## 66

| 정답 | ⑤ | 내용 영역 | 인문 |
|---|---|---|---|
| 난이도 | ★★☆ | 문항 유형 | 언어 추리 |

**접근 전략**

구체적인 상황을 원리에 적용해야 하는 원리 적용 유형으로, 정보의 양이 많다. 선지별로 필요한 정보만을 발췌하여 풀이할 필요가 있다.

**제시문 분석 & 해설**

① 옳다. 숫자 순서로 항렬자를 사용하는 방법에 따르면 寧(녕)은 숫자 四(사)에 해당한다. 따라서 항렬이 두 단계 높은 할아버지는 숫자 二(이)에 해당하는 重(중)을 항렬자로 사용했을 것이다.

② 옳다. 여덟 번째 문단에 따르면 같은 본관의 성씨라고 해도 같은 세대에 하나의 항렬자만 사용하는 것은 아니며 계파에 따라 다른 항렬자를 쓰기도 한다. 즉, 항렬자를 사용하더라도 같은 본관의 성씨에 같은 세대라고 해서 항렬자가 항상 같은 것은 아니다.

③ 옳다. 지지를 사용하는 방법에 따르면 卿(경)은 卯(묘)가 포함되는 글자로 네 번째 순서에 해당된다. 따라서 항렬이 한 단계 높은 큰아버지의 항렬자는 寅(인)이 포함된 演(연)일 것이다.

④ 옳다. 부수오행의 방법에 따르면 火(화)의 부수를 가진 항렬자는 木(목)의 부수를 가진 항렬자 뒤에 위치한다. 따라서 아버지가 火(화)의 부수를 가진 자를 항렬자로 쓰면 할아버지는 木(목)의 부수를 가진 자를 항렬자로 썼을 것이다.

⑤ 옳지 않다. 천간을 사용하는 방법에 따르면 重(중)은 壬(임)이 포함되는 글자로, 아홉 번째 순서에 해당된다. 따라서 항렬이 두 단계 높은 할아버지는 庚(경)이 포함되는 글자를 사용할 것인데 紀(기)는 庚(경)이 포함된 글자가 아니다. 즉, 紀(기)를 항렬자로 쓰지 않았을 것이다.

# 67

정답 | ④　　　　　내용 영역 | 사회
난이도 | ★★☆　　　문항 유형 | 언어 추리

**접근 전략**

구체적인 상황을 원리에 적용해야 하는 원리 적용 유형으로, 특정 기준점을 설정하여 풀이할 필요가 있다.

**제시문 분석 & 해설**

① 옳다. A상품에 가입 시 수익은 $(P-50,000)$원이 된다. 이는 오늘 금 1g을 샀다가 2011년 12월 30일에 판매하여 $(P-50,000)$원의 수익을 얻는 것과 동일하다.

② 옳다. P가 50,000원 이상이라고 확신한다면, A상품에 가입 시 수익은 $(P-50,000)$원이고, C상품에 가입 시 수익은 $(P-50,000-1,000)$원이므로 A상품에 가입하는 것이 더 이득이다.

③ 옳다. P가 50,000원 이하인 경우, B상품에 가입하면 금융회사가 $(50,000-P)$원을 지급하므로 이익은 $(50,000-P)$원인데, 가입자가 금 1g을 사서 2011년 12월 30일에 판매 시 발생하는 손해 역시 $(50,000-P)$원이므로 이익과 손해가 같아 50,000원을 받을 수 있다. 반대의 경우에는 금 판매로 $(P-50,000)$원의 이익을 보지만, 이를 금융회사에 납부해야 하므로 금 시세와 무관하게 50,000원을 받을 수 있다.

④ 옳지 않다. 금 가격이 50,000원으로 유지되는 경우, C상품과 D상품에 동시에 가입했다면 금융회사로부터 보전 받는 금액 없이 가입비 2,000원만 부담하게 되므로 손해를 볼 수 있다.

⑤ 옳다. D상품 구매 시 P가 50,000원 이하인 경우 가입자는 금 구매에 따라 발생한 $(50,000-P)$원의 손해를 금융회사로부터 보전 받고 대신 가입비 1,000원만 부담하므로 손해가 최대 1,000원을 넘지 않는다.

# 68

정답 | ④　　　　　내용 영역 | 과학기술
난이도 | ★★☆　　　문항 유형 | 언어 추리

**접근 전략**

실험 결과를 간단하고 명확하게 정리하는 것은 기본이고, 실험 결과 중 어떤 것들을 비교해야 하는지를 선택하는 것이 중요하다.

**제시문 분석 & 해설**

〈실험 결과〉

|  | 정상생쥐 (가O, 나O) | 비정상생쥐 (가×, 나O) |
|---|---|---|
| AO, BO (A 물질 작용×) | (1) $\beta$ 유전자 발현 왕성 | (2) $\beta$ 유전자 발현 왕성 |
| AO, B× (A 물질 작용O) | (3) $\beta$ 유전자 발현 ~왕성 | (4) $\beta$ 유전자 발현 왕성 |

A 물질은 수용체 '가' 또는 '나'와 결합하여 특정 유전자의 발현을 증가시키거나 감소시킨다.

ⅰ) A 물질이 수용체 '가'와 결합한 경우

(1) : $\beta$ 유전자 발현 왕성(A 물질 無)

(3) : $\beta$ 유전자 발현 ~왕성(A 물질 有)

∴ A 물질은 '가' 수용체와 결합하여 $\beta$ 유전자의 발현을 억제한다.

ⅱ) A 물질이 수용체 '나'와 결합한 경우

(2) : $\beta$ 유전자 발현 왕성(A 물질 無)

(4) : $\beta$ 유전자 발현 왕성(A 물질 有)

∴ A 물질은 '나' 수용체와 결합하더라도 $\beta$ 유전자의 발현 양상에 아무런 영향을 미치지 않는다.

따라서 정답은 ④이다.

## 69

| 정답 | ② | 내용 영역 | 법규범 |
|------|-----|-----------|--------|
| 난이도 | ★★☆ | 문항 유형 | 언어 추리 |

접근 전략

발문에 사실관계가 복잡하고 길게 서술되어 있으므로 이를 먼저 간단하게 정리한 다음 여기에 적용되는 규정을 찾아 판단하면 된다.

제시문 분석 & 해설

발문에 주어진 사실관계를 정리하면 다음과 같다.

| 날짜 | A | B |
|------|------|------|
| 1/1 | 전화로 청약 1/15까지 승낙 통지 요청 | |
| 1/2 | 전화로 청약 철회 의사표시 | |
| 1/12 | | 승낙의 통지 발송 |
| 1/14 | 승낙의 통지 수신 | |

〈규정〉 승낙기간의 지정 (또는 그 밖의 방법으로 청약이 철회될 수 없음이 청약에 표시)되어 있는 경우에는 청약은 철회될 수 없다.
　→ A의 청약 철회의 의사표시에도 불구하고 A의 청약은 철회될 수 없다.
⇩
〈규정〉 청약에 대한 승낙은 동의의 의사표시가 청약자에게 도달하는 시점에 효력이 발생한다.
　→ B의 승낙의 통지가 1/14에 청약자인 A에게 도달하였으므로 B의 승낙은 1/14에 효력이 발생한다.
⇩
〈규정〉 계약은 청약에 대한 승낙의 효력이 발생한 시점에 성립된다.
　→ 청약에 대한 승낙의 효력이 1/14에 발생하였으므로 계약은 1/14에 성립한다.

따라서 정답은 ②이다.

## 70

| 정답 | ④ | 내용 영역 | 과학기술 |
|------|-----|-----------|----------|
| 난이도 | ★★☆ | 문항 유형 | 언어 추리 |

접근 전략

24절기에 관한 설명을 확인하고, 선지에 제시된 각 절기를 〈상황〉에 대입하여 정오를 판단한다.

제시문 분석 & 해설

글의 내용을 그림으로 표현하면 아래와 같다.

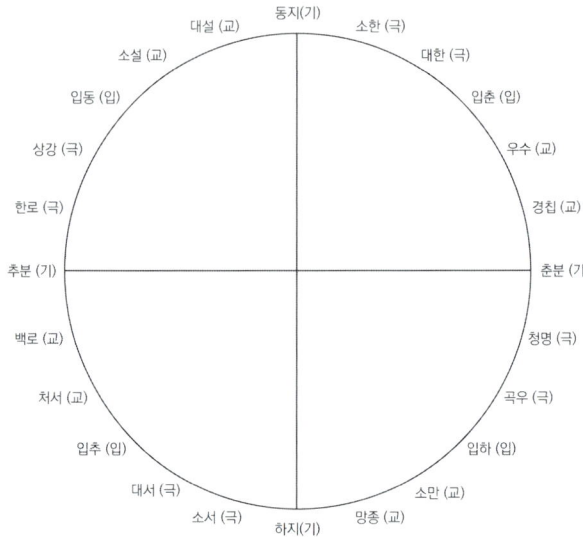

위 그림을 보면 '우수' 뒤 열두 번째 절기는 '처서'임을 알 수 있다.

# 71

정답 | ⑤　　　内容 영역 | 사회
난이도 | ★★☆　　문항 유형 | 언어 추리

## 접근 전략

은행별 조건을 고려하여 풀이하되, 선지의 정오 판단에 필요한 정보만으로 풀이할 필요가 있다.

## 제시문 분석 & 해설

ㄱ. 옳다. 자동차 소유권을 얻기까지 은행에 내야 하는 금액은 A은행의 경우 0원, B은행은 1,200만 원 그리고 C은행은 90 × 12 = 1,080만 원이다. 따라서 A은행이 가장 적다.

ㄴ. 옳지 않다. 1년 내에 사고가 발생해 50만 원의 수리비가 소요될 것으로 예상한다면 A은행의 총비용은 1,000 + 10×12 + 50 = 1,170만 원이 된다. B은행의 경우 수리비는 은행 측에서 부담하므로 총비용은 1,200만 원이 된다. C은행 역시 수리비는 은행 측에서 부담하므로 총비용은 90 × 12 = 1,080만 원이다. 따라서 A은행보다 C은행을 선택하는 것은 유리하나, B은행을 선택하는 것은 유리하지 않다.

ㄷ. 옳다. 소유권을 가장 빨리 얻는 은행은 구매 즉시 소유권을 이전하는 A은행이다.

ㄹ. 옳다. 사고 여부와 관계없이 자동차 소유권 취득 시까지의 총비용은 B은행 1,200만 원, C은행 90 × 12 = 1,080만 원이므로 B은행보다 C은행을 선택하는 것이 총비용 측면에서 유리하다.

# 72

정답 | ①　　　内容 영역 | 과학기술
난이도 | ★★★　　문항 유형 | 언어 추리

## 접근 전략

구체적인 상황을 원리에 적용해야 하는 원리 적용 유형으로, 〈기준〉으로 제시된 규정과 〈사례〉에 제시된 각 경우를 고려하여 풀이할 필요가 있다.

## 제시문 분석 & 해설

① 추론할 수 있다. A형 응집원은 응집소 $\alpha$와 응집 반응을 일으킨다. 따라서 A형 응집원이 없는 A형 적혈구는 응집소 $\alpha$가 포함된 B형인 사람의 혈액에 수혈해도 응집 반응이 일어나지 않는다.

② 추론할 수 없다. B형 응집원만을 선택적으로 제거한 AB형 적혈구에는 A형 응집원이 존재한다. A형인 사람의 혈장에는 응집소 $\beta$가 있지만 응집소 $\alpha$가 없으므로 응집 반응이 일어나지 않는다.

③ 추론할 수 없다. O형 혈장에서 응집소 $\beta$를 선택적으로 제거하면 응집소 $\alpha$가 남아 있다. A형인 사람에게는 A형 응집원이 있으므로 응집 반응이 일어난다.

④ 추론할 수 없다. AB형인 사람은 A형 응집원과 B형 응집원이 존재하므로 응집소 $\alpha$와 응집소 $\beta$ 중 하나라도 들어 있는 혈장이 주입되면 응집 반응이 일어난다. AB형인 사람에게 적혈구만을 수혈한다면 응집 반응이 일어나지 않겠지만 혈장을 수혈한다면 응집 반응이 일어날 것이다.

⑤ 추론할 수 없다. O형인 사람은 응집소 $\alpha$와 응집소 $\beta$가 혈장에 존재한다. 따라서 A형 응집원이나 B형 응집원 중 어떤 것이든 붙어 있는 적혈구를 수혈 받는다면 응집 반응이 일어난다.

# 73

| 정답 | ② | 내용 영역 | 과학기술 |
| --- | --- | --- | --- |
| 난이도 | ★★☆ | 문항 유형 | 언어 추리 |

실험1과 실험2의 결과를 비교해 새의 학습 반응 차이를 파악하고, 두 경우 모두에서 안전한 모방 대상을 찾는 방식으로 접근해야 한다.

◎ 실험 상황 정리
· 독성 강한 a
· 독성 약한 b
· 독 없는 c → a를 모방
· 독 없는 d → b를 모방
새 X는 잡아먹은 경험을 통해 학습하여, 같은 외형의 개구리는 피하게 된다.

◎ 실험1 (X-1, 강한 독 경험)
· a(강한 독) 먹음 → 충격 큼.
· 이후 a, c(강한 독 모방), d(약한 독 모방) 모두 피함.
⇒ (가) 독성이 강한 개구리 종을 잡아먹어 학습된 새는 독성이 강한 개구리 종을 모방한 개구리 종과 독성이 약한 개구리 종을 모방한 개구리 종 중 어느 것도 잡아먹으려 하지 않았다.

◎ 실험2 (X-2, 약한 독 경험)
· b(약한 독) 먹음 → 충격 약함.
· 이후 b, d(약한 독 모방)는 피하지만, c(강한 독 모방)는 여전히 잡아먹음.
⇒ (나) 독성이 약한 개구리 종을 잡아먹어 학습된 새는 독성이 강한 개구리 종을 모방한 개구리 종을 잡아먹는 것을 회피하지 않았으나, 독성이 약한 개구리 종을 모방한 개구리 종은 잡아먹으려 하지 않았다.

◎ 결론
· 강한 독 모방(c) : X-1(강한 독 경험)에게는 안전.
  그러나 X-2(약한 독 경험)에게는 잡아먹힘.
· 약한 독 모방(d) : X-1(강한 독 경험)에게도 안전.
  X-2(약한 독 경험)에게도 안전.
⇒ 따라서 (다) 약한 독 개구리를 모방하는 것이 항상 유리하다.

(가) 강한
(나) 약한
(다) 약한
으로 정답은 ②가 된다.

# 74

| 정답 | ① | 내용 영역 | 인문 |
| --- | --- | --- | --- |
| 난이도 | ★★★ | 문항 유형 | 언어 추리 |

행위의 도덕성을 판단하는 A 원리에 따를 때, 도덕적으로 허용될 수 없는 사례를 찾아야 한다. 행위자가 그 행위의 결과를 알고 그 결과가 행위를 선택한 이유였는지 여부를 확인하는 것이 핵심이다.

○ A 원리
  1) 무고한 사람의 죽음 자체를 의도하는 행위는 도덕적으로 허용될 수 없다.
  2) 의도란 행위의 결과가 그 행위를 한 이유인 것을 의미한다.
○ 사례 : 한 명의 환자와 다수의 환자 중 다수의 환자를 치료하는 선택으로 한 명이 사망한 경우.
  1) 만약 한 명의 사망이 행위를 선택한 이유라면, 즉 한 사람을 죽게 하기 위해 다수를 치료하는 선택을 한 경우라면, A 원리에 따라 도덕적으로 허용되지 않는다.
  2) 만약 다수를 살리려는 의도로 다수의 치료를 선택한 경우라면 A 원리에 따라 도덕적으로 허용되지 않는 경우에 해당하지 않는다.

ㄱ. 옳다. 적국의 산업시설을 폭격하면 다수의 민간인이 처참하게 죽게 되어 전쟁이 빨리 끝나는 결과로 이어질 것이다. 이때 폭격 행위를 선택하게 된 이유는 민간인의 죽음으로부터 종전으로 이어지는 결과이다. A 원리에 따르면, 이러한 폭격 행위는 무고한 사람의 죽음을 의도한 행위이다. 따라서 A 원리에 따를 때 도덕적으로 허용되지 않는다.
ㄴ. 옳지 않다. 심장 전문의가 길거리의 환자를 외면한 행위를 한 이유는 길거리의 환자가 죽기를 바랐기 때문이 아니라 어머니의 임종을 지키고자 했기 때문이다. 즉 무고한 사람의 죽음은 심장 전문의가 행위를 선택한 이유가 아니다. 따라서 A 원리에 따를 때 도덕적으로 허용되지 않는 경우에 해당하지 않는다.
ㄷ. 옳지 않다. 브레이크가 고장 난 기관차의 선로를 홀로 일하고 있는 인부 방향으로 변경한 이유는 다섯 명의 어린이를 구하기 위한 것이지, 인부 한 명을 죽이기 위한 것이 아니다. 즉 무고한 사람의 죽음은 기관사가 행위를 선택한 이유가 아니다. 따라서 A 원리에 따를 때 도덕적으로 허용되지 않는 경우에 해당하지 않는다.

# 75

정답 | ② 　　　　내용 영역 | 인문
난이도 | ★★☆ 　　문항 유형 | 언어 추리

접근 전략
반대관계, 소반대관계, 모순관계의 개념을 이해할 수 있어야 한다.

**제시문 분석 & 해설**
- 반대관계 : 두 문장이 둘 다 참일 수 없음.
- 소반대관계 : 두 문장이 둘 다 거짓일 수 없음.
- 모순관계 : 두 문장이 둘 다 참일 수 없고, 둘 다 거짓일 수 없다.

제시문에 따르면 모순인 두 문장은 둘 다 참일 수 없고 둘 다 거짓일 수 없다. 이를 통해 모순인 두 문장은 반대 및 소반대임을 알 수 있다. 두 문장이 둘 다 참일 수 없을 때 오직 그때만 두 문장은 비일관된다. 이는 두 문장이 동시에 참일 수 없고 동시에 거짓일 수도 없음을 뜻한다. 즉, 두 문장이 하나는 참이고 하나는 거짓이어야 한다는 것이다. 따라서 비일관된 두 문장은 반대이거나 모순이다. 따라서 정답은 ②이다.

# 76

정답 | ② 　　　　내용 영역 | 사회
난이도 | ★★☆ 　　문항 유형 | 언어 추리

접근 전략
제시문의 정보를 통해 선지의 정오를 판단하는 문항 유형으로, 엘로 평점 시스템에 대한 내용을 정확히 읽어내야 한다.

**제시문 분석 & 해설**

ㄱ. 옳지 않다. 네 번째 문단에 따르면 경기에서 승리한 선수는 그 경기에서 패배할 확률에 K를 곱한 만큼 점수를 얻고, 경기에서 패배한 선수는 그 경기에서 승리할 확률에 K를 곱한 만큼 점수를 잃는다. 한 선수가 그 경기에서 패배할 확률은 상대 선수가 그 경기에서 승리할 확률과 같으므로 경기에서 승리한 선수가 얻는 엘로 점수와 그 경기에서 패배한 선수가 잃는 엘로 점수는 같다.

ㄴ. 옳다. 네 번째 문단에 따르면 경기에서 승리한 선수는 그 경기에서 패배할 확률에 K를 곱한 만큼 점수를 얻는다. 이 때 경기에서 패배할 확률은 1 미만이다. 즉 K = 32라면, 한 경기에서 아무리 강한 상대에게 승리해도 얻을 수 있는 엘로 점수는 32점 이하이다.

ㄷ. 옳지 않다. A와 B의 엘로 점수 차이가 400점이라 하자. (단 $E_A > E_B$) 이 때 두 번째 문단의 수식에 따르면 $P_{AB}$는 1/1.1로 A가 B에게 승리할 확률이 0.9가 넘는다. 이는 A가 B에게 패배할 확률이 0.1 미만이라는 뜻이다. 즉 A와 B의 엘로 점수 차이가 400점 미만이어야 $P_{AB}$의 분모가 커져 A가 B에게 패배할 확률이 0.1이 된다.

ㄹ. 옳다. $P_{AB} = 0.8$, $P_{BC} = 0.8$ 이다. 두 번째 문단의 수식에 따르면 $10^{-(E_a - E_b)/400} = 10^{-(E_b - E_c)/400} = 1/4$ 이다. 두 식을 곱하면 $10^{-(E_a - E_c)/400} = 1/16$이 도출되며 이를 통해 $P_{AC}$가 0.9 이상임을 알 수 있다. 즉 A가 B에게 승리할 확률이 0.8, B가 C에게 승리할 확률이 0.8이라면, A가 C에게 승리할 확률은 0.9 이상이다.

# 77

정답 | ①          내용 영역 | 법규범
난이도 | ★☆☆     문항 유형 | 언어 추리

〈연명의료중단결정을 원하는 환자의 의사 확인 방법〉
(1) 환자의 의사를 확인할 수 있는 경우
  - 의료기관에서 작성된 연명의료계획서가 있는 경우
  - 담당의사가 사전연명의료의향서의 내용을 환자에게 확인하는 경우
(2) 환자의 의사를 확인할 수 없고 환자가 의사표현을 할 수 없는 의학적 상태인 경우
  - 미성년자인 환자의 법정대리인(친권자)이 연명의료중단결정의 의사표시를 하고 담당의사와 해당 분야 전문의 1명이 확인한 경우
  - 환자가족 중 19세 이상인 배우자와 1촌 이내의 직계 존속과 직계 비속 전원의 합의로 연명의료중단결정의 의사표시를 하고 담당의사와 해당 분야 전문의 1명이 확인한 경우

제시문 분석 & 해설
ㄱ. 옳지 않다. '사전연명의료의향서'란 19세 이상인 사람이 자신의 연명의료중단결정 및 호스피스에 관한 의사를 직접 문서로 작성한 것을 말한다. 따라서 17세 환자가 자신의 연명의료중단결정에 관한 전자문서를 직접 작성하였더라도, 작성자가 19세 미만이므로 그 문서는 사전연명의료의향서에 해당되지 않는다.
ㄴ. 옳다. 말기환자 등은 담당의사에게 연명의료계획서의 작성을 요청할 수 있으며, 의료기관의 장은 작성된 연명의료계획서를 등록·보관하여야 한다. 그리고 의료기관에서 작성된 연명의료계획서가 있는 경우 환자에게 연명의료중단결정을 원하는 의사가 있다고 본다. 따라서 말기환자의 요청에 따라 담당의사가 의료기관에서 문서로 작성한 연명의료계획서가 등록·보관되어 있는 경우, 연명의료중단결정을 원하는 환자의 의사가 있는 것으로 본다.
ㄷ. 옳지 않다. 환자의 의사를 확인할 수 없고 환자가 의사표현을 할 수 없는 의학적 상태인 경우에 두 경우 중 하나에 해당할 때에는 해당 환자를 위한 연명의료중단결정이 있는 것으로 본다. 이 두 경우 모두 담당의사와 해당 분야 전문의 1명이 확인을 해야 하는 요건이 갖추어져야 한다. 따라서 21세 환자가 의사를 표현할 수 없는 의학적 상태인 경우, 담당의사의 확인이 없다면 연명의료중단결정을 원하는 환자의 의사가 있는 것으로 보지 않을 것이다.
ㄹ. 옳지 않다. 임종과정에 있는 환자에 대한 연명의료중단결정을 위해서는 환자의 가족 중 19세 이상인 배우자와 1촌 이내의 직계 존속과 직계 비속 전원의 합의로 연명의료중단결정의 의사표시를 하고 담당의사와 해당분야 전문의 1명이 확인해야 한다. 이때 손자녀는 1촌에 해당하지 않으므로 손자녀의 합의까지 필요한 것은 아니다.

# 78

정답 | ⑤          내용 영역 | 인문
난이도 | ★★☆     문항 유형 | 언어 추리

검사의 오류를 조건부 확률의 개념으로 파악하는 것이 핵심이다. 피고인이 특정 특징과 일치할 확률과, 그 조건에서 무죄일 확률이 다르다는 점을 이해해야 한다.

제시문 분석 & 해설
ㄱ. 옳다. 제시문에서 1,000명 중 범인의 혈액형과 우연히 일치하는 사람이 173명이라고 하였다. 이때 피고인도 그 173명 중 한 사람이다. 따라서 무죄일 확률은 172/173, 유죄일 확률은 1/173이 된다. 즉 ⓐ는 172/173이 맞다.
ㄴ. 옳다. 검사 H는 여러 특징의 확률을 단순 곱셈해 한 미국인 여성이 피의자의 특징과 일치할 확률은 1/10000이라고 제시하고, 이를 곧바로 피고인이 유죄일 확률은 9999/10000이라고 결론내렸다. 그러나 이는 특징이 일치할 확률 = 무죄일 확률이라는 잘못된 가정에 해당하므로, 검사 H는 검사의 오류를 저질렀다.
ㄷ. 옳다. 브룩스의 지갑을 훔쳐 간 여성이 당시 산페드로 구역의 10만 명 중 한 명이라고 하였다. 피고인의 특징이 일치할 확률을 1/10000으로 잡는다면, 10만 명 가운데 약 10명이 같은 특징을 가질 수 있다. 따라서 피고인이 그중 진짜 범인일 확률은 1/10이 된다.

# 79

| 정답 | ② | 내용 영역 | 사회 |
|------|----|---------|------|
| 난이도 | ★☆☆ | 문항 유형 | 언어 추리 |

**접근 전략**

〈게임 1〉은 동전의 앞면이 나온 개수를 통해 점수를 산정하고, 〈게임 2〉는 동전의 앞면이 나온 비율을 통해 점수를 산정한다. 각 그룹에 주어진 동전의 개수가 다르고 게임에 따라 게임에 유리한 그룹이 달라지므로, 이 점에 유의해야 한다.

**제시문 분석 & 해설**

〈상황〉

○ A 그룹(100명)과 B 그룹(100명)이 있고, A 그룹에는 한 사람당 동전 10개를 주고 B 그룹에는 한 사람당 동전 100를 준다.

| | A 그룹(100명) | B 그룹(100명) |
|------|-----------|-----------|
| 한 사람당 받은 동전 수 | 동전 10개 | 동전 100개 |

〈게임 1〉

○ 게임 방식 : 사람들이 동전을 던져 앞면이 나온 동전 1개당 1점을 준다.

○ 게임 결과
  - B 그룹은 1인이 동전 100개를 가지고 있으므로 앞면이 나오는 횟수가 약 50번일 것이다. (1인 점수 약 50점)
  - A 그룹은 1인이 동전 10개를 가지고 있으므로 10번 모두 앞면이 나오더라도 10점을 얻는다.
  ⇨ 따라서 B 그룹에서 승자가 나올 가능성이 높다.
    A 그룹의 인원이 크게 늘더라도 B 그룹이 유리하다.

〈게임 2〉

○ 게임 방식 : 사람들이 동전을 던졌을 때, 앞면이 나온 비율에 따라 점수를 산정한다.

○ 게임 결과 : 동전을 많이 던질수록 앞면이 나올 확률은 50%일 것이다.
  - B 그룹은 1인이 동전 100개를 가지고 있으므로 앞면이 나오는 횟수가 약 50번일 것이다. (1인 점수 약 50점)
  - A 그룹은 1인이 동전 10개를 가지고 있으므로 10번 중 8번이 앞면이 나올 가능성(80%)이 B그룹보다 높다. (1인 점수 약 80점이 나올 가능성도 있음)
  ⇨ 따라서 A 그룹에서 승자가 나올 가능성이 높다.
    B 그룹에서 80점을 받는 사람이 한 명쯤 나오려면 던지는 동전 개수의 증가에 맞춰 그룹 인원수도 크게 증가해야 한다.

ㄱ. 추론할 수 없다. 〈게임 1〉에서 A 그룹과 B 그룹 참가자의 동전 개수를 각각 절반으로 줄이면 다음과 같다. 〈게임 1〉은 앞면이 나온 동전 1개당 1점을 주는 방식이다. 따라서 A 그룹 참가자가 5번을 던져 100% 앞면이 나오더라도 얻을 수 있는 최대 점수는 5점이다. 그리고 B 그룹 참가자가 50번 던질 경우, 약 50%의 확률로 앞면이 나올 것이므로 B 그룹 상당수는 25점을 얻을 것이다.

| 상황 | A 그룹(100명) | B 그룹(100명) |
|------|-----------|-----------|
| | 1인당 동전 5개 | 1인당 동전 50개 |
| 게임 진행 | A 그룹 참가자 최대 점수 5점 | B 그룹 참가자 상당수 25점 |

따라서 게임의 승자가 나올 그룹이 바뀌지 않고 B 그룹일 가능성이 높다. 또한 A 그룹 참가자가 100% 앞면이 나와서 5점을 얻고, B 그룹 참가자가 0% 앞면이 나와서 0점을 얻어 승자가 나올 그룹이 바뀔 가능성도 여전히 있다. 따라서 이 경우 게임의 승자가 나올 그룹이 바뀐다고 단정할 수 없다.

ㄴ. 추론할 수 없다. 제시문에 따르면 B 그룹에서 80점을 받는 사람이 한 명쯤 나오려면 던지는 동전 개수의 증가에 맞춰 그룹 인원수도 크게 증가해야 한다. 따라서 B 그룹을 100명에서 그 10배인 1,000명으로 늘릴 경우 90점을 받는 사람이 B 그룹에서 한 명쯤 나올 가능성이 있다.

ㄷ. 추론할 수 있다. 제시문에 따르면 동일한 인원에서 동전 수가 증가한 그룹에서 80점을 받는 사람이 한 명쯤 나오려면 던지는 동전 개수의 증가에 맞춰 그룹 인원수도 크게 증가해야 한다. 동전 개수가 증가할 때 그룹 인원수도 증가해야 높은 확률이 나올 수 있는 것이다. 따라서 A 그룹의 동전 개수가 증가할 경우 A 그룹 인원수도 크게 증가하여 B 그룹 인원수보다 훨씬 커야 80점을 받는 사람이 한 명쯤 나올 가능성이 생긴다.

# 80

| 정답 | ③ | 내용 영역 | 법규범 |
|---|---|---|---|
| 난이도 | ★☆☆ | 문항 유형 | 언어 추리 |

**접근 전략**

하나의 규범이 다른 규범보다 강하거나 약하다고 말하는 것의 의미를 알고, 이를 주어진 사례에 적절하게 적용할 수 있어야 한다.

**제시문 분석 & 해설**

○ 규범 A가 규범 B보다 강하다
　규범 A를 따를 경우 그 결과 항상 규범 B도 따르게 되고 그 역은 성립하지 않은 경우
○ 규범 A가 규범 B보다 약하다
　규범 B를 따를 경우 그 결과 항상 규범 A도 따르게 되고 그 역은 성립하지 않을 경우
○ 규범 A는 규범 B보다 강하지도 약하지도 않다
　규범 A를 따르더라도 그 결과 규범 B를 따르지 않게 될 수 있고 그 역도 마찬가지인 경우

① 적절하다. "도로에서는 시속 80 km 이하로 운전하라."는 규범을 따르면 항상 "도로에서는 시속 110 km 이하로 운전하라."는 규범을 따르게 된다. 그러나 그 역은 성립하지 않는다. 따라서 "도로에서는 시속 110 km 이하로 운전하라."는 규범은 "도로에서는 시속 80 km 이하로 운전하라."는 규범보다 약하다.

② 적절하다. "도로의 교량 구간에서는 시속 80 km 이하로 운전하라."는 규범을 따르더라도 "도로에서는 시속 110 km 이하로 운전하라."는 규범을 따르지 않을 수 있다. 도로의 교량 구간에서는 시속 70 km로 운전하고 교량 구간이 아닌 도로에서는 시속 120 km로 운전하는 경우가 가능한 것이다. 그 역도 마찬가지이다. 따라서 이 두 규범은 서로 강하지도 약하지도 않은 관계이다.

③ 적절하지 않다. "도로의 교량 구간에서는 시속 80 km 이하로 운전하라."는 규범을 따르더라도 "도로의 터널 구간에서는 시속 80 km 이하로 운전하라."는 규범을 어길 수 있다. 즉, 도로의 교량 구간에서는 시속 80 km 이하로 운전하더라도, 도로의 터널 구간에서는 80 km를 초과하여 운전할 수 있다. 그 역도 마찬가지이다. 따라서 이 두 규범은 서로 강하지도 약하지도 않은 관계이다

④ 적절하다. "도로의 교량 구간에서는 100 m 이상의 차간 거리를 유지한 채 시속 80 km 이하로 운전하라."는 규범을 따르게 되면 반드시 "도로의 교량 구간에서는 시속 80 km 이하로 운전하라."는 규범을 따르게 된다. 그러나 그 역은 아니다. 따라서 "도로의 교량 구간에서는 100 m 이상의 차간 거리를 유지한 채 시속 80 km 이하로 운전하라."는 규범은 "도로의 교량 구간에서는 시속 80 km 이하로 운전하라."는 규범보다 강하다.

⑤ 적절하다. "도로의 교량 구간에서는 100 m 이상의 차간 거리를 유지한 채 시속 80 km 이하로 운전하라."는 규범을 따르더라도 "도로의 터널 구간에서는 90 m 이상의 차간 거리를 유지한 채 시속 90 km 이하로 운전하라."는 규범을 어길 수 있다. 즉, 도로의 교량 구간에서는 100 m 이상의 차간 거리를 유지한 채 시속 80 km 이하로 운전하더라도, 도로의 터널 구간에서는 90 m 이상의 차간 거리를 유지하지 않거나 시속 90 km 이하로 운전하지 않을 수 있다. 그 역도 마찬가지이다. 따라서 이 두 규범은 서로 강하지도 약하지도 않은 관계이다.

# 81

| 정답 | ④ | 내용 영역 | 사회 |
|---|---|---|---|
| 난이도 | ★☆☆ | 문항 유형 | 언어 추리 |

**접근 전략**

두 가지 가설이 제시되고 있으며, 이때 Y가설은 두 요소에 따른 상관관계를 제시하고 있으므로 관련 식을 정리해 두는 것이 선지 판단에 도움이 된다.

**제시문 분석 & 해설**

〈상권분석이론〉

○ X가설 : 소비자의 점포 선택에 가장 큰 영향을 미치는 것은 이동거리이다. 그리고 이동거리가 멀더라도 보상이 있을 시 먼 곳을 선택하기도 한다.
　⑴ 이동거리가 가까운 곳 > 이동거리가 먼 곳
　⑵ 이동거리가 먼 곳 < 이동거리에 따른 보상

○ Y가설 : 소비자의 점포 선택에 가장 큰 영향을 미치는 것은 소비자를 끌어당기는 힘(상거래 흡인력)이다.
　⑴ 상거래 흡인력은 도시 인구에 비례
　⑵ 상거래 흡인력은 거리의 제곱에 반비례

$$상거래 \ 흡인력 = k\frac{인구수}{거리^2}$$

예시)

- A시의 흡인력 : $\frac{500,000}{5^2}(=20,000)$

　B시의 흡인력 : $\frac{4,000,000}{10^2}(=40,000)$

　⇨ A시의 흡인력 : B시의 흡인력 = 1 : 2
- C시의 인구 9만 명 중 1/3(3만 명)은 A시로, 2/3(6만 명)은 B시로 흡인

ㄱ. 옳지 않다. X가설에 따르면 소비자는 ⑴ 이동거리가 먼 곳보다 이동거리가 가까운 곳을 선택한다. 그리고 ⑵ 보다 나은 구매기회가 있을 경우 그 기회가 이동거리에 따른 보상을 한다면 이동거리가 먼 곳을 간다. 더 싼 가격의 상품이 보다 나은 구매기회이고 이동거리에 따른 보상을 할 경우 소비자가 더 싼 가격을 구매하기 위해 더 먼 거리에 있는 점포를 갈 수도 있지만, 더 싼 가격의 상품이 이동거리에 따른 보상을 하지 못할 수도 있으므로 이 경우 소비자가 더 먼 거리의 점포에 간다고 단정할 수 없다.

ㄴ. 옳다. Y가설은 상거래 흡인력이 더 큰 곳에 소비자가 몰린다는 것인데 이때 상거래 흡인력은 ⑴ 도시 인구에 비례, ⑵ 거리의 제곱에 반비례한다. 이때 인구가 동일하여 ⑴을 고려할 필요가 없어진다면, Y가설에 따를 때 거리가 가까운 곳이 이상적인 점포 입지가 될 것이다.

ㄷ. 옳다. Y가설에 따른 상거래 흡인력은 ⑴ 도시 인구에 비례, ⑵ 거리의 제곱에 반비례한다. 이때 거리가 동일하여 ⑵를 고려할 필요가 없어진다면, 상거래 흡인력은 인구에 비례한다. A시의 인구는 50만 명이고 B시의 인구는 400만 명이므로 상거래 흡인력은 1 : 8이다. 따라서 C시의 인구는 9만 명이므로, A시로 1/9(1만 명), B시로 8/9(8만 명)이 흡인될 것이다.

# 82

| 정답 | ① | 내용 영역 | 인문 |
|---|---|---|---|
| 난이도 | ★☆☆ | 문항 유형 | 언어 추리 |

I

**접근 전략**

귀류법을 사용한 논증이 제시된 글이다. 제시문에 언급된 내용과 부합하는지 여부를 판단하여 풀이할 수 있다.

귀류법은 p라는 주장이 옳다는 것을 증명하기 위한 간접적인 논증 형식으로, 귀류법 논증의 구조를 파악해 두는 것이 이 문항의 해결에 도움이 된다.

〈귀류법 논증 구조〉(p가 옳다는 것을 증명하고자 할 때)
1) ~p가 참이라고 가정
2) ~p로부터 모순적인 결론 또는 불합리한 결론에 이르게 됨을 보임
3) ~p라는 가정은 잘못이다.
4) 따라서 p이다.

**제시문 분석 & 해설**

'참인 믿음은 기초 선호이다.'(p)라는 주장이 옳다는 것을 증명하고자 '참인 믿음이 기초 선호의 대상이 아닐 경우'(~p)를 가정한다.

| 전제1 | 참인 믿음이 기초 선호의 대상이 아니라면(~p), 참인 믿음과 거짓인 믿음이 손익에서 동등할 경우 사람들은 참인 믿음을 거짓인 믿음보다 더 선호할 이유가 없다(q). | ~p → q |
|---|---|---|
| 전제2 | 참인 믿음이 이익이 되지 않거나 심지어 손해를 가져오는 경우에도 사람들은 참인 믿음을 거짓인 믿음보다 더 선호하였다. [1문단 행복 기계의 사고 실험] | ~q |
| 결론 | 따라서 참인 믿음은 기초 선호의 대상이다. | ∴ p |

① 적절하지 않다. 대부분의 사람들이 행복 기계에 들어가는 편을 택한다는 것은 사람들이 거짓인 믿음을 참인 믿음보다 더 선호한다는 것이다. 이는 전제2가 거짓일 때 예상되는 현상이므로 전제2를 약화하며 따라서 결론인 논지를 약화한다.

② 적절하다. 행복 기계의 사례는 현실 삶의 고난과 좌절이 가득 차 있더라도 우리가 그것이 사라졌다고 믿는 것을 원하지 않는다는 것을 보여 주는 사고 실험이다. 이 논증은 가상의 사고 실험, 즉 이미 행복 기계가 현실에 존재하지 않는다는 사실을 가정하고 결론을 도출하고 있다. 따라서 행복 기계가 현실에 존재하지 않더라도 이 사실은 논증이 이미 수용하고 있는 바이므로 논지를 약화하지 않는다.

③ 적절하다. 기초 선호는 다른 것에 대한 선호로는 설명될 수 없는 원초적인 선호로, 대표적인 예는 신체의 고통을 피하려는 것이다. 신체의 고통을 피한다는 것은 기초 선호의 개념 설명을 위한 예시이므로 만약 이것이 적절한 예시가 아니더라도 기초 선호의 개념 정의에는 변화가 없으므로 논증에 영향을 주지 않는다. 따라서 이 사례는 논지를 약화하지 않는다.

④ 적절하다. 전제2에 따르면 사람들은 이익과 무관하게 행복 기계에 들어가지 않는다. 그런데 행복 기계에 들어가지 않는 이유가 이익과 무관하지 않다는 것은 전제2를 부정하는 것으로 이로 인해 전제2는 약화된다. 따라서 이 경우 논지는 약화된다.

⑤ 적절하다. 이익이 없음에도 우리가 수학적 참인 정리를 믿는 것은, 이익과 무관하게 우리가 참인 믿음을 선호한다는 것이다. 이는 전제2가 참일 때 예상되는 현상이므로 전제2를 강화하여 논지를 강화한다.

# 83

| 정답 | ⑤ | 내용 영역 | 사회 |
|---|---|---|---|
| 난이도 | ★★☆ | 문항 유형 | 언어 추리 |

**접근 전략**

제시문에 주어진 수치 간의 관계를 파악하여 풀이해야 한다.

**제시문 분석 & 해설**

두 번째 문단에 따르면 유럽 유로는 2020년 세계 외환거래액의 32%를 차지하는 데 그쳤는데, 이는 4년 전인 2016년보다 2%p 높아진 것이고 10년 전인 2010년보다 8%p 낮아진 수치이다. 즉, 2010년과 2016년 세계 외환거래액 대비 유럽 유로의 비중은 각각 40%, 30%이다.

〈상황〉에 따르면 2010년과 2016년의 하루 평균 세계 외환거래액은 각각 3조 9천억 달러, 5조 2천억 달러이다. 이때 각 연도의 유럽 유로의 비중은 40%, 30%이므로 각 연도별 유럽 유로로 이루어진 하루 평균 세계 외환거래액을 도출하면 다음과 같다.

○ 2010년 : 3조 9천억 × 0.4 = 1조 5천 6백억 달러
○ 2016년 : 5조 2천억 × 0.3 = 1조 5천 6백억 달러

따라서 2016년 유로로 이루어진 하루 평균 세계 외환거래액을 2010년과 비교하여 보고한다면 '변화 없음'이다.

# 84

| 정답 | ⑤ | 내용 영역 | 사회 |
|---|---|---|---|
| 난이도 | ★★☆ | 문항 유형 | 언어 추리 |

**접근 전략**

새로운 개념이나 정의가 제시될 때, 한 번에 그 정의를 파악하지 못하더라도 예시가 주어져 있으므로 예시를 중심으로 정의를 이해하면 실수를 줄이고 정확하게 문제를 해결할 수 있다.

**제시문 분석 & 해설**

〈자국의 손실비〉

$$\text{자국의 손실비} = \frac{\text{자국의 최초 병력 대비 잃은 병력 비율}}{\text{적국의 최초 병력 대비 잃은 병력 비율}}$$

ㄱ. 추론할 수 있다. A국 궁수의 수가 4,000명으로 증가한다면 B국의 손실병력은 400명, A국의 손실병력은 100명이다. 따라서 첫 발사에서의 B국의 손실비는 $\frac{400/1,000}{100/4,000}$ 이 되므로 16이 된다.

ㄴ. 추론할 수 있다. 자국의 손실비가 1/2이라면 자국의 군사력은 적국보다 2배로 우월하다는 것이다. 즉, 손실비의 역수만큼 우월하다. A국의 손실비는 $\frac{180/2,000}{390/1,000}$ 이므로 $\frac{9}{39} < \frac{1}{4}$ 이다. 첫 번째 문단에 따르면 자국의 군사력은 자국의 손실비의 역수이므로, A국의 군사력은 B국보다 4배 이상으로 우월하게 된다.

ㄷ. 추론할 수 있다. 손실이 같다면, 결국 $\frac{1/\text{자국 최초 병력}}{1/\text{적국 최초 병력}}$ 이므로 $\frac{\text{적국 최초 병력}}{\text{자국 최초 병력}}$ 이 된다. 따라서 자국의 최초 병력의 수가 적국에 비해 더 적다면 자국의 손실비가 더 크다.
예를 들어 A국의 최초 병력의 수가 2,000명이고 B국의 최초 병력의 수가 1,000명인 경우, 각국의 병력 손실이 100으로 동일한 경우를 가정한다. 이때

$$\text{A국의 손실비}: \frac{100/2,000}{100/1,000} = 0.5$$

$$\text{B국의 손실비}: \frac{100/1,000}{100/2,000} = 2$$

이므로 최초 병력의 수가 적은 B국의 손실비가 더 큼을 알 수 있다.

# 85

| 정답 | ① | 내용 영역 | 인문 |
|---|---|---|---|
| 난이도 | ★★☆ | 문항 유형 | 언어 추리 |

**접근 전략**

풀이 과정에서는 각 제도의 정의와 장단점을 비교하며, 제시문에 언급된 관리의 편리성·풍흉 반영 여부·이익 귀속 주체를 기준으로 선지를 검토하는 접근이 필요하다.

**제시문 분석 & 해설**

(가) 도지 : "직접 관리가 어려운 원격지 전답 관리가 가능하고, 수확 시기마다 감독할 필요가 없다"는 설명은 풍흉과 관계없이 미리 정해진 지대를 내는 방식을 뜻한다. 따라서 도지에 해당한다.

(나) 소작인 : "이러한 방식하에서 풍년이 들었다면 … 훨씬 더 유리했다"라는 부분은, 수확량이 늘어도 지대는 고정되므로 소작인이 더 많은 몫을 가져가게 되는 경우를 의미한다.

(다) 타작 : 집조는 "작황 수준을 조사해 지대를 정하는 방식"이라고 설명되어 있다. 이는 해마다 수확량에 따라 지대가 달라지는 방식이므로, 수확량의 일정 비율을 받는 타작과 유사하다.

# 86

| 정답 | ③ | 내용 영역 | 인문 |
| --- | --- | --- | --- |
| 난이도 | ★★★ | 문항 유형 | 언어 추리 |

**접근 전략**

함축 및 귀결 문항을 해결하기 위해서는 주어진 제시문의 내용을 정확하게 이해해야 한다. 이 문제의 경우 선택들과 선호와 관련한 원리를 파악하여 정리하는 것이 효율적이다.

**제시문 분석 & 해설**

〈선택들〉

선택들을 간략히 나타내면 다음과 같다.

| | 구성 | 기댓값 |
| --- | --- | --- |
| 1 | 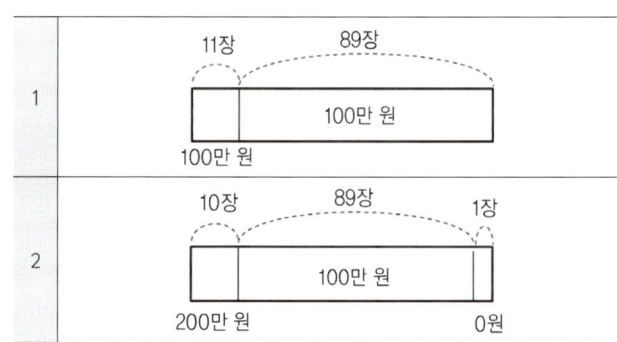 | x |
| 2 | | x보다 큼 |
| 3 | | y |
| 4 | | y보다 큼 |

〈원리에 따른 선호〉

| 원리 K | 기댓값이 더 큰 것을 선호 | • 선택2, 선택4 |
| --- | --- | --- |
| 원리 P | 게임이 동일한 구조라면, 선호는 바뀌지 않아야 함 | • 선택1, 선택3<br>• 선택2, 선택4 |

ㄱ. 추론할 수 있다. 선택1과 선택3은 오직 원리 P를 받아들일 때만 가능하다. 따라서 이 경우 원리 K를 거부한 것이므로 두 원리 가운데 적어도 하나는 거부해야 성립한다.

ㄴ. 추론할 수 있다. 선택2와 선택3은 원리 K와 원리 P 모두에 의한 것이 아니다. 따라서 이 선택을 한 사람은 두 원리 모두 거부한 것이므로 두 원리 가운데 적어도 하나는 거부해야 한다.

ㄷ. 추론할 수 없다. 선택2와 선택4는 원리 K와 원리 P 모두를 거부하지 않을 때도 성립한다. 따라서 이 사람이 두 원리 가운데 적어도 하나를 거부해야 하는 것이 아니다.

※ 원리 P의 경우 선택1을 '100만 원이 들어 있는 봉투 11장, 100만 원이 들어 있는 봉투 89장'과 같다고 본다.

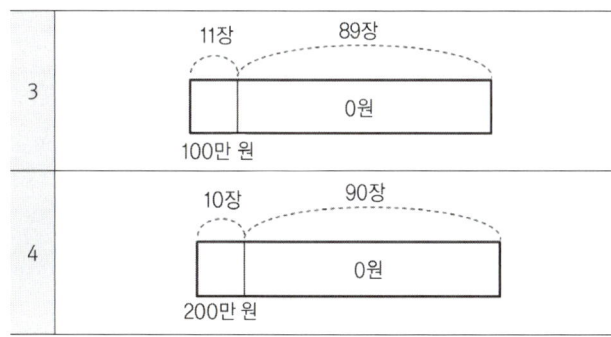

이때, 선택1과 2 모두 '100만 원이 든 봉투 89장'이라는 '공통 요소'를 가지고 있다. 원리 P의 규칙에 따라, '공통 요소'는 다른 것으로 대체할 수 있다. 따라서 '100만 원이 든 봉투 89장'을 '빈 봉투 89장'으로 대체한다. 그러면 선택3과 선택4와 동일해진다.

따라서 원리 P에 의하면 게임 A와 게임 B는 동일한 게임이므로, 선택1을 선호한다면 선택3, 선택2를 선호한다면 선택4를 선호하는 것이 된다.

# 87

정답 | ④                    내용 영역 | 과학기술
난이도 | ★☆☆              문항 유형 | 언어 추리

**접근 전략**

제시문의 정보를 통해 빈칸에 들어갈 적절한 내용을 판단하는 문항 유형으로, 페르마의 정리 증명에 대한 내용을 정확히 읽어내야 한다.

**제시문 분석 & 해설**

2문단에 따르면 A와 B는 서로 동치인 주장이다. 빈칸에 해당하는 명제가 증명된 상태에서 다니야마와 시무라의 추측이 참임이 증명된 결과 B는 거짓이고, 그것과 동치인 페르마의 정리가 거짓이라는 가정 A도 거짓임이 밝혀졌다. 이 내용을 전제와 결론의 형태로 정리하면 다음과 같다.
(전제 1) ⬚
(전제 2) 다니야마와 시무라의 추측이 참이다. (이하 '추측이 참')
(결론) B는 거짓이다.

선지 ① ~ ⑤는 모두 조건문 형태로 제시되어 있다. 빈칸에는 (전제 2)에 따라 전건이 긍정되는 '추측이 참 ⇒ B는 거짓' 또는, 후건이 부정되는 'B는 참 ⇒ 추측이 거짓'에 해당하는 조건문이 포함될 수 있을 것이다. 따라서 ④ "B가 참이라면, 다니야마와 시무라의 추측이 거짓이다."가 빈칸에 들어가야 한다.

# 88

정답 | ②                    내용 영역 | 과학기술
난이도 | ★★☆              문항 유형 | 언어 추리

**접근 전략**

선거구 통합에 따라 제시문에 주어진 공식을 활용하여 계산한다. 구체적으로 계산하지 않고서 풀이할 수도 있지만, 계산 없이 정오를 판단하기 어려우면 정밀하게 계산하여 풀이해야 한다.

**제시문 분석 & 해설**

현행제도 및 X안을 적용한 정당별 의석수는 다음과 같다.

| 의석수 | A | B | C | D | 합계 |
|---|---|---|---|---|---|
| 甲 | 4 | 3 | 5 | 4 | 16 |
| 乙 | 3 | 4 | 2 | 4 | 13 |
| 丙 | 2 | 1 | 3 | 1 | 7 |
| 丁 | 1 | 2 | 0 | 1 | 4 |
| 합계 | 10 | 10 | 10 | 10 | 40 |

|  | A·C | | B·D | | 의석수 합계 |
|---|---|---|---|---|---|
|  | (득표율)×(의석수) | 의석수 | (득표율)×(의석수) | 의석수 |  |
| 甲 | 9.2 | 9 | 6.4 | 6 | 15 |
| 乙 | 4.8 | 4+1 | 8 | 8 | 13 |
| 丙 | 5.2 | 5 | 2 | 2 | 7 |
| 丁 | 0.8 | 0+1 | 3.6 | 3+1 | 5 |
| 합계 |  | 20 |  | 20 | 40 |

① 옳지 않다. 선거구별 의석수는 동일하므로 해당 선거구의 유권자수가 적을수록 유권자 1표의 가치가 커진다. 따라서 최근 실시된 의원 선거에서 유권자 1표의 가치가 가장 큰 곳은 유권자수가 가장 적은 D선거구이다.

② 옳다. 丁정당은 최근 의원 선거 결과에서 A선거구에서 10%, B선거구에서 20%, C선거구에서 0%, D선거구에서 10%로, 총 1 + 2 + 0 + 1 = 4석을 획득하였다. 여기에 X안을 적용할 경우, A·C선거구에서 4%, B·D선거구에서 18%를 획득한다. 따라서 20 × 0.04 = 0.8, 20 × 0.18 = 3.6이므로 소수점에 따른 배분 방식에 따라 총 5석을 획득할 것이다. 따라서 丁정당의 의석수는 현행제도보다 늘어날 것이다.

③ 옳지 않다. 甲정당은 현행제도 아래에 16석을 획득한다. X안 적용 시 선거구별로 9석, 6석을 획득하여 총 15석을 획득하므로 의석수는 감소한다.

④ 옳지 않다. X안 적용 시 A선거구는 인구수가 더 많은 C선거구와 합쳐지게 된다. 따라서 기존에는 200명이 10명을 뽑았지만, 개편을 할 경우 자신보다 인구수가 많은 C선거구와 합쳐져 유권자 1표의 가치가 현행제도보다 작아지게 된다.

⑤ 옳지 않다. X안 적용 시 乙정당과 丙정당은 의석수의 변화가 없다. 따라서 현행제도가 X안보다 유리하다고 할 수 없다.

# 89

정답 | ②　　　내용 영역 | 사회
난이도 | ★★☆　　문항 유형 | 언어 추리

정규직과 비정규직 간의 임금차별을 해소할 두 학파의 주장을 이해하고, 자연적인 경쟁과 제도적인 강제로 나뉘는 두 학파의 관점 차이에 근거하여 선지의 정오를 판단해야 한다.

**제시문 분석 & 해설**

〈A 학파의 주장〉
(1) 기업은 시장 경쟁에서 유리한 방향으로 임금을 책정한다.
(2) 정규직 비정규직 가릴 것 없이 능력에 비례하는 임금을 주는 회사가 경쟁에서 유리하다.
(3) 기업들이 능력에 비례해서 임금을 결정할 것이다.
　따라서 기업들 간의 경쟁이 정규직 비정규직 간 임금차별을 완화한다.

〈B 학파의 주장〉
(1) 사회적 비용의 부담은 기업의 생존 가능성을 낮춘다.
(2) 임금차별을 줄이도록 하는 제도를 수용하지 않을 경우 사회적 비용을 지불하게 한다.
(3) 기업들이 임금차별을 줄이는 제도를 수용할 것이다.
　따라서 사회적 비용의 부담이 정규직 비정규직 간 임금차별을 완화한다.

① 적절하다. A 학파는 기업들 간의 경쟁이 정규직 비정규직 간 임금차별을 완화한다고 주장한다. 따라서 A 학파에 따르면 경쟁이 치열한 산업군일수록 근로형태에 따른 임금 격차는 더 적어질 것이다.
② 적절하지 않다. A 학파는 임금차별 기업은 경쟁에서 자연적으로 도태될 것이라고 주장한다. 이는 제도적인 강제보다 자연적인 경쟁에서 해결책을 찾으려는 입장이다. 따라서 A 학파가 경쟁 약화를 방지하기 위한 정책 수립을 주장한다고 할 수 없다.
③ 적절하다. A 학파는 시장에서의 경쟁에 유리한 방향으로 기업이 임금을 책정하기 때문에 정규직 비정규직 간 임금 격차가 적어진다고 보는데 반해, B 학파는 시장에서의 경쟁으로 문제를 해결할 수 없다고 본다. 따라서 A 학파는 정규직과 비정규직 사이의 임금차별이 어떻게 줄어드는가에 대해 B 학파와 견해를 달리한다.
④ 적절하다. B 학파는 임금차별을 금지하는 제도를 수용하지 않으면 사회적 비용이 발생하고 그럴 경우 기업의 생존 가능성이 낮아진다고 주장한다. 기업은 생존가능성이 낮아지는 상황을 우려하여 임금차별을 금지하는 제도를 수용할 것이라는 주장이다. 따라서 B 학파는 기업이 자기 조직의 생존 가능성을 낮춰가면서까지 임금차별 관행을 고수하지는 않을 것이라고 전제한다.
⑤ 적절하다. B 학파는 시장에서의 자연적인 경쟁으로는 임금차별이 시정되지 않으며, 임금차별을 줄이도록 하는 제도를 수용하지 않을 경우 사회적 비용을 지불하게 해야 임금차별이 줄어들 것이라고 주장한다. 따라서 B 학파에 따르면 다른 조건이 동일할 때 기업의 비정규직에 대한 임금차별은 주로 강제적 규제에 의해 시정될 수 있다.

# 90

정답 | ①　　　내용 영역 | 사회
난이도 | ★★☆　　문항 유형 | 언어 추리

제시문에 언급된 규칙을 통해서 선지의 정오를 판단해야 하므로, 전체적인 내용을 숙지하기보다 선지의 정오 판단 시, 필요한 정보를 발췌하는 것이 필요하다.

**제시문 분석 & 해설**

ㄱ. 옳다. 세 번째 문단에 따르면 에스페란토의 문자는 영어 알파벳 26개 문자에서 4개 문자를 빼고 영어 알파벳에는 없는 6개 문자를 추가하여 만들었다. 즉, 에스페란토의 문자는 모두 26 − 4 + 6 = 28개로 만들어졌다.
ㄴ. 옳지 않다. 세 번째 문단에 따르면 동사 원형의 경우 어간에 품사 고유의 어미를 −i로 끝내고, 미래 시제의 경우 어간에 −os를 붙여 표현한다. '사랑하다'는 ami이고 미래 시제어는 어간 am에 os를 붙이므로, 미래형인 '사랑할 것이다'는 에스페란토로 amos이다.
ㄷ. 옳다. 네 번째 문단에 따르면 단어의 강세는 항상 뒤에서 두 번째 모음에 있고, 각주에 따르면 에스페란토에서 모음은 A, E, I, O, U이다. 어머니 patrino의 경우 뒤에서 두 번째의 모음은 i이고, 장모 bopatrino 또한 어머니 앞에 bo−를 붙였으므로, 강세가 있는 모음은 i로 같다.
ㄹ. 옳지 않다. 두 번째 문단에 따르면 자멘호프는 같은 민족끼리는 모국어를, 다른 민족과는 중립적이고 배우기 쉬운 에스페란토를 사용하자는 구상을 하였다. 따라서 자멘호프의 구상에 따르면 동일한 언어를 사용하는 하와이 원주민들은 에스페란토가 아닌 모국어를 사용하면 된다.

# 91

정답 | ⑤            내용 영역 | 과학기술
난이도 | ★☆☆       문항 유형 | 언어 추리

[접근 전략]
제시문의 정보를 통해 선지의 정오를 판단하는 문항 유형으로, 인간이 사냥에 성공한 원인에 대한 내용을 정확히 읽어내야 한다.

[제시문 분석 & 해설]
① 알 수 없다. 4문단에 따르면 사냥에 있어 인간은 가장 효율적인 동물은 아니나, 지구력이 가장 강한 동물인 것은 확실하다. 따라서 인간이 체온 조절 능력 덕분에 사냥에 있어 가장 효율적인 동물로 평가된다고 보기는 어렵다.

② 알 수 없다. 1문단에 따르면 인간은 화살과 같은 사냥 도구가 개발되기 전, 즉 스스로 먹잇감을 찾아내 사냥해야 하는 상황에서 사냥에 성공했다. 따라서 화살과 같은 사냥 도구가 개발되기 전까지 인간은 스스로의 힘으로 사냥할 수 없었다고 보기는 어렵다.

③ 알 수 없다. 4문단에 따르면 인간은 일시적 탈수 현상을 잘 견디지만 운동 속도는 일시적 탈수 현상을 잘 견디지 못하는 영양과 같은 동물보다 느리다. 이를 고려하면 일시적 탈수 현상을 잘 견디는 동물이 그렇지 않은 동물에 비해 운동 속도가 더 빠른 것은 아니다.

④ 알 수 없다. 3문단에 따르면 인간은 땀으로 배출된 수분을 즉시 보충하지 않아도 되며, 탈수 현상을 상당한 정도까지 견뎌낼 수 있다. 따라서 인간은 땀으로 배출한 수분을 즉시 보충해야 하기 때문에 다른 동물에 비해 탈수 현상을 잘 견디지 못한다고 보기 어렵다.

⑤ 알 수 있다. 2문단에 따르면 말의 피부는 제곱미터당 약 100그램의 수분을, 낙타는 250그램까지 배출하지만, 인간은 500그램까지 배출할 수 있다. 이는 인간이 다른 동물보다 피부의 제곱미터당 흘릴 수 있는 땀의 양이 많음을 의미한다. 이 때문에 인간은 다른 동물보다 운동으로 달아오른 체내 열을 더 빨리, 더 많이 식힐 수 있다는 점에서 운동으로 인해 발생한 열을 식히는 데 더 유리하다고 볼 수 있다.

# 92

정답 | ②            내용 영역 | 사회
난이도 | ★☆☆       문항 유형 | 언어 추리

[접근 전략]
(가)는 '백부' 호칭 시 부계와 나이 서열까지 구체적으로 기억하게 되는 점을 반영해야 한다. (나)는 미래를 현재와 분리하면 저축률이 낮고, 현재와 연결하면 높아진다는 언어 차이에 따른 경제적 행동의 차이를 담아야 한다.

[제시문 분석 & 해설]
첸은 언어가 단순한 의사소통 수단을 넘어 인간의 사고와 행동을 형성한다고 보았다.

○ 친족 호칭 : 영어는 '엉클'로 단순화하지만, 중국어는 부계·모계·혈연·인척·나이 서열까지 구분한다. 따라서 특정 호칭(예: 백부)을 사용할 때, 화자는 그 사람의 위치와 관계를 항상 무의식적으로 기억한다.

○ 시간 표현 : 미래 시제가 명확한 언어권은 미래를 현재와 분리된 것으로 인식해 저축률이 낮고, 시제가 구분되지 않는 언어권은 미래를 현재와 연결해 저축률이 높다. 즉, 언어 구조가 경제적 의사결정에까지 영향을 미친다는 것이 첸의 결론이다.

① 적절하지 않다. (가)는 부계 남성 혈족이며 아버지보다 나이가 많다는 내용을 담고 있어 적절하다. 그러나 (나)는 미래 예측 가능성 여부로 설명하고 있어 제시문의 핵심인 미래 인식 방식과 다르므로 적절하지 않다.

② 적절하다. (가)는 부계 남성 혈족이며 아버지보다 나이가 많다는 내용을 담고 있어 제시문의 내용과 일치한다. (나) 역시 미래를 현재와 분리된 것으로 인식할 경우 저축을 적게 하고, 미래를 현재와 연결된 것으로 인식할 경우 저축을 많이 하므로 제시문의 논지와 부합한다.

③ 적절하지 않다. (가)는 혈연 가족의 일원이라는 추상적 표현으로 제시문의 구체적 조건을 담지 못했다. (나)는 예측 가능성으로 설명되어 역시 부적절하다.

④ 적절하지 않다. (가)는 조부모 아래 세대 남성 혈족으로 범위가 넓어 부계·나이 서열 요소가 빠져 제시문과 내용이 다르다. (나)는 미래 인식 차이를 반영해 타당하다.

⑤ 적절하지 않다. (가)는 조부모 아래 세대 남성 혈족으로 범위가 넓어 부계·나이 서열 요소가 빠져 제시문과 내용이 다르다. (나)는 미래 예측 가능성으로 설명해, 제시문이 말한 미래 인식 방식의 차이와 어긋난다.

# 93

정답 | ⑤          내용 영역 | 사회
난이도 | ★★☆      문항 유형 | 언어 추리

주어진 조건과 실험 결과를 기초로 확률을 계산해 기저율과 증언의 정확도를 모두 반영하는 것이다. 단순히 증언의 신뢰도만 보지 말고, 전체 집단에서 각 경우가 실제로 발생할 비율을 따져야 올바른 결론에 도달할 수 있다.

① 적절하지 않다. 설문지의 조건에서 실제로 계산해 보면 파란색일 확률은 약 31%, 초록색일 확률은 약 69%로 (b)가 맞다. 따라서 (b)를 답한 사람은 기저율과 증언의 정확도를 모두 고려한 것으로 합리적 추론을 한 것이다. 그러므로 (b)를 선택한 사람을 합리적 추론을 하지 않았다고 보는 것은 옳지 않다.
② 적절하지 않다. 파란색 택시의 비율에만 주목한 사람은 갑의 증언이라는 또 하나의 중요한 증거를 고려하지 않은 것이다. 전체 증거의 원칙에 따르면 가능한 모든 증거를 함께 고려해야 한다. 따라서 파란색 택시 비율에만 근거하여 (a)를 답한 것은 합리적 추론이 아니다.
③ 적절하지 않다. 만약 증언의 정확도가 70%라 하더라도 여전히 초록색 택시가 전체의 90%를 차지한다는 기저율은 변하지 않는다. 따라서 (a)를 선택한다면 기저율을 무시한 것이므로 기저율 오류를 저지른 것이 맞다.
④ 적절하지 않다. 총 택시 대수가 100대에서 1,000대로 바뀌어도 초록색 90%, 파란색 10%라는 비율은 동일하다. 즉, 기저율은 그대로 유지된다. 따라서 (a)를 선택한 사람은 여전히 기저율을 무시한 것이므로 기저율 오류를 저지른 것이다.
⑤ 적절하다. (b)가 올바른 답이라는 것은 기저율과 증언의 정확도를 모두 고려했을 때 도출되는 결론이다. 그런데 두 요소 중 어느 하나라도 고려하지 않고 (b)를 답했다면, 전체 증거의 원칙을 지키지 않은 것이 된다.

# 94

정답 | ③          내용 영역 | 과학기술
난이도 | ★★☆      문항 유형 | 언어 추리

인간으로 간주할 것인지에 대해 시기별로 차이점이 있다. 빠른 시기부터 간주할 경우에는 늦은 시기부터 간주하는 경우보다 더 넓은 범위를 가질 것이다.

① 적절하다. A에 따르면 태아가 산모의 뱃속으로부터 밖으로 나올 때 인간에 해당하지만, B에 따르면 출산의 진통 때부터 인간에 해당한다. 이에 따르면 A가 인간으로 간주하는 대상의 범위는 B보다 좁다. 따라서 A가 인간으로 간주하는 대상은 B도 인간으로 간주한다고 볼 수 있다.
② 적절하다. C는 태아가 형성된 후 4개월 이후부터 인간으로 간주한다. 하지만 배아는 수정 후 2주경에 형성되므로 C가 인간으로 간주하는 대상의 범위는 E보다 좁다. 따라서 C가 인간으로 간주하는 대상은 E도 인간으로 간주한다고 볼 수 있다.
③ 적절하지 않다. E는 배아 단계부터 인간으로 간주하고, D는 수정체부터 인간으로 간주한다. 배아는 수정 후 2주경에 형성되므로 인간으로 간주하는 대상의 범위는 D가 E보다 넓다. 그러므로 D가 인간으로 간주하는 대상 중에는 E가 인간으로 간주할 수 없는 대상이 포함되어 있다.
④ 적절하다. D는 수정체가 인간으로 태어날 가능성을 가지고 있으므로 수정체부터 인간에 해당한다고 보고, F는 수정될 때 영혼이 생기기 때문에 수정체부터 인간에 해당한다고 본다.
⑤ 적절하다. 접합체는 수정체 이후의 단계이므로 F의 견해를 뒷받침한다.

## 95

| 정답 | ① | 내용 영역 | 법규범 |
|------|----|----------|--------|
| 난이도 | ★☆☆ | 문항 유형 | 언어 추리 |

### 접근 전략

대화에 제시된 법령 적용 조건과 행정 절차를 정확히 구분해 파악하는 것이 핵심이다. 먼저 (가)는 의무휴업 적용 여부의 요건을 묻는 부분이므로 법적 기준을 확인해야 하고, (나)는 위반 시 지자체가 취할 수 있는 조치의 한계를 파악해야 한다.

### 제시문 분석 & 해설

갑은 아직 개설등록을 하지 않았는데 그래도 의무휴업이 적용되는지를 검토할 필요가 있다고 말한다. 이에 을은 과거 유사 사례에서 산업통상자원부로부터 개설등록을 하여 적법한 영업 요건을 충족해야 의무휴업이 적용된다는 회신을 받았다고 설명한다. 따라서 (가)에는 "개설등록을 하여 적법한 영업 요건을 충족해야"가 들어가는 것이 타당하다.

갑은 개설등록 없이 영업한 것은 벌금형 대상임을 언급하나, 을은 벌금형 부과는 시의 권한이 아니고 수사기관 고발만 가능하다고 답한다. 따라서 민원인에게 회신할 때 시가 실제로 할 수 있는 조치는 수사기관에 고발하는 조치뿐이다. 따라서 (나)에는 "수사기관에 고발하는 조치를"이 들어가는 것이 타당하다.

## 96

| 정답 | ① | 내용 영역 | 과학기술 |
|------|----|----------|----------|
| 난이도 | ★★★ | 문항 유형 | 언어 추리 |

### 접근 전략

과학·기술 관련 제시문에는 어떤 현상이나 원리의 메커니즘이 주어져 있는 경우가 많다. 제시된 과정을 순차적으로 정리하여 전단계와 후단계가 혼동되지 않도록 하여야 한다. 특히 두 가지 이상의 과정으로 나누어질 경우 어느 단계까지 공통적인지를 파악해야 정확하게 문제를 풀 수 있다.

### 제시문 분석 & 해설

〈Y염색체 유무에 따른 수정란의 발생과정〉
i) 남성이 될 수정란

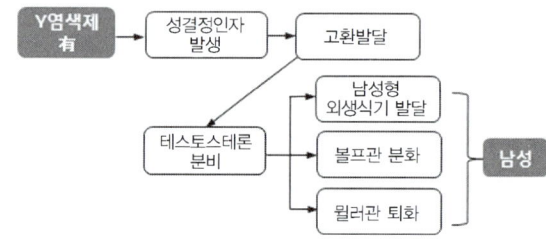

ii) 여성이 될 수정란

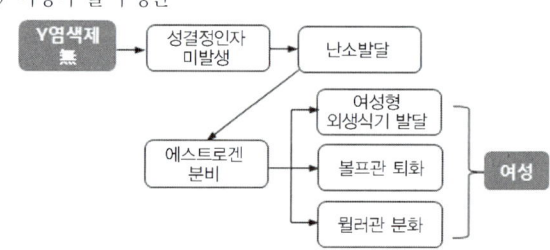

ㄱ. 옳다. 뮐러관 억제인자의 분비 여부는 고환에서 생성된 테스토스테론 유무에 달려 있고, 고환의 발달 여부는 Y염색체에 의해 발생하는 성결정인자에 달려 있다. 즉 수정란 발생과정이 시작될 때 Y염색체의 유무에 따라 뮐러관 억제인자의 분비 여부가 결정된다. 따라서 여성이 될 수정란에 Y염색체가 있으면 뮐러관 억제인자가 분비될 것이다.

ㄴ. 옳지 않다. 외생식기의 해부학적 모양을 통해 어떤 태아의 성구분이 가능하다면, 이 태아는 남성이거나 여성이다. 남성일 경우 수정란 발생과정에서 성결정인자가 만들어지는 과정을 거쳤을 것이지만, 여성일 경우 성결정인자가 만들어지지 않는 과정을 거쳤을 것이다.

ㄷ. 옳지 않다. 배아의 성별과 관계없이 배아는 원시 생식관인 볼프관과 뮐러관을 가지고 있으므로 남성이 될 수정란과 여성이 될 수정란 모두 볼프관과 뮐러관을 가지고 있다. 따라서 여성이 될 수정란은 Y염색체를 가지지 않지만, 남성이 될 수정란은 Y염색체를 가진다.

# 97

| 정답 | ④ | 내용 영역 | 인문 |
|---|---|---|---|
| 난이도 | ★★☆ | 문항 유형 | 언어 추리 |

제시문에 언급되어 있는 궁녀 및 무수리에게 지급되는 보수의 종류를 구분하여 파악한다. 내용을 이해하기보다 선지의 정오 판단에 필요한 부분만 발췌하여 파악하는 것이 필요하다.

제시문 분석 & 해설

ㄱ. 옳다. 첫 번째 문단에 따르면 조선시대 궁녀가 받는 보수에는 의전, 선반, 삭료 세 가지가 있었다. 이 중 의전은 포화이고, 삭료는 현물이다.

ㄴ. 옳지 않다. 두 번째 문단에 따르면 온공상은 쌀 7두 5승, 반공상은 쌀 5두 5승, 반반공상은 쌀 4두를 받는다. 두와 승의 단위는 알 수 없으나, 온공상이 반공상의 2배이려면 온공상이 적어도 10두 이상을 받아야 한다.

ㄷ. 옳다. 두 번째 문단에 따르면 반공상은 북어 1태 5미였다. 또한 세 번째 문단에 따르면 온방자는 북어 1태였고, 반방자가 온방자의 절반이므로 북어 1태는 북어 20미이다. 따라서 반공상과 온방자를 삭료로 받는 궁녀가 매달 받는 북어는 2태 5미, 즉 45미였다.

ㄹ. 옳다. 두 번째 문단에 따르면 온공상, 반공상, 반반공상 중 반반공상이 가장 적고, 세 번째 문단에 따르면 방자는 모두에게 지급된 것이 아니라 직급이나 직무에 따라 일부에게만 지급되었다. 따라서 가장 적은 삭료를 받는 경우는 반반공상만 지급받고 방자는 지급받지 않는 경우이다. 즉, 매달 궁녀가 받을 수 있는 가장 적은 삭료는 쌀 4두, 콩 1두 5승, 북어 13미였다.

# 98

| 정답 | ① | 내용 영역 | 과학기술 |
|---|---|---|---|
| 난이도 | ★★☆ | 문항 유형 | 언어 추리 |

맥락을 고려하여 빈칸에 알맞은 단어를 골라야 한다. 비슷한 용어로 인해 혼동의 여지가 있으므로, 간단히 그림을 그려가며 풀이할 필요가 있다.

제시문 분석 & 해설

① 적절하다. 1문단에 따르면 혈관에서 발견된 돌출부로 인해 피는 돌출부가 향한 방향으로만 움직인다. 2문단에서 돌출부가 피가 신체 아래쪽으로 몰리는 것을 막는 기능을 하는 것이 잘못된 생각이라고 하였으므로 돌출부가 아래쪽으로 향해 있어 피가 위쪽으로 가는 것을 막고 있는 구조임을 알 수 있다.

② 적절하지 않다. 만약 돌출부가 아래쪽으로 향해 있다면 피가 위쪽으로 가지 못하게 되므로 피는 심장 쪽으로 들어간다. 따라서 ⓒ에 '심장 쪽으로'가 들어갈 수 없다.

③ 적절하지 않다. ⑤과 ⓒ에는 몇몇 사람들의 생각이 잘못된 이유가 들어가야 한다. 그런데 만약 돌출부가 두뇌 쪽으로 향해 있다면 피가 아래쪽으로 가는 것을 막는다. 이는 몇몇 사람들의 생각을 그대로 담은 것이며, 생각이 잘못된 이유를 설명하지 않는다.

④ 적절하지 않다. 3문단에 따르면 돌출부들은 피가 말단에서 중심으로만 흐르도록 하기 위해서 존재하므로 돌출부 덕분에 피가 중심부에서 말단으로만 움직일 수 있다는 것이 아니다.

⑤ 적절하지 않다. 3문단에 따르면 돌출부들은 피가 굵은 줄기에서 가는 가지로 흘러 들어가 정맥을 파열시키는 것을 막으므로 돌출부 덕분에 피가 굵은 줄기에서 가는 가지로만 움직일 수 있다는 것이 아니다.

## 99

| 정답 | ③ | 내용 영역 | 과학·기술 |
|---|---|---|---|
| 난이도 | ★☆☆ | 문항 유형 | 언어 추리 |

### 접근 전략
두 개의 비슷한 개념이 주어지고 실험에서 그에 맞는 사례를 찾아야 하기 때문에 두 개념 간 공통점과 차이점을 명확히 정리해야 한다.

### 제시문 분석 & 해설
○ 기본니치 : 한 개체군이 이용할 수 있는 조건과 자원의 범위
○ 실현니치 : 한 개체군이 자연에서 실제로 사용하는 조건과 자원의 범위

따라서 현재 개체군의 상태를 통해 기본니치는 파악할 수 있지만 실현니치는 파악하기 어렵고 실험을 통해 파악할 수 있다.

〈실험〉 결과를 정리하면 다음과 같다.

| | A종 | B종 |
|---|---|---|
| 실현니치(A종과 B종이 공존) | 얕은 물 | 깊은 물 |
| 기본니치(다른 종을 제거) | 얕은 물 & 깊은 물 | 깊은 물 |

A종의 실현니치는 기본니치보다 더 작고, B종의 실현니치는 기본니치와 비슷하다. 따라서 정답은 ③이다.

## 100

| 정답 | ⑤ | 내용 영역 | 사회 |
|---|---|---|---|
| 난이도 | ★★☆ | 문항 유형 | 언어 추리 |

### 접근 전략
각 경우에 따른 기댓값을 계산해야 하는데, 공통적인 부분을 묶어서 계산할 필요가 있다.

### 제시문 분석 & 해설
① 옳다. 단속강화에 따라 고용증가로 기대할 수 있는 경제적 이익은 $(0.6 \times 0.1 + 0.3 \times 0.3 + 0.1 \times 0.6) \times 10$억 원 = 2.1억 원이다.
② 옳다. 단속약화에 따라 고용감소로 기대할 수 있는 경제적 이익은 $(0.1 \times 0.6 + 0.3 \times 0.3 + 0.6 \times 0.1) \times -1$억 원 = -0.21억 원이다.
③ 옳다. 단속약화에 따라 고용유지로 기대할 수 있는 경제적 이익은 $(0.1 \times 0.3 + 0.3 \times 0.4 + 0.6 \times 0.3) \times 3$억 원 = 0.99억 원이다.
④ 옳다. 단속약화에 따라 고용증가로 기대할 수 있는 경제적 이익은 $(0.1 \times 0.1 + 0.3 \times 0.3 + 0.6 \times 0.6) \times 10$억 원 = 4.6억 원이다. 이를 ①의 결과와 비교하면 경제적 이익의 차이는 2.5억 원이다.
⑤ 옳지 않다. 단속강화에 따라 고용감소로 기대할 수 있는 경제적 이익은 $(0.6 \times 0.6 + 0.3 \times 0.3 + 0.1 \times 0.1) \times -1$억 원 = 0.46억 원이다. 이를 ②의 결과와 비교하면 경제적 이익의 차이는 0.25억 원이다.

# 101

정답 | ③      내용 영역 | 사회
난이도 | ★★☆      문항 유형 | 언어 추리

먼저 제시문에서 평균비용과 한계비용의 개념을 이해하고, 제시된 부당
염매행위 사례의 맥락을 파악하여 빈칸에 들어갈 적절한 내용을 찾는다.

(가): 1문단에 따르면 평균비용은 일정 기간 동안 투입된 총비용을 해당
     기간에 생산한 제품 개수로 나눈 값을, 한계비용은 과거에 지출한
     비용은 제외하고 제품 1개를 추가로 생산할 때 투입되는 비용을 말
     한다. 3문단에 따르면 법원은 E사와의 경쟁 이전 모든 시설투자비
     를 포함하여 계산했으므로 총비용을 제품 개수로 나눈 값을 활용
     했음을 알 수 있다. 따라서 '평균비용'이 (가)에 들어가야 한다.

(나): 4문단에 따르면 C사는 1심 법원에 항소하면서, E사와의 경쟁 이전
     시설투자비를 제외하고 경쟁 시작 시점에 투입된 비용인 C사의 빵
     1개당 비용을 판매가격과 비교해야 한다고 주장하였다. 따라서 '한
     계비용'이 (나)에 들어가야 한다.

(다): 4문단에 따르면 E사와 경쟁할 당시 C사가 생산비용보다 높은 가
     격에 빵을 판매했음을 입증하였다는 것은 C사에 이익이 발생했다
     는 것이다. 이 경우 C사의 적자는 감소하였을 것이다. 따라서 '줄
     고'가 (다)에 들어가야 한다.

# 102

정답 | ⑤      내용 영역 | 인문
난이도 | ★★★      문항 유형 | 언어 추리

흄과 프라이스의 이론에 따라 기적이 일어났다는 증언의 확률과 기적이
일어날 확률을 비교하고 이로부터 흄과 프라이스에 따를 때 얻게 되는
결론을 추론해야 한다.

○ 기적이 일어났다고 누군가 증언한 경우
   1) 흄의 이론에 따른 판단
     증언이 거짓일 확률 > 기적이 일어날 확률 : 기적은 일어나지 않음
     (증언은 거짓)
     증언이 거짓일 확률 < 기적이 일어날 확률 : 기적이 일어남 (증언
     은 참)
   2) 프라이스의 이론에 따른 판단
     증언이 참일 확률 > 기적이 일어날 확률 : 기적이 일어남 (증언은 참)

○ 가람과 나래는 ㉠ 거의 죽어가는 사람이 살아나는 기적이 일어났다고
   증언함
   1) 가람의 증언이 거짓일 확률 0.1%
   2) 나래의 증언이 거짓일 확률 0.001%
   3) 기적이 일어날 확률 0.01%

① 적절하지 않다. 흄의 이론에 따르면, 나래의 증언이 거짓일 확률은
   0.001%로 기적이 일어날 확률 0.01%보다 낮다. 따라서 나래가 ㉠에
   대해 증언한 것은 거짓이 아니라고 판단해야 한다.

② 적절하지 않다. 흄의 이론에 따르면, 가람의 증언이 거짓일 확률은
   0.1%로 기적이 일어날 확률 0.01%보다 높다. 따라서 ㉠에 대한 가람
   의 증언은 거짓이라고 생각해야 한다.

③ 적절하지 않다. 프라이스의 이론에 따르면, 가람의 증언이 참일 확률
   은 99.9%로 기적이 일어날 확률 0.01%에 비해 훨씬 높다. 따라서 ㉠
   이 일어났다고 생각해야 한다. 이는 가람의 증언이 거짓이 아니라고
   생각하는 것이다.

④ 적절하지 않다. 흄의 이론에 따르면, 가람의 증언이 거짓일 확률
   0.1%는 기적이 일어날 확률 0.01%보다 높다. 따라서 ㉠이 일어나지
   않았다고 생각해야 한다. 반면 프라이스의 이론에 따르면 가람의 증
   언이 참일 확률은 99.9%로 기적이 일어날 확률 0.01%에 비해 훨씬
   높다. 따라서 ㉠이 일어났다고 생각해야 한다.

⑤ 적절하다. 흄의 이론에 따르면 나래의 증언이 거짓일 확률 0.001%는
   기적이 일어날 확률 0.01%보다 낮다. 따라서 ㉠이 일어났다고 생각
   해야 한다. 한편 프라이스의 이론에 따르면 나래의 증언이 참일 확률
   은 99.999%로 기적이 일어날 확률 0.01%에 비해 훨씬 높다. 따라서
   ㉠이 일어났다고 생각해야 한다.

## 103

| 정답 | ② | 내용 영역 | 과학기술 |
|---|---|---|---|
| 난이도 | ★★★ | 문항 유형 | 언어 추리 |

함축 및 귀결 문항을 풀기 위해서는 제시문의 내용을 정확히 파악해야 한다. 소금과 물이 삼투질 농도 유지를 위해 이동한다는 점은 유사하다. 단, 물은 세포 안과 밖으로 이동할 수 있지만, 소금은 세포 안으로 이동하지 못한다는 점을 유의해야 한다.

제시문 분석 & 해설

○ 체내에서 물의 구성 : 세포내액 2/3, 세포외액 1/3
○ 물은 삼투현상으로 세포 안팎으로 이동 가능
○ 소금(삼투질)은 세포외의 세포간질액과 혈액 사이의 확산 이동은 가능하지만, 세포내액과 세포외액 사이의 이동은 안 됨
○ 물과 삼투질의 삼투현상과 삼투질 확산으로 세포 내외의 삼투질 농도 평형 유지

〈철수의 사례〉
○ 0.9%의 소금 용액 1 L를 마심 ⇨ 혈관(세포외액)으로 흡수 ⇨ 0.9%의 소금 용액은 300 mosm/L인 삼투질 농도와 동일하므로 삼투 현상을 일어나지 않음 ⇨ 삼투질 농도(300 mosm/L) 평형
○ 음료 섭취 후 세포 내·외액의 변화

|  | 세포내액 | 세포외액 |
|---|---|---|
| 증감 | 변화 없음 | 약 1 L 증가 |
| 삼투질 농도 | 변화 없음(300 mosm/L) | |

〈영훈의 사례〉
○ 순수한 물 1 L를 마심 ⇨ 혈관(세포외액)으로 흡수 ⇨ 세포외액의 삼투질 농도는 300 mosm/L 이하로 낮아짐 ⇨ **물의 삼투현상(세포 밖 → 세포 안) & 소금 확산(세포간질액 → 혈액)** ⇨ 삼투질 농도(300 mosm/L 미만) 평형
○ 음료 섭취 후 세포 내·외액의 변화

|  | 세포내액 | 세포외액 |
|---|---|---|
| 증감 | 증가 | 증가 |
| 삼투질 농도 | 300 mosm/L 미만 | |

① 적절하지 않다. 위 〈철수의 사례〉 표 참조.
② 적절하다. 〈영훈의 사례〉에서, 삼투현상으로 세포 밖의 물은 세포 안으로 이동하지만, 소금은 세포 안과 밖으로 이동하지 않는다. 체내에서 세포내액이 세포외액보다 많은 상태에서 세포 안과 밖의 소금 양이 변함이 없이 삼투질 농도(300 mosm/L 미만) 평형을 이루려면, 세포외액보다 세포내액에 더 많은 물이 존재하여야 함을 알 수 있다. 따라서 영훈의 세포외액 증가량이 세포내액 증가량보다 적을 것이다.
③ 적절하지 않다. 철수는 혈액만 약 1 L 증가하는 것과 달리 영훈은 1 L 중 상당 분량이 세포내액으로 이동하여 세포외액의 증가량은 1 L에 미치지 못한다. 따라서 철수의 세포외액 증가량은 영훈의 세포외액 증가량보다 많다.
④ 적절하지 않다. 위 〈철수의 사례〉와 〈영훈의 사례〉 표 참조.
⑤ 적절하지 않다. 위 〈철수의 사례〉와 〈영훈의 사례〉 표 참조.

## 104

| 정답 | ① | 내용 영역 | 인문 |
|---|---|---|---|
| 난이도 | ★★★ | 문항 유형 | 언어 추리 |

기본적인 표를 그린 다음 제시문에서 정보가 전개되는 순서대로 정보를 추가해 나가면 정답을 찾을 수 있다.

제시문 분석 & 해설

발문과 '가'를 토대로 표를 만들면 다음과 같다.

| 5행 |  |  |  |  |  |
|---|---|---|---|---|---|
| 5수 |  |  |  |  |  |
| 5상 |  |  |  |  |  |
| 4신 |  |  |  |  |  |

'나'에서 알 수 있는 것들을 표에 추가하거나 채워보면 다음과 같다.

| 5행 | 물(水) | 나무(木) | 불(火) | 흙(土) | 금(金) |
|---|---|---|---|---|---|
| 왕조 | 고려 | 조선 | 정씨 |  | 신라 |
| 5수 |  |  | 7 |  |  |
| 5상 |  |  |  |  |  |
| 4신 |  |  |  |  |  |

'다'에서 알 수 있는 것들을 표에 채워보면 다음과 같다.

| 5행 | 물(水) | 나무(木) | 불(火) | 흙(土) | 금(金) |
|---|---|---|---|---|---|
| 왕조 | 고려 | 조선 | 정씨 |  | 신라 |
| 5수 | 6 | 8 | 7 | 5 | 9 |
| 5상 |  |  |  |  |  |
| 4신 |  |  |  |  |  |

'라'와 '마'에서 알 수 있는 것들을 표에 채워보면 다음과 같다.

| 5행 | 물(水) | 나무(木) | 불(火) | 흙(土) | 금(金) |
|---|---|---|---|---|---|
| 왕조 | 고려 | 조선 | 정씨 |  | 신라 |
| 5수 | 6 | 8 | 7 | 5 | 9 |
| 5상 | 지 | 인 | 예 | 신 | 의 |
| 4신 | 현무 | 청룡 | 주작 |  | 백호 |
| 건물 | 소지문 | 흥인문 | 숭례문 | 보신각 | 돈의문 |

따라서 5행 - 5수 - 5상 - 4신을 바르게 짝지은 것은 ①이다.

# 105

| 정답 | ④ | 내용 영역 | 논리학수학 |
| 난이도 | ★★☆ | 문항 유형 | 모형 추리 |

**접근 전략**

주어진 조건들을 명제 논리 기호로 정리한 뒤, 대우를 활용하여 함의 관계를 정리해야 한다.

**제시문 분석 & 해설**

각 조건을 기호화하면 다음과 같다.

○ 심적 대상 → (심적 대상 ≠ 물리적 대상)
○ (심적 대상 ∧ 심적 대상 ≠ 물리적 대상) → 특권
○ 특권 → 부분
○ 부분 → 지식
○ [                                   ]
∴ ~심적

① 적절하지 않다. 심적 대상이 물리적 대상과 같지 않다는 사실만으로는 심적 대상이 없다는 것을 도출할 수 없다.
② 적절하지 않다. 심적 대상 → (심적 대상 ≠ 물리적 대상)을 대우하면 ~(심적 대상 ≠ 물리적 대상) → ~심적 대상이 되고 이는 (심적 대상 = 물리적 대상) → ~심적 대상이 된다. 심적 대상이 물리적 대상과 같을 경우, 심적 대상이 없다고 볼 수 있으나 심적 대상이 물리적 대상과 같은지 알 수 없으므로 적절하지 않다.
③ 적절하지 않다. 제시문의 조건에 따르면 소유자만이 알 수 있는 부분 → 검증 불가능한 지식이 존재한다. 그러나 이로부터 심적 대상이 없다는 점이 도출되지는 않는다.
④ 적절하다. '{심적 대상 ∧ (심적 대상 ≠ 물리적 대상)} → 특권'을 대우하면 '~특권 → {~심적 대상 ∨ (심적 대상 = 물리적 대상)}'이 된다.
'특권 → 부분', '부분 → 지식'이므로, 심적 대상에 관해 검증 불가능한 지식이 존재하지 않는다면, '~특권'이 도출되어 심적 대상이 존재하지 않거나 심적 대상과 물리적 대상이 같다. (심적 대상 = 물리적 대상) → ~심적 대상으로, 심적 대상과 물리적 대상이 같다면 심적 대상이 존재하지 않는다는 결론이 도출된다. 따라서 심적 대상에 관해 검증 불가능한 지식은 존재하지 않는다면, 결과적으로 심적 대상이 존재하지 않는다는 결론이 도출된다.
⑤ 적절하지 않다. (심적 대상 ∧ 심적 대상 ≠ 물리적 대상) → 특권 → 부분 → 지식이 사실이라고 해도, 심적 대상이 존재하지 않는다는 결론은 도출되지 않는다.

# 106

| 정답 | ② | 내용 영역 | 논리학수학 |
| 난이도 | ★☆☆ | 문항 유형 | 모형 추리 |

**접근 전략**

제시문의 조건과 〈보기〉에 추가로 제시된 정보를 조합하여 풀이한다.

**제시문 분석 & 해설**

각 조건을 기호화하면 다음과 같다.

1. 갑 : ~ 목
2. 을 : 혼자
3. 병 : 같이
4. 정 : 무와 같이는 아님
5. 무 : 수

당직 근무를 한 전공의는 5명이고, 당직 근무는 3일 동안 이루어졌다. 전공의가 당직 근무를 서지 않은 경우는 없고, 을은 혼자서만 당직 근무를 섰으므로 갑, 병, 정, 무는 각각 을이 아닌 다른 전공의와 같이 당직 근무를 해야 한다.

ㄱ. 반드시 참은 아니다. 정은 무와 당직 근무를 서지 않았으므로, 정은 갑 또는 병과 함께 당직 근무를 섰다. 갑은 목요일에 당직 근무를 서지 않았으므로 정이 화요일에 당직 근무를 섰다면 갑이 화요일에 당직 근무를 서고, 병이 수요일에 무와 당직 근무를 섰어도 조건에 위배되지 않는다.
ㄴ. 반드시 참이다. 을이 혼자 화요일에 당직 근무를 섰다면, 수요일과 목요일은 두 명 이상의 전공의가 당직 근무를 섰다. 갑은 목요일에 당직 근무를 서지 않았으므로, 갑은 수요일에 당직 근무를 섰다. 무는 수요일에 당직 근무를 서고 정은 무와 당직 근무를 서지 않았다. 따라서 병이 수요일에 당직 근무를 섰다면 정이 혼자 목요일에 당직 근무를 설 수 있다.
ㄷ. 반드시 참은 아니다. 갑, 병이 무와 수요일에 당직 근무를 서고, 정이 목요일에 당직 근무를 섰으며, 을은 화요일에 당직 근무를 섰을 가능성이 있다.

# 107

정답 | ④  내용 영역 | 논리학수학
난이도 | ★★☆  문항 유형 | 모형 추리

접근 전략
선지에 제시된 인물들의 진술을 비교하여, 특정 진술이 도출되는지, 또는 모순된 부분이 있는지 판단한다.

제시문 분석 & 해설
① 추론할 수 없다. 갑, 을의 말을 정리하면 다음과 같다.
  갑) 자율주행차 상용화 → ~운전 힘들다
  을) 자율주행차 상용화
  ∴ ~운전 힘들다

  한편 정의 말을 정리하면 다음과 같다.
  정1) ~(~운전 힘들다 ∧ ~교통사고 줄어)
      ≡ ~운전 힘들다 → 교통사고 줄어
  정2) 자율주행차 상용화 → 교통사고 줄어

  갑, 을의 말에서 도출되는 내용은 정1의 전건을 충족할 뿐이므로, 정의 말이 참인지는 알 수 없다.
② 추론할 수 없다. ①에서 확인한 것처럼, 갑, 정의 말을 정리하면 다음과 같다.
  갑) 자율주행차 상용화 → ~운전 힘들다
  정1) ~운전 힘들다 → 교통사고 줄어
  ∴ 정2) 자율주행차 상용화 → 교통사고 줄어

  '자율주행차 상용화'가 참인지는 알 수 없으므로, 을의 말이 참인지는 알 수 없다.
③ 추론할 수 없다. 병의 말을 정리하면 다음과 같다.
  병1) 교통사고 줄어 → ~운전
  병2) 운전
  ∴ ~교통사고 줄어

  병의 말이 참이라 하여 을의 말인 '자율주행차 상용화'가 거짓이 되지는 않으므로, 을의 말과 병의 말이 동시에 참일 수 있다.
④ 추론할 수 있다. 병, 무의 말을 정리하면 다음과 같다.
  병1) 교통사고 줄어 → ~운전
  병2) 운전
  ∴ ~교통사고 줄어

  무1) ~운전 힘들다 ∧ ~운전 않는다
  무2) ~운전 힘들다 → 교통사고 줄어
  ∴ 교통사고 줄어

  병의 말과 무의 말에서 각각 도출되는 내용이 서로 모순되므로, 병의 말과 무의 말은 동시에 참일 수 없다.
⑤ 추론할 수 없다. ①과 ④에서 정리한 내용을 바탕으로, 정의 진술로부터 '~운전 힘들다 → 교통사고 줄어'와 '자율주행차 상용화 → 교통사고 줄어'가, 무의 진술로부터 '교통사고 줄어'가 도출된다.
  정의 말이 참이라 하여 무의 말이 거짓이 되지는 않으므로, 정의 말과 무의 말이 동시에 참일 수 있다.

# 108

정답 | ⑤  내용 영역 | 논리학수학
난이도 | ★☆☆  문항 유형 | 모형 추리

접근 전략
확률값이 제시되어 있지만, 확률을 계산하기보다는 어떤 집단에 속하는지를 파악하여 풀이해야 한다.

제시문 분석 & 해설
제시문에 제시된 조건을 기호화하면 다음과 같다.
○ 갑돌, 정순 : 커피 ∧ 흡연
○ 을순, 병돌 : ~치석
1. 치석 ∧ 커피 → 이가 노랄 확률 60%↑
2. 치석 ∧ 흡연 → 이가 노랄 확률 80%↑
3. 치석 ∧ 커피 ∧ 흡연 → 이가 노랄 확률 90%↑
4. ~치석 → 이가 노랄 확률 20%↓

① 반드시 참은 아니다. 갑돌은 매일 커피를 마시는 흡연자이지만, 치석을 없애는지 여부를 알 수 없으므로 이가 노랄 확률 역시 알 수 없다.
② 반드시 참은 아니다. 을순은 4에 따라 이가 노랄 확률이 20% 미만이다. 따라서 그의 이가 노랗지 않을 확률은 80% 이상이다.
③ 반드시 참은 아니다. 병돌은 4에 따라 흡연 여부와 무관하게 이가 노랄 확률이 20% 미만이다.
④ 반드시 참은 아니다. 병돌은 4에 따라 커피 섭취와 무관하게 이가 노랄 확률이 20% 미만이다.
⑤ 반드시 참이다. 정순이 '치석'이라면 '치석 ∧ 커피 ∧ 흡연'이 도출되므로 3에 따라 이가 노랄 확률이 90% 이상이 된다.

# 109

| 정답 | ② | 내용 영역 | 논리학수학 |
| 난이도 | ★★☆ | 문항 유형 | 모형 추리 |

제시문에 언급된 조건을 토대로, 선지별 정오를 판단한다. 두 번째 조건과 여섯 번째 조건을 통해 정이 배치되는 지방의회의 경우의 수를 줄일 수 있으므로 이를 통해 각 조건을 검토한다.

제시문 분석 & 해설

각 조건을 기호화하면 다음과 같다.

1. 갑 ~D → 을 B
2. 갑과 정은 다른 곳에 배치 & 을과 병은 다른 곳에 배치
3. 병 A or B → 정 ~D
4. 병 B or 정 D
5. 정 ~B or 병 C
6. 정 C → 갑 C
7. 정 D → 병 ~C
8. 정 ~D or 병 ~D

2.에 의해 갑과 정은 다른 곳에 배치되므로, 6.에 의해 정은 C에 배치되지 않는다. 정이 D에 배치된다면, 3.의 대우에 의해 병은 A와 B에 배치되지 않고, 7.에 의해 병은 C에 배치되지 않는다. 따라서 병은 D에 배치된다. 이때 병과 정 모두 D에 배치되므로, 8.에 의해 이 경우는 성립하지 않는다.
정이 B에 배치된다면, 4.에 의해 병이 B에 배치된다. 이는 5.에 위배되므로 이 경우는 성립하지 않는다.
따라서 정은 A에 배치된다.
정이 A에 배치되면, 4.에 의해 병은 B에 배치된다. 2.에 의해 갑은 B 또는 C 또는 D에 배치되며, 을은 A 또는 C 또는 D에 배치된다. 따라서 을은 B에 배치되지 않으므로, 1.의 대우에 의해 갑은 D에 배치된다. 이를 정리하면 다음과 같다.

| 갑 | 을 | 병 | 정 |
| --- | --- | --- | --- |
| D | ~B | B | A |

① 반드시 참은 아니다. 을이 C에 배치된다면, 조건에 위배되지 않으며 각 지방의회에는 1명의 서기관만 배치된다.
② 반드시 참이다. 을이 A에 배치된다면, 조건에 위배되지 않으며 을과 정은 같은 곳에 배치된다.
③ 반드시 참이 아니다. 을은 D에 배치되어도 조건에 위배되지 않는다.
④ 반드시 참이 아니다. 을은 B에는 배치될 수 없다. 따라서 B에는 병, 1명의 서기관만 배치될 수 있다.
⑤ 반드시 참이 아니다. 갑은 D에 배치되고 정은 A에 배치된다.

# 110

| 정답 | ③ | 내용 영역 | 논리학수학 |
| 난이도 | ★★☆ | 문항 유형 | 모형 추리 |

제시문의 조건을 토대로 확정된 정보와 확정되지 않은 정보를 구별하여 풀이한다.

제시문 분석 & 해설

각 조건을 기호화하면 다음과 같다.

1. 갑 : 무 출근 시, 같이 출근
2. 을 : 화, 수, 목 휴가
3. 병 : 을 출근 시, 같이 출근
4. 정 : 월, 병 출근 안 할 시 출근
5. 무 : 정 휴가 시, 같이 휴가

월요일에 정이 휴가를 쓰고, 정이 휴가를 쓰는 날에 무도 휴가를 쓰므로, 월요일에는 갑, 을, 병 3명이 출근해야 한다. 화요일, 수요일, 목요일에는 을이 휴가를 쓰고 정이 휴가를 쓰면 무도 휴가를 쓴다. 따라서 화요일, 수요일, 목요일에 정이 휴가를 쓰게 되면 하루 3명 이상의 조사관이 출근을 할 수 없기 때문에 정은 화요일, 수요일, 목요일에는 휴가를 사용할 수 없다.

|  | 월 | 화 | 수 | 목 | 금 |
| --- | --- | --- | --- | --- | --- |
| 갑 | 출근 |  |  |  |  |
| 을 | 출근 | 휴가 | 휴가 | 휴가 |  |
| 병 | 출근 |  |  |  |  |
| 정 | 휴가 | 출근 | 출근 | 출근 |  |
| 무 | 휴가 |  |  |  |  |

ㄱ. 반드시 참이다. 만약 갑이 화요일에 휴가를 쓰면, 화요일에는 병, 정, 무가 출근해야 한다. 그런데 갑은 무가 출근할 때에는 출근하므로, 갑이 화요일에 휴가를 쓰는 경우는 없다. 이는 수요일과 목요일도 마찬가지이므로, 갑은 화요일, 수요일, 목요일에는 출근해야 한다. 그리고 1일은 휴가를 쓰므로, 갑은 금요일에 휴가를 쓴다.

|  | 월 | 화 | 수 | 목 | 금 |
| --- | --- | --- | --- | --- | --- |
| 갑 | 출근 | 출근 | 출근 | 출근 | 휴가 |
| 을 | 출근 | 휴가 | 휴가 | 휴가 |  |
| 병 | 출근 |  |  |  |  |
| 정 | 휴가 | 출근 | 출근 | 출근 |  |
| 무 | 휴가 |  |  |  |  |

따라서 갑은 1일만 휴가를 사용하게 된다.

ㄴ. 반드시 참이다. 화요일, 수요일, 목요일에는 을을 제외한 4명의 조사관이 출근하여도 진술에 위배되지 않는다.
ㄷ. 반드시 참은 아니다. ㄴ에서 살펴보았듯이 화요일, 수요일, 목요일에는 병과 정이 같이 출근하여도 진술에 위배되지 않는다.

# 111

| 정답 | ① | 내용 영역 | 논리학수학 |
| 난이도 | ★★☆ | 문항 유형 | 모형 추리 |

**접근 전략**

경우가 확정된 것부터 풀이한다.

**제시문 분석 & 해설**

두 번째 조건에 따르면 을은 국회사무처에서 근무하고 가장 먼저 출근하였다.

| | 갑 | 을 | 병 | 정 | 무 |
| --- | --- | --- | --- | --- | --- |
| 출근 순서 | | 첫 번째 | | | |
| 근무지 | | 국회사무처 | | | |

첫 번째 조건과 일곱 번째 조건에 따르면, 갑은 국회입법조사처에서 일하지 않는다.

| | 갑 | 을 | 병 | 정 | 무 |
| --- | --- | --- | --- | --- | --- |
| 출근 순서 | | 첫 번째 | | | |
| 근무지 | ~국회 입법조사처 | 국회사무처 | | | |

세 번째 조건에 따르면, 국회도서관 근무자는 병이나 갑이 아니다.

| | 갑 | 을 | 병 | 정 | 무 |
| --- | --- | --- | --- | --- | --- |
| 출근 순서 | | 첫 번째 | | | |
| 근무지 | ~국회 입법조사처 & ~국회도서관 | 국회사무처 | ~국회도서관 | | |

각 사무관의 출근 순서는 다음과 같다.

을 〉 국회도서관 근무자
지하철 연착 〉〉 폭풍우(국회예산정책처 근무자) 〉〉 국회입법조사처 근무자(~갑)
늦잠 〉 ? 〉 정
쓰러진 나무 피함 〉 도로 위 빙판 〉〉 국회입법조사처 근무자(~갑)
? 〉 ? 〉 ? 〉 ? 〉 국회입법조사처 근무자(~갑)

ㄱ. 반드시 참이다. 국회도서관에서 근무할 수 있는 사무관은 정 또는 무이다. 국회도서관 근무자는 두 번째로 출근하였고, 정은 적어도 세 번째로 출근할 수 있으므로, 정은 국회도서관 근무자가 될 수 없다. 따라서 국회도서관 근무자는 무이고 두 번째로 출근히였다.

| | 갑 | 을 | 병 | 정 | 무 |
| --- | --- | --- | --- | --- | --- |
| 출근 순서 | | 첫 번째 | | | 두 번째 |
| 근무지 | ~국회 입법조사서 | 국회사무처 | | | 국회도서관 |

ㄴ. 반드시 참은 아니다. 도로 위 빙판 때문에 지각한 사무관은 쓰러진 나무를 피해서 돌아가느라 지각한 사무관 바로 다음에 출근하였다. 만약 을이 쓰러진 나무를 피해서 돌아가느라 지각한 사무관이고 무가 도로 위 빙판 때문에 지각한 사무관이라면, 도로 위 빙판 때문에 지각한 사무관은 국회도서관에서 근무한 사무관일 수 있다. 이때 갑이 늦잠으로 인해 지각하고 세 번째로 출근하고, 병이 지하철 연착으로 인해 네 번째로 출근하고, 정이 국회입법조사처에서 근무하여 마지막으로 출근할 수 있기 때문에, 다른 조건에도 위배되지 않는다.

ㄷ. 반드시 참은 아니다. ㄴ에서 살펴본 것을 토대로 파악하면, 병이 늦잠으로 인해 지각하고 세 번째로 출근하고, 갑이 지하철 연착으로 인해 네 번째로 출근할 수 있다.

# 112

| 정답 | ④ | 내용 영역 | 논리학수학 |
| 난이도 | ★★☆ | 문항 유형 | 모형 추리 |

**접근 전략**

제시문의 조건 중 확실한 정보 및 경우의 수가 적은 것부터 정리하여 풀이한다.

**제시문 분석 & 해설**

제시문의 조건을 정리하면 다음과 같다.

| | 甲 | 乙 | 丙 | 丁 | 戊 |
| --- | --- | --- | --- | --- | --- |
| 요일 | 월요일 | | 수요일 | ~금요일 | ~화요일 |
| 분야 | | 보건 | ~정치 | ~교육 | |

○ 교육 분야 : 금요일
○ 기술 분야 : 목요일

甲은 월요일 담당이므로, 교육 분야 및 기술 분야는 아니다.

| | 甲 | 乙 | 丙 | 丁 | 戊 |
| --- | --- | --- | --- | --- | --- |
| 요일 | 월요일 | | 수요일 | ~금요일 | ~화요일 |
| 분야 | ~교육 & ~기술 | 보건 | ~정치 | ~교육 | |

乙은 보건 분야이므로, 목요일과 금요일의 담당은 아니다.

| | 甲 | 乙 | 丙 | 丁 | 戊 |
| --- | --- | --- | --- | --- | --- |
| 요일 | 월요일 | ~목요일 & ~금요일 | 수요일 | ~금요일 | ~화요일 |
| 분야 | ~교육 & ~기술 | 보건 | ~정치 | ~교육 | |

월요일은 甲, 수요일은 丙이 담당이므로 乙은 반드시 화요일 담당이다.

| | 甲 | 乙 | 丙 | 丁 | 戊 |
| --- | --- | --- | --- | --- | --- |
| 요일 | 월요일 | 화요일 | 수요일 | ~금요일 | ~화요일 |
| 분야 | ~교육 & ~기술 | 보건 | ~정치 | ~교육 | |

丁은 교육 분야가 아니므로, 금요일 담당은 아니다. 따라서 丁은 반드시 목요일 담당이며 기술 분야이다.

| | 甲 | 乙 | 丙 | 丁 | 戊 |
| --- | --- | --- | --- | --- | --- |
| 요일 | 월요일 | 화요일 | 수요일 | 목요일 | ~화요일 |
| 분야 | ~교육 & ~기술 | 보건 | ~정치 | 기술 | |

따라서 戊는 반드시 금요일 담당이며, 교육 분야이다.

## 113

정답 | ④
난이도 | ★★☆
내용 영역 | 논리학수학
문항 유형 | 모형 추리

**접근 전략**

갑순, 을돌, 병수, 정희의 특징을 정리한 후, 각 원칙을 고려하여 풀이한다.

**제시문 분석 & 해설**

제시문의 내용을 정리하면 다음과 같다.
○ 갑순 : 영어 가능, 신입사원, 공인노무사
○ 을돌 : 영어 가능, 신입사원
○ 병수 : 중국어 가능, 경력사원
○ 정희 : 중국어 가능, 신입사원

〈배치 원칙〉
1. 총무부와 인사부 중 한 곳에는 공인노무사 배치
   → 갑순 : 총무부 ∨ 인사부 (… a)
2. 영업부와 자재부 중 한 곳에만 중국어 가능 배치
3. 영업부와 자재부 중 한 곳에만 신입사원을 배치
   → 병수 : 영업부 ∨ 자재부 (… b)
   → 정희 : ~영업부 ∧ ~자재부 (… c)
4. 정희를 인사부에도 자재부에도 배치하지 않는다면, 영업부에 배치
   → 정희 : 인사부(c와 4로부터 도출) (… d)
   → 갑순 : 총무부(a와 d로부터 도출) (… e)

따라서 갑순은 총무부, 정희는 인사부에 배치된다.
병수가 영업부에 배치되면 을돌은 자재부에, 병수가 자재부에 배치되면 을돌은 영업부에 배치된다.

〈추가 원칙〉
5. 인사부와 영업부에 같은 외국어 가능 배치
   → 병수 : 영업부, 을돌 : 자재부        [d와 5로부터 도출]

① 반드시 참이 아니다. 〈배치 원칙〉만으로도 갑순은 총무부에 배치된다.
② 반드시 참이 아니다. 〈배치 원칙〉만으로는 을돌이 배치된 부서를 알 수 없다.
③ 반드시 참이 아니다. 〈배치 원칙〉과 〈추가 원칙〉에 따라 병수가 배치된 부서는 영업부이다.
④ 반드시 참이다. 〈배치 원칙〉만으로도 정희는 인사부에 배치되며, 〈추가 원칙〉에 따라서도 정희가 배치된 부서가 바뀌지 않는다.
⑤ 반드시 참이 아니다. 〈배치 원칙〉만으로도 갑순은 총무부에 배치되며, 〈추가 원칙〉에 따라서도 갑순이 배치된 부서가 바뀌지 않는다.

## 114

정답 | ③
난이도 | ★★☆
내용 영역 | 논리학수학
문항 유형 | 모형 추리

**접근 전략**

'다른 해석들'과 같이 여러 가지 경우의 수가 있음을 고려하여 풀이할 필요가 있다. 제시문에 나타난 정보가 많기 때문에, 기호화를 하여 정리할 필요가 있다.

**제시문 분석 & 해설**

제시문에 제시된 진술을 기호화하면 다음과 같다.
1. 아인슈타인 해석, 많은 세계 해석, 코펜하겐 해석, 보른 해석을 제외한 다른 해석들이 있음
2. 학회에 참석한 8명은 각각 하나의 해석만을 받아들임
3. 상태 오그라듦 가설을 받아들이는 이들 : 5명
4. 상태 오그라듦 가설을 받아들이지 않는 이들 : 3명
5. 상태 오그라듦 가설 → 코펜하겐 해석 ∨ 보른 해석
6. 코펜하겐 해석 ∨ 보른 해석 → 상태 오그라듦 가설
7. B : 코펜하겐 해석을 받아들임
8. C : 보른 해석을 받아들임
9. A, D : 상태 오그라듦 가설을 받아들임
10. 아인슈타인 해석을 받아들이는 이가 있음

이로부터 다음과 같은 진술을 추가로 도출할 수 있다.
11. 코펜하겐 해석 ∨ 보른 해석 ↔ 상태 오그라듦 가설
                                        [5와 6으로부터 도출]
제시문에 제시된 진술에 따라 판단할 수 있는 정보를 표로 정리하면 다음과 같다.

|  | A | B | C | D | E | F | G | H |
|---|---|---|---|---|---|---|---|---|
| 상태 오그라듦 가설 | ○ | ○ | ○ | ○ |  |  |  |  |
| 코펜하겐 해석 | ○/× | ○ | × | ○/× |  |  |  |  |
| 보른 해석 | ○/× | × | ○ | ○/× |  |  |  |  |

① 반드시 참은 아니다. 3과 5에 따르면 학회 참석자 중 5명은 상태 오그라듦 가설을 받아들이므로 코펜하겐 해석 또는 보른 해석을 받아들인다. 10에 따르면 1명이 아인슈타인 해석을 받아들이므로 어떤 해석을 받아들이는지 확정되지 않은 참석자는 2명이다. 그런데 1에 따르면 아인슈타인 해석, 많은 세계 해석, 코펜하겐 해석, 보른 해석을 제외한 다른 해석들이 있다고 설명하므로 나머지 2명이 많은 세계 해석이 아닌 다른 해석을 받아들일 가능성이 있다. 따라서 적어도 1명이 많은 세계 해석을 받아들이는지는 제시문의 진술만으로는 확정할 수 없다.
② 반드시 참은 아니다. 9와 11에 따르면 A와 D는 상태 오그라듦 가설을 받아들이므로 두 참석자는 코펜하겐 해석 또는 보른 해석을 받아들인다. 또한 3과 5에 따르면 코펜하겐 해석 또는 보른 해석을 받아들이는 학회 참석자는 5명이다. 선지에서 제시한 대로 보른 해석을 받아들이는 이가 2명이라면, A와 D가 모두 코펜하겐 해석을 받아들이더라도 나머지 1명이 보른 해석을 받아들일 수 있다. 따라서 A와 D가 받아들이는 해석이 반드시 다른 것은 아니다.

③ 반드시 참이다. 9와 11에 따르면 A와 D는 상태 오그라듦 가설을 받아들이므로 두 참석자는 코펜하겐 해석 또는 보른 해석을 받아들인다. 여기서 코펜하겐 해석을 받아들이는 참석자는 B이다. 만일 A와 D가 받아들이는 해석이 다르다면, 1명은 코펜하겐 해석을, 나머지 1명은 보른 해석을 받아들일 것이다. 이에 따르면 A와 D가 무엇을 받아들이는지 확정되지 않아도, 적어도 2명은 코펜하겐 해석을 받아들인다고 볼 수 있다.

④ 반드시 참은 아니다. 3과 5에 따르면 학회 참석자 중 5명이 코펜하겐 해석 또는 보른 해석을, 10에 따르면 1명이 아인슈타인 해석을 받아들인다. 만일 오직 한 명만이 많은 세계 해석을 받아들인다면, 어떤 해석을 받아들이는지 확정되지 않은 참석자는 1명이다. 그런데 1에 따르면 아인슈타인 해석, 많은 세계 해석, 코펜하겐 해석, 보른 해석을 제외한 다른 해석들이 있다고 설명하므로 나머지 1명이 아인슈타인 해석이 아닌 다른 해석을 받아들일 가능성이 있다. 따라서 아인슈타인 해석을 받아들이는 이가 2명인지는 제시문의 진술만으로는 확정할 수 없다.

⑤ 반드시 참이 아니다. 9와 11에 따르면 A와 D는 상태 오그라듦 가설을 받아들이므로 두 참석자는 코펜하겐 해석 또는 보른 해석을 받아들인다. 또한 3과 5에 따르면 코펜하겐 해석 또는 보른 해석을 받아들이는 학회 참석자는 5명이다. 만일 코펜하겐 해석을 받아들이는 이가 세 명이면, A와 D가 모두 코펜하겐 해석을 받아들이는 경우가 가능하다. 따라서 A와 D 가운데 적어도 한 명이 보른 해석을 받아들이는지는 제시문의 진술만으로는 확정할 수 없다.

# 115

| 정답 | ③ | 내용 영역 | 논리학수학 |
|---|---|---|---|
| 난이도 | ★★☆ | 문항 유형 | 모형 추리 |

접근 전략

불필요한 정보를 소거하고, 나이와 관련된 정보만을 추려 풀이할 필요가 있다.

제시문 분석 & 해설

제시문에 언급된 나이 관련 정보를 정리하면 다음과 같다.
1. 정희 < 갑수
2. 을수 ≤ 정희, 을수 ≤ 철희
3. 갑수 ≤ 병수
4. 철희 = 병수 ± 1

제시문에 제시된 정보를 바탕으로 나이가 많은 순서대로 사람들을 정리하면 '병수 ≥ 갑수 > 정희 ≥ 을수' 순으로 나열된다. 철희의 나이는 병수보다 1살 많을 수도, 적을 수도 있으므로 주어진 정보로는 정확히 파악할 수 없다. 갑수보다 반드시 나이가 적은 사람을 찾는 것이 조건이므로, 조건을 충족하는 사람은 정희와 을수이다.

# 116

| | | | |
|---|---|---|---|
| 정답 | ④ | 내용 영역 | 논리학수학 |
| 난이도 | ★★☆ | 문항 유형 | 모형 추리 |

### 접근 전략

일상 언어를 논리식 기호로 표기하고 추론 과정에서 필요한 추론 규칙은 다음과 같다.

| • 후건부정식 | • 선언지 제거 | • 단순화 | • 귀류법 |
|---|---|---|---|
| P → Q | P ∨ Q | P & Q | P라고 가정 |
| ~Q | ~Q | ∴ P | Q |
| ∴ ~P | ∴ P | | ~Q |
| | | | P → (Q & ~Q) |
| | | | ∴ ~P |

### 제시문 분석 & 해설

〈갑과 을의 대화〉를 정리하면 아래와 같다.

(1) A & B → C
(2) ~C
(3) ~A ∨ ~B
(4) A ∨ D
(5) A
(6) ㉠
(7) E & F
(8) ㉡

〈㉠〉
(4)에서 갑은 (5)의 결론을 도출하였고 ㉠은 (5)의 결론이 도출되기 위해 필요한 전제이다. 이를 기호화하면 다음과 같다.

| (4) A ∨ D |
|---|
| ㉠ (            ) |
| (5) ∴ A |

(4)와 ㉠으로부터 'A'가 도출되려면, 연역규칙의 '선언지 제거법'에 의해 ㉠에는 '~D'가 필요하다.

〈㉡〉
㉡은 'E와 F 참석'을 도출하기 위해 필요한 전제이다.

| (1)~(6) 전제 |
|---|
| ㉡ (            ) |
| ∴ E & F |

(1)~(6)의 논증을 분석하면 다음과 같다.

○ (1), (2)로부터 (3)이 도출된다.
  (1) A & B → C
  (2) ~C
  ∴ (3) ~A ∨ ~B      [(1), (2)의 후건부정법]

○ (4), (6)으로부터 (5)가 도출된다.
  (4) A ∨ D
  (6) ~D(㉠)
  ∴ (5) A          [(4), (6)의 선언지 제거법]

○ (3), (5)로부터 '~B'가 도출된다.
  (3) ~A ∨ ~B
  (5) A
  ∴ ~B          [(3), (5)의 선언지 제거법]

따라서 'E & F 참석'은 '~B'와 ㉡이 결합하여 도출되는 것임을 알 수 있다.

| ~B | p |
|---|---|
| ㉡ (            ) | p → q |
| ∴ (7) E & F | ∴ q [전건긍정법] |

'~B'와 ㉡의 '전건긍정법'에 의해 'E & F'이 도출되므로 ㉡에는 '~B → E & F'가 필요하다.

⇨ 따라서 정답은 ④이다.

# 117

정답 | ④　　　　내용 영역 | 논리학수학
난이도 | ★★☆　　文항 유형 | 모형 추리

**접근 전략**

형식적 추리 문제는 제시문을 간단하게 정리한 뒤, 실마리가 될 정보부터 파악해야 한다. 이때, 'A이면 B이다'는 조건문으로 주어진 정보가 또 다른 확정 정보를 필요로 하므로 조건 형식의 정보보다는 'A이다', 'A이고 B이다' 등과 같은 확정된 정보를 실마리로 삼는 것이 좋다. 또한 가장 많은 정보가 주어진 것부터 정보를 연결해 가는 것도 문제를 더 빨리 해결하는 방법이다. 이 문제의 경우는 A에 대한 정보가 가장 많으므로 A의 채택 여부가 단초가 된다.

**제시문 분석 & 해설**

제시된 문장에 번호를 붙여 정보 간 관계를 파악하기 편하게 축약하면 아래와 같다.
(1) A → B
(2) ~A → (~D & ~E)
(3) B → (C ∨ ~A)
(4) ~D → (A & ~C)

정보가 가장 많은 A를 기준으로 살펴보면 다음과 같다.
ⅰ) A가 채택되지 않을 경우
　(5) ~A → ~D　　　　　　　　[(2)로부터 도출]
　(6) ~D → A　　　　　　　　 [(4)로부터 도출]
　(7) ~A → A　　　　　　　　 [(5)와 (6)으로부터 도출]
　(8) A　　　　　　　　　　　 [(7)로부터 도출]
　여기서 (8)은 ⅰ)과 모순이다. ∴ A는 채택된다.

ⅱ) A가 채택
　(9) A　　　　　　　　　　　 [(8)로부터 도출]
　(10) B　　　　　　　　　　　[(1)과 (9)로부터 도출]
　(11) C　　　　　　　　　　　[(3)과 (9), (10)으로부터 도출]
　(12) (~A ∨ C) → D　　　　　[(4)의 대우]
　(13) C → D　　　　　　　　 [(12)로부터 도출]
　(14) D　　　　　　　　　　　[(11)과 (13)으로부터 도출]

이를 통해 A, B, C, D가 채택된다는 것을 확인할 수 있다. 그리고, D가 채택되거나 E가 채택되면 A가 채택되는데 ((2)로부터 도출) 이 정보만으로는 E가 채택되는지를 판단할 수 없다. 따라서 반드시 채택되는 업체는 A, B, C, D로 4개이다. 따라서 정답은 ④이다.

# 118

정답 | ⑤　　　　내용 영역 | 논리학수학
난이도 | ★★★　　文항 유형 | 모형 추리

**접근 전략**

제시문의 외연 및 내포의 정의와, 예시 문장들을 활용하여 〈보기〉에 제시된 진술들을 파악한다.

**제시문 분석 & 해설**

ㄱ. 반드시 참이다. 1문단에 따르면 쌀이 곡식을 함의한다면 곡식은 쌀을 포함한다. 따라서 S는 T를 함의한다는 두 번째 사실로부터 T는 S를 포함한다는 점을 확인할 수 있다. 첫 번째 사실에 따르면 S는 P를 포함하므로, T는 P를 포함한다고 볼 수 있다.

ㄴ. 반드시 참이다. 1문단에 따르면 A가 B를 함의할 경우, A의 외연에 속하는 모든 원소는 B의 외연에도 속하게 된다. 그런데 네 번째 사실에 따르면 T의 외연에 속하는 원소 중에 Q의 외연에 속하지 않는 것이 있다. 이는 T가 Q를 함의하지 않음을 의미한다.

ㄷ. 반드시 참이다. 1문단에 따르면 두 단어가 '동의어'라는 것은 두 단어가 서로를 함의한다는 것이다. 즉 Q와 R이 동의어라면, Q와 R은 서로를 함의할 것이다. 선지의 전제로 제시된 'S가 Q를 함의한다'는 Q의 내포가 S의 내포의 부분집합임을 뜻한다. 즉, Q의 내포에 속하는 모든 원소는 S의 내포에도 속한다는 것이다. 이때 세 번째 사실에 따르면 R의 내포에 속하는 원소 중 S의 내포에 속하지 않는 것이 있다.

주어진 정보를 종합하면 "R의 내포에 속하는 원소 중 Q의 내포에 속하지 않는 것이 있다."를 이끌어낼 수 있다. 따라서 Q와 R은 서로 함의하지 않으며, 동의어가 아니다.

# 119

| 정답 | ① | 내용 영역 | 논리학수학 |
|---|---|---|---|
| 난이도 | ★★★ | 문항 유형 | 모형 추리 |

줄글의 형태로 되어 있기 때문에 일반적인 추론 문항으로 판단될 수 있으나, 각 문장이 명제 형태로 되어 있기 때문에 형식적 추리와 같은 형태로 풀이해야 한다.

제시문 분석 & 해설

제시문에 제시된 진술을 기호화하면 다음과 같다.
1. 교류 증진 목적의 공연 개최
2. 교류 증진 목적의 공연 개최 → ~정부 관료가 수석대표
3. 교류 증진 목적의 공연 개최 ∧ ~정부 관료가 수석대표 → 고전음악 지휘자가 수석대표 ∨ 대중음악 제작자가 수석대표
4. 정부 관료 → ~(고전음악 지휘자 ∨ 대중음악 제작자)
5. ~세대 아우름 → ~수석대표
6. 나열된 조건을 다 갖춘 사람은 수석대표
7. A 참가                                          [결론]
8. 갑이 수석대표 ∨ 을이 수석대표 → A 참가

1문단에서는 1, 2에 따라 '~정부 관료가 수석대표'임이 도출되고, 이에 따라 3의 전건을 만족하여 '고전음악 지휘자가 수석대표 ∨ 대중음악 제작자가 수석대표'가 도출된다. 또한 5로부터 '수석대표 → 세대 아우름'이 도출되므로 수석대표에 해당하는 사람은 고전음악 지휘자 또는 대중음악 제작자 중 하나에 해당하고, 전체 세대를 아우를 수 있는 사람이다. 2문단에서는 7이 제시된 후, '왜냐하면'이라는 접속어 다음에 8과 빈칸이 제시된다. 이에 따르면 8과 빈칸의 내용에 따라 7이라는 결론이 제시된다는 것을 알 수 있다. 7은 8의 후건에 해당하는 내용이기 때문에, 7이 도출되려면 8의 전건에 해당하는 '갑이 수석대표 ∨ 을이 수석대표'가 도출되어야 함을 확인할 수 있다. 따라서 빈칸에는 '갑이 수석대표 ∨ 을이 수석대표'에 해당하는 내용이 들어가야 한다.

① 적절하다. '갑이 고전음악 지휘자이며 전체 세대를 아우를 수 있다'는 진술은 갑이 수석대표를 맡기 위해 충족해야 할 조건을 모두 만족한다. 선지의 진술에 따르면 갑이 수석대표가 되므로, '갑이 수석대표 ∨ 을이 수석대표'에 해당하는 내용이라 볼 수 있다.
② 적절하지 않다. 수석대표에 해당하는 사람은 고전음악 지휘자 또는 대중음악 제작자 중 하나에 해당하지만, 선지의 진술에는 갑이나 을이 전체 세대를 아우를 수 있는 사람인지가 제시되어 있지 않다.
③ 적절하지 않다. 4에 따르면 제시문에서는 '정부 관료 → ~(고전음악 지휘자 ∨ 대중음악 제작자)'를 조건으로 제시하고 있다. 그런데 선지의 진술과 같이 갑과 을 모두 정부 관료가 아니라도, 이들이 반드시 고전음악 지휘자 또는 대중음악 제작자 중 하나임이 도출되지는 않는다.
④ 적절하지 않다. 선지를 기호화하면 '~대중음악 제작자 → ~세대 아우름'이다. 해당 진술만으로는 을이 대중음악 제작자이고 전체 세대를 아우를 수 있다는 진술이 반드시 도출되지는 않는다.
⑤ 적절하지 않다. 선지를 기호화하면 '대중음악 제작자 ∨ 고전음악 지휘자 → 세대 아우름'이다. 해당 진술만으로는 갑이나 을이 대중음악 제작자 또는 고전음악 지휘자 중 하나에 해당하는지가 반드시 도출되지는 않는다.

# 120

| 정답 | ① | 내용 영역 | 논리학수학 |
|---|---|---|---|
| 난이도 | ★★☆ | 문항 유형 | 모형 추리 |

직급은 (3급, 4급, 5급)으로, 직위는 (국장, 과장, 팀장)으로 나뉜다는 점에 주의하여 판단한다. 또한 선지에서 甲, 丙의 근무지 조합을 (A, B)와 (B, C)로만 제시하고 있다는 점을 확인하여, 위의 두 경우를 우선적으로 제시문 및 〈대화〉에 대입한다.

제시문 분석 & 해설

선지에 제시된 甲, 丙의 근무지에 따라 경우를 나누면 다음과 같다.
i) 甲, 丙의 근무지가 각각 (A, B)인 경우
    이 경우 乙은 C우체국에서 일하며, 5급 국장이다. 丙은 乙이 근무하는 C우체국의 어느 공무원보다도 직급이 높으므로, 4급 국장이다. 그리고 乙은 甲과 직급이 같다는 언급을 찾을 수 있으므로, 甲은 5급 팀장이다.

ii) 甲, 丙의 근무지가 각각 (B, C)인 경우
    이 경우 乙은 A우체국에서 일한다. 丙은 5급 국장이고, 乙이 근무하는 A우체국의 어느 직원보다도 직급이 높아야 한다. 그런데 A우체국에는 丙보다 직급이 높은 3급, 4급 공무원이 근무한다. 따라서 이 경우는 제시문의 조건과 충돌한다.

따라서 甲은 A우체국 팀장, 丙은 B우체국 국장이다.

# 121

정답 | ②　　　내용 영역 | 논리학수학
난이도 | ★☆☆　　문항 유형 | 모형 추리

### 접근 전략

(1)~(6)에 제시된 날짜는 모두 다른 요일임을 감안하여 풀이해야 한다.

### 제시문 분석 & 해설

(3)은 수요일, (6)은 일요일, (5)는 (6)의 하루 전이기 때문에 토요일임을 알 수 있다. 따라서 (1)의 식목일은 월요일, 화요일, 목요일 중 하나이다.

4월 5일이 월요일이면, (2)의 4월 11일은 4월 5일로부터 6일 뒤이므로 일요일이다. 이는 (6)의 요일과 같이 때문에 모두 다른 요일이라는 점에 위배된다.

4월 5일이 화요일이면, (2)의 4월 11일은 월요일이 되며, (4)의 4월 15일은 금요일이 된다. 이 경우 (1)~(6)은 모두 다른 요일이다.

4월 5일이 목요일이면, (2)의 4월 11일은 수요일이 되며 이는 (3)과 요일이 같이 때문에 성립하지 않는 경우이다.

따라서 4월 5일은 화요일인 경우밖에 없다.

# 122

정답 | ⑤　　　내용 영역 | 논리학수학
난이도 | ★★☆　　문항 유형 | 모형 추리

### 접근 전략

주어진 조건들을 명제 논리 기호로 정리한 뒤, 대우를 활용하여 함의 관계를 정리해야 한다.

### 제시문 분석 & 해설

O 박 주무관 → 오 주무관 (대우 : ~오 주무관 → ~박 주무관)
O 이 주무관 → 남 주무관 (대우 : ~남 주무관 → ~이 주무관)
O 선 주무관 → 박 주무관 (대우 : ~박 주무관 → ~선 주무관)
O 선 주무관 ∨ 이 주무관
  • 선 주무관 → 박 주무관
  • 박 주무관 → 오 주무관
  • 이 주무관 → 남 주무관

① 적절하지 않다. 조건에 따르면 이 주무관이 선발될 경우 남 주무관도 선발되어야 한다. 그러나 제시된 사실은 '이 주무관 또는 선 주무관 중 한 명은 반드시 선발된다'일 뿐, 이 주무관이 실제로 선발되는지 여부는 확정되지 않는다. 따라서 반드시 참이라고 할 수 없다.

② 적절하지 않다. 제시문에서는 선 주무관이 선발되거나 이 주무관이 선발된다는 사실만을 보장한다. 그러나 이 두 사람이 동시에 선발되는지 여부에 대해서는 조건이 주어지지 않았다. 따라서 두 사람이 모두 선발된다고 단정할 수 없으므로 반드시 참이라고 할 수 없다.

③ 적절하지 않다. 조건에 따르면 선 주무관이 선발되면 박 주무관도 선발된다. 그러나 선 주무관이 실제로 선발되는지는 제시문만으로 확인할 수 없으므로, 박 주무관이 선발되거나 선 주무관이 선발된다고 단정할 수는 없다.

④ 적절하지 않다. 오 주무관이 선발되지 않으면 박 주무관도 선발되지 않는다.

⑤ 적절하다. 선 주무관 또는 이 주무관이 반드시 선발되므로, 결과적으로 남 주무관과 오 주무관 가운데 최소 한 명은 선발된다.

# 123

| 정답 | ③ | 내용 영역 | 논리학수학 |
| 난이도 | ★☆☆ | 문항 유형 | 모형 추리 |

### 접근 전략

형식적 추리로 풀이할 수도 있고, 벤다이어그램으로 풀이할 수도 있다.

### 제시문 분석 & 해설

제시문에 제시된 진술을 기호화하면 다음과 같다.
1. 정치학 ∧ 사회학 → 경제학
2. 경영학 ∧ 회계학 → 경제학
3. A과 → 논리학 ∨ 역사학
4. 논리학 → 정치학
5. 역사학 → 경영학
결론: 경제학
A과 학생인 민주가 경제학을 수강한다는 결론을 이끌어 내려면 1의 전건이나 2의 전건을 이끌어 내야 한다. 한편 3, 4, 5에 따라 다음 진술을 도출할 수 있다.
6. A과 → 정치학 ∨ 경영학     [3, 4, 5로부터 도출]
민주는 A과 학생이므로 민주가 사회학과 회계학을 수강한다면, 6에 의해 1의 전건이나 2의 전건을 이끌어 낼 수 있다. 따라서 민주가 사회학과 회계학을 수강한다면 경제학을 수강한다는 결론을 이끌어 낼 수 있다.

# 124

| 정답 | ⑤ | 내용 영역 | 논리학수학 |
| 난이도 | ★★★ | 문항 유형 | 모형 추리 |

### 접근 전략

조건을 정리해 부서별 인원 수 제한(1명·2명), 직군 배치 규칙(같은 직군 중복 불가, 을 부서에 과학기술 없음), 특정 인물 조건(A·D 단독 배치, A는 1명인 부서) 등을 파악한다. 이후 각 조건을 대입하며 가능한 경우의 수를 좁히고, 선지에서 '반드시 참'으로 귀결되는 상황을 검증한다.

### 제시문 분석 & 해설

을 부서에는 과학기술 직군 수습 주무관이 배치될 수 없으므로 D가 을 부서에 단독으로 배치되고, A는 갑 부서에 단독으로 배치된다. 갑 부서와 을 부서에는 수습 주무관이 1명만 배치되므로 A와 D를 제외한 다른 주무관이 배치될 수는 없다. 동일 직군의 수습 주무관은 같은 부서에 배치되지 않으므로 병, 정 부서에 배치될 수 있는 주무관의 경우는 아래 표와 같다.

| 갑 (1명) | 을(1명) | 병 | 정 |
| --- | --- | --- | --- |
| A | D | B, E | C, F |
| | | B, F | C, E |
| | | C, E | B, F |
| | | C, F | B, E |

① 적절하지 않다. A가 갑 부서에 배치되더라도 C가 반드시 정 부서에 배치되는 것은 아니다.
② 적절하지 않다. B가 병 부서에 배치되면 E 또는 F가 정 부서에 배치된다.
③ 적절하지 않다. B가 정 부서에 배치될 경우 C는 병 부서에 배치된다.
④ 적절하지 않다. D는 을 부서에 배치되고 A는 갑 부서에 배치된다.
⑤ 적절하다. F가 정 부서에 배치되면 E는 병 부서에 배치된다.

# 125

정답 | ②
난이도 | ★☆☆
내용 영역 | 논리학수학
문항 유형 | 모형 추리

접근 전략
규칙에 따라 가장 먼저 정산할 사업과, 이후 순서를 확인하여 풀이한다.

제시문 분석 & 해설
증액요청을 한 사업을 대상으로 올해 지출 내역을 정산한다고 했으므로 증액요청을 하지 않은 C 사업은 지출 내역 정산에서 제외된다. 또한 규칙에도 불구하고 미집행액이 있는 사업을 우선하여 정산한다고 했으므로 E를 우선하여 정산한다. 총사업비 대비 보조금 총액 비율이 높은 사업부터 정산하는데, A는 80%, B와 D는 90%이다. B와 D 중에서는 보조금 총액이 큰 사업부터 정산하므로 D가 두 번째로 정산된다. 따라서 甲 사무관이 세 번째로 정산할 사업은 B이다.

# 126

정답 | ④
난이도 | ★☆☆
내용 영역 | 논리학수학
문항 유형 | 모형 추리

접근 전략
선지에 제시된 경우에 따라 제시문의 단어 송신 결과를 비교한다.

제시문 분석 & 해설
ㄱ. 옳지 않다. ㄴ과 같이 a는 옳게 수신되고 c와 n이 잘못 수신된 경우가 있을 수 있다.
ㄴ. 옳다. c와 n이 잘못 수신된 경우 6개 단어 중 banana, cherry, orange, peach가 송신한 단어와 다르다.
ㄷ. 옳다. o가 잘못 수신된 경우 orange가 송신한 단어와 다르다. 이때 p 외에는 orange를 제외한 3개의 단어가 송신한 단어와 다르게 할 수 없음을 확인할 수 있다.

# 127

| 정답 | ① | 내용 영역 | 논리학수학 |
|------|---|-----------|-----------|
| 난이도 | ★★☆ | 문항 유형 | 모형 해설 |

**접근 전략**

제시문에 주어진 사실들을 정리하고, 선지의 진술이 추가됨으로써 결론이 도출될 수 있는지 확인한다.

**제시문 분석 & 해설**

제시문에 주어진 사실을 기호화하면 다음과 같다. (A의 증언이 참인 경우 A로, 참이 아닌 경우 ~A로 표기한다.)

1) $A \to {\sim}G$
2) $B \to D$
3) $C \lor E \to G$
4) ${\sim}F \to {\sim}D$

이때, 1)과 3)에 따라 5)를, 2)와 4)에 따라 6)을 도출할 수 있다.

5) $A \to {\sim}G \to {\sim}C \land {\sim}E$
6) $B \to D \to F$

이를 바탕으로 선지의 새로운 정보가 결론인 'A → F'를 이끌어낼 수 있는지 파악할 수 있다.

① 적절하다. 5)에 따라 A의 증언이 참이라면 C의 증언도, E의 증언도 참이 아니므로, 선지와 같이 'A → B ∨ C'가 정보로 추가될 경우 A의 증언이 참인 경우 B의 증언도 참임을 알 수 있다. B가 참이라면 6)에 따라 F의 증언이 참임을 이끌어낼 수 있다. 따라서 해당 정보로 'A → F'를 이끌어낼 수 있다.

② 적절하지 않다. 해당 정보는 2)와 4)를 조합한 것만으로도 도출할 수 있는 정보이다.

③ 적절하지 않다. 해당 정보는 1)과 3)을 조합한 것만으로도 도출할 수 있는 정보이다.

④ 적절하지 않다. 해당 정보를 통해 'E → B → D → F'라는 사실을 도출할 수 있다. 하지만 'A'로부터 'F'를 도출하기 위해 필요한 정보가 주어져 있지 않으므로, 해당 정보만으로 'A → F'라는 결론을 이끌어낼 수는 없다.

⑤ 적절하지 않다. 해당 정보를 통해 'B → D → F → ~E'라는 사실을 도출할 수 있다. 하지만 'A'로부터 'F'를 도출하기 위해 필요한 정보가 주어져 있지 않으므로, 해당 정보만으로 'A → F'라는 결론을 이끌어낼 수 없다.

# 128

| 정답 | ④ | 내용 영역 | 논리학수학 |
|------|---|-----------|-----------|
| 난이도 | ★★☆ | 문항 유형 | 모형 추리 |

**접근 전략**

각 직원이 받는 성과평가 등급으로 가능한 경우들을 나누어 비교한다.

**제시문 분석 & 해설**

甲과 乙은 작년보다 등급이 올랐다고 했으므로 올해 등급이 S 혹은 A이다. 이를 통해 경우의 수를 고려하면, 세 경우로 나눠볼 수 있다.

ⅰ) 올해 甲이 S를 받고 乙은 A를 받은 경우
ⅱ) 올해 甲이 A를 받고 乙은 S를 받은 경우
ⅲ) 올해 甲과 乙 모두 A를 받은 경우

ⅰ)와 ⅱ)의 경우 丙이 올해 A 혹은 B가 될 수 있고, 甲과 乙도 올해 S등급을 받은 경우 A에서 오른 것인지, B에서 오른 것인지 정해지지 않는다. 따라서 丁이 甲 ~ 丙의 대화만을 듣고 작년과 올해 어떤 성과평가 등급을 받았는지 알 수 없다.

이를 고려하면 丁이 甲 ~ 丙의 등급을 모두 확정하기 위해서는 자신이 올해 S등급이 되어야 함을 알 수 있다. 이 경우 甲과 乙은 작년에는 B, 올해는 A를 받은 것으로 확정되고, 丙의 경우 올해 S와 A가 될 수 없으므로 작년과 올해 모두 B등급이 됨을 알 수 있다.

또한 戊는 甲 ~ 丁의 말을 듣고 직원 모두가 작년이랑 올해 어떤 성과평가 등급을 받았는지 알겠다고 말하므로, 작년에 S등급을 받았음을 알 수 있다. 이를 바탕으로 작년과 올해 직원들이 받은 성과평가 등급을 정리하면 다음과 같다.

|  | 甲 | 乙 | 丙 | 丁 | 戊 | 己 |
|------|---|---|---|---|---|---|
| 작년 | B | B | B | A | S | A |
| 올해 | A | A | B | S | B | B |

따라서 己는 작년에 A, 올해 B등급을 받았다.

# 129

| 정답 | ⑤ | 내용 영역 | 논리학수학 |
| --- | --- | --- | --- |
| 난이도 | ★★☆ | 문항 유형 | 모형 추리 |

**접근 전략**

수치 및 계산의 정도가 복잡하지 않으므로, 정밀하게 계산하여야 한다.

**제시문 분석 & 해설**

甲, 乙, 丙의 진술에서 요구하는 A와 B를 구성하는 숫자들의 곱과 합은 다음과 같다.

| | 99★2703 | 81★3325 | 32★8624 |
| --- | --- | --- | --- |
| A를 구성하는 두 숫자의 곱 | 81 | 8 | 6 |
| B를 구성하는 네 숫자의 곱 | 0 | 90 | 384 |
| A를 구성하는 두 숫자의 합 | 18 | 9 | 5 |
| B를 구성하는 네 숫자의 합 | 12 | 13 | 20 |
| A의 50배 | 4950 | 4050 | 1600 |

위 내용을 근거로 甲, 乙, 丙의 진술에 대한 부합 여부를 확인하면 다음과 같다.

| | 99★2703 | 81★3325 | 32★8624 |
| --- | --- | --- | --- |
| 甲의 진술 부합 여부 | × | ○ | ○ |
| 乙의 진술 부합 여부 | × | ○ | ○ |
| 丙의 진술 부합 여부 | ○ | ○ | × |

甲, 乙, 丙의 진술 중 두 명의 진술이 첫 번째 사건의 가해차량 번호이며, 나머지 한 명의 진술이 두 번째 사건의 가해차량 번호에 대한 것이므로, 두 명 이상의 진술에 공통으로 부합하는 차량이 첫 번째 사건의 가해차량 번호가 될 것이다. 따라서 81★3325 또는 32★8624가 첫 번째 사건의 가해차량 번호가 될 수 있다. 그런데 첫 번째 사건의 가해차량 번호는 두 번째 사건의 목격자 진술에 부합하지 않으므로, 세 명 모두의 진술에 부합하는 81★3325는 첫 번째 사건의 가해차량 번호가 될 수 없다. 따라서 첫 번째 사건의 가해차량 번호는 32★8624이고, 이 번호는 丙의 진술에 부합하지 않으므로 두 번째 사건의 목격자는 丙이다.

# 130

| 정답 | ③ | 내용 영역 | 논리학수학 |
| --- | --- | --- | --- |
| 난이도 | ★★☆ | 문항 유형 | 모형 추리 |

**접근 전략**

제시문의 '승부를 정하는 방법'과 '대화' 내용에 따라 가능한 경우를 도출한다.

**제시문 분석 & 해설**

i) 제시문의 승부를 정하는 방법에 따르면 사자, 얼룩말, 하이에나 카드 간 관계를 다음과 같이 정리할 수 있다. (A → B : A가 B를 이긴다.)
 ○ 사자 카드는 얼룩말 카드를 이긴다. (사자→ 얼룩말)
 ○ 얼룩말 카드는 하이에나 카드를 이긴다. (얼룩말→ 하이에나)
 ○ 하이에나 카드는 사자 카드를 이긴다. (하이에나→ 사자)

ii) 불곰과 다른 카드 간 승부를 정리하면 다음과 같다.
 ○ 불곰 카드는 사자 카드를 이긴다. (불곰→ 사자)
 ○ 불곰 – 얼룩말, 불곰 – 하이에나 간 승부는 무승부이다.

iii) 카드 간 승부 결과를 아래와 같이 표로 나타낼 수 있다.

| 불곰 | → | 사자 | ↘ |
| --- | --- | --- | --- |
| | ↗ | | |
| | 하이에나 | ← | 얼룩말 |

iv) 대화에 따르면 丁은 甲를 이기고, 乙은 丁을 이기고, 丙과 丁은 무승부이다. (乙 → 丁 → 甲, 丙 = 丁) 무승부인 경우는 불곰 – 얼룩말, 불곰 – 하이에나 간 승부이므로, 丙과 丁 중 한 명은 불곰 카드를 가지고 있다. 이에 따라 경우를 나누면 다음과 같다.

iv-1) 丙이 불곰 카드를 갖는 경우
 이 경우 丁은 하이에나 또는 얼룩말 카드를 갖는다. 다음과 같은 두 가지 경우가 가능하다.

| 甲 | 乙 | 丙 | 丁 |
| --- | --- | --- | --- |
| 사자 | 얼룩말 | 불곰 | 하이에나 |
| 하이에나 | 사자 | 불곰 | 얼룩말 |

iv-2) 丁이 불곰 카드를 갖는 경우
 이 경우 甲은 사자 카드를 갖는다. 그런데 대화에 따르면, 乙이 丁을 이겨야 하는데, 승부 방법에 따르면 불곰 카드를 이기는 카드는 없다. 따라서 이러한 경우는 불가능하다.

① 옳지 않다. 甲이 얼룩말 카드를 갖는 경우 丁은 사자 카드를, 乙은 불곰 또는 하이에나 카드를 갖게 된다. 乙이 불곰 카드를 갖는 경우 丙은 하이에나 카드를 갖게 되어 丁을 이긴다. 이는 丙과 丁이 무승부라는 대화 내용과 어긋난다.
 乙이 하이에나 카드를 갖는 경우 丙은 불곰 카드를 갖게 되어 丁을 이긴다. 이 또한 丙과 丁이 무승부라는 대화 내용과 어긋난다.

② 옳지 않다. ①에서 확인한 것처럼 乙이 하이에나 카드를 갖는 경우 丙은 불곰 카드를 갖게 되어 丁을 이긴다. 이는 丙과 丁이 무승부라는 대화 내용과 어긋난다.

③ 옳다. 丙이 불곰 카드를 갖는 경우는 iv-1)에 제시된 두 경우이다. 이들 모두 제시문의 대화 내용과 충돌하지 않는다.

④ 옳지 않다. 丁이 사자 카드를 갖는 경우 ①에서 확인한 것처럼 甲이 얼룩말 카드를 갖게 된다. 이는 丙과 丁이 무승부라는 대화 내용과 어긋난다.

⑤ 옳지 않다. 제시문에 따를 때 가능한 경우는 iv-1)이다. 이때 甲, 乙, 丁의 카드는 확정되지 않지만, 丙의 카드는 불곰으로 확정된다.

# 131

| 정답 | ② | 내용 영역 | 논리학수학 |
|---|---|---|---|
| 난이도 | ★★☆ | 문항 유형 | 모형 추리 |

정보가 시각적 자료로 제시되어 있다. 팀별 승무패 기록을 우선 정리하여 풀이할 필요가 있다.

제시문 분석 & 해설

ㄱ. 옳다. 〈그림〉에 따라 중간 결과에 나타난 경기 수는 총 14경기인데, 전체 경기의 수는 $\frac{2 \times 4 \times 5}{2} = 20$경기이다. 따라서 현재까지 치러지지 않은 경기는 모두 6경기이다.

ㄴ. 옳지 않다. B팀의 경우 현재까지 6경기를 치렀지만, E팀의 경우 7경기를 치렀다.

ㄷ. 옳다. A팀이 남은 경기를 모두 승리한다면 6승 2패가 된다. 다른 팀 중 남은 경기를 모두 승리할 때 6승이 되는 팀은 C와 D가 있으나, C팀은 A팀과의 2경기를 패배하고, D팀은 A팀과의 1경기를 패배하므로 6승이 될 수 없다. 따라서 A팀의 최종 승수가 가장 많다.

ㄹ. 옳지 않다. D팀의 현재 승수는 4승인데, E팀이 남은 경기를 모두 패배한다면 D팀과의 1경기에서 패배하게 된다. 따라서 D팀의 최종 승수는 5승 이상이다.

# 132

| 정답 | ④ | 내용 영역 | 논리학수학 |
|---|---|---|---|
| 난이도 | ★★☆ | 문항 유형 | 모형 추리 |

각 날짜에 싹이 틀 수 있는 씨앗과 그렇지 않은 씨앗을 구분하여 가능한 경우를 도출한다. 선지를 참고하여 판단해야 할 경우의 수를 줄일 수 있다.

제시문 분석 & 해설

ⅰ) 네 종류의 씨앗 A~D가 싹이 트는 조건을 정리하면 다음과 같다.

| | A | B | C | D |
|---|---|---|---|---|
| 조건 | 이틀 연속 날이 맑은 다음 날 | 맑은 날 다음 날 | 비가 온 날이 총 사흘이 된 다음 날 | 이틀 연속 비가 온 다음 날 |
| 싹이 트기까지 최소 일수 | 3일 | 2일 | 4일 | 3일 |

ⅱ) 4월 1일에 씨앗 A~D를 심었고, 첫 번째로 싹이 튼 날은 4월 2일이다. 선지를 참고하면 싹이 튼 첫 번째 씨앗으로 A와 B가 제시되어 있다. 조건에 따르면 싹이 트려면 씨앗 A는 3일, 씨앗 B는 2일이 필요하다. 모든 씨앗은 1일에 심은 것이므로, 4월 2일에 싹이 튼 씨앗은 A가 될 수 없다. 따라서 첫 번째 씨앗은 B이다.

ⅲ) 두 번째로 싹이 튼 날은 4월 4일이다. 선지를 참고하면 두 번째 씨앗으로 A, B, D가 제시되어 있다. B는 첫 번째 씨앗이므로, 두 번째 씨앗은 A와 D 중 하나일 것이다. 경우를 나누면 다음과 같다.

ⅲ-1) 두 번째 씨앗이 A인 경우

이 경우 4월 1일부터 4일까지 싹이 튼 씨앗은 B, A이다. 싹이 트는 조건은 B의 경우 '맑은 날 다음 날'이고, A의 경우 '이틀 연속 날이 맑은 다음 날'이다. 싹이 튼 날은 B의 경우 4월 2일, A의 경우 4월 4일이다. 따라서 4월 1일부터 3일까지의 날씨는 모두 '맑음'이어야 한다. 이때 4월 1일, 2일의 날씨가 모두 '맑음'이므로 4월 3일에도 A의 싹이 틀 수 있다. 하지만 4월 3일에 싹이 튼 씨앗은 없다. 따라서 두 번째 씨앗이 A인 경우는 성립할 수 없다.

ⅲ-2) 두 번째 씨앗이 D인 경우

이 경우 4월 1일부터 4일까지 싹이 튼 씨앗은 B, D이다. 싹이 트는 조건은 B의 경우 '맑은 날 다음 날'이고, D의 경우 '이틀 연속 비가 온 다음 날'이다. 싹이 튼 날은 B의 경우 4월 2일, D의 경우 4월 4일이다. 따라서 4월 1일의 날씨는 '맑음', 2일과 3일의 날씨는 '비'이어야 한다.

남은 씨앗은 A, C인데, A의 경우 '이틀 연속 날이 맑은 다음 날'에, C의 경우 '비가 온 날이 총 사흘이 된 다음 날'에 싹이 튼다. 이미 '비'가 온 날이 이틀 있으므로, 4월 4일~6일 중 하루라도 비가 오면 그다음 날 C의 싹이 튼다.

4월 4일에 비가 올 경우 5일에 C의 싹이 튼다. 그런데 4월 5일에 싹이 튼 씨앗은 없다. 따라서 4월 4일의 날씨는 '비'가 아니라 '맑음'이다.

4월 5일에 비가 올 경우 6일에 C의 싹이 튼다. 이때 맑은 날로 가능한 날은 4월 4일과 6일인데, 연속된 날이 아니다. 이 경우 7일에 A의 싹이 트는 것이 불가능하다. 따라서 4월 5일의 날씨 또한 '비'가 아니라 '맑음'이다.

이를 종합하면 비가 온 날은 4월 6일이며, 세 번째로 싹이 튼 씨앗은 A, 네 번째로 싹이 튼 씨앗은 C이다. 날짜별 날씨와 싹이 튼 씨앗을 정리하면 다음과 같다.

| 4월 1일 | 4월 2일 | 4월 3일 | 4월 4일 | 4월 5일 | 4월 6일 | 4월 7일 |
|---|---|---|---|---|---|---|
| 맑음 | 비 | 비 | 맑음 | 맑음 | 비 | |
| | B | | D | | A | C |

# 133

www.megals.co.kr

| 정답 | ③ | 내용 영역 | 논리학수학 |
|------|---|----------|-----------|
| 난이도 | ★★☆ | 문항 유형 | 모형 추리 |

**접근 전략**

제시문의 조건에 따라 순서에 맞추어 풀이한다.

**제시문 분석 & 해설**

첫 번째 조건에 따라 甲, 乙은 여섯 번째에 공연하지 않았다.

| 첫 번째 | 두 번째 | 세 번째 | 네 번째 | 다섯 번째 | 여섯 번째 |
|---------|---------|---------|---------|-----------|-----------|
| | | | | | ~甲 & ~乙 |

두 번째 조건에 따라 C는 네 번째, 다섯 번째, 여섯 번째에 공연하지 않았다.

| 첫 번째 | 두 번째 | 세 번째 | 네 번째 | 다섯 번째 | 여섯 번째 |
|---------|---------|---------|---------|-----------|-----------|
| | | | ~C | ~C | ~甲 & ~乙 & ~C |

세 번째 조건에 따라 A는 甲보다 먼저 공연을 하였으므로, A는 여섯 번째에 공연하지 않았다.

| 첫 번째 | 두 번째 | 세 번째 | 네 번째 | 다섯 번째 | 여섯 번째 |
|---------|---------|---------|---------|-----------|-----------|
| | | | ~C | ~C | ~甲 & ~乙 & ~C & ~A |

여섯 번째 조건에 따라 B는 A보다 먼저 공연을 하였으므로, B는 여섯 번째에 공연하지 않았다.

| 첫 번째 | 두 번째 | 세 번째 | 네 번째 | 다섯 번째 | 여섯 번째 |
|---------|---------|---------|---------|-----------|-----------|
| | | | ~C | ~C | ~甲 & ~乙 & ~C & ~A & ~B |

따라서 여섯 번째에 공연한 가수는 D이다.

| 첫 번째 | 두 번째 | 세 번째 | 네 번째 | 다섯 번째 | 여섯 번째 |
|---------|---------|---------|---------|-----------|-----------|
| | | | ~C | ~C | D |

세 번째 조건에 따라 A는 甲보다 먼저 공연했으며, 여섯 번째 조건에 따라 B는 A보다 먼저 공연했으므로, A와 B는 다섯 번째에 공연하지 않았다. 두 번째 조건에 따라 C는 다섯 번째에 공연하지 않았다. 따라서 다섯 번째에 공연한 가수는 甲 또는 乙이다.

| 첫 번째 | 두 번째 | 세 번째 | 네 번째 | 다섯 번째 | 여섯 번째 |
|---------|---------|---------|---------|-----------|-----------|
| | | | ~C | 甲 or 乙 | D |

ㄱ. 옳다. 그룹가수 D는 여섯 번째에 공연을 하였다.

ㄴ. 옳지 않다. 만약 乙이 가장 먼저 공연을 하였고, 甲이 다섯 번째에 공연을 하였다고 가정하고, 두 번째로는 B, 세 번째로는 C, 네 번째로는 A가 공연을 하였다면 조선에 위배되지 않는다. 따라서 반드시 A가 乙보다 먼저 공연을 했다고 볼 수 없다.

| 첫 번째 | 두 번째 | 세 번째 | 네 번째 | 다섯 번째 | 여섯 번째 |
|---------|---------|---------|---------|-----------|-----------|
| 乙 | B | C | A | 甲 | D |

ㄷ. 옳지 않다. 다음의 순서대로 공연을 하였다고 하더라도 조건에 위배됨이 없다.

| 첫 번째 | 두 번째 | 세 번째 | 네 번째 | 다섯 번째 | 여섯 번째 |
|---------|---------|---------|---------|-----------|-----------|
| B | C | A | 甲 | 乙 | D |

ㄹ. 옳다. 甲보다 B, A가 먼저 공연을 하여야 하고, C는 1~3번 순서에 공연해야 하고 C 앞에는 그룹가수가 먼저 공연해야 한다. 따라서 甲이 네 번째로 공연을 하였다면 다음의 순서대로 공연을 하여야 조건에 위배되지 않는다.

| 첫 번째 | 두 번째 | 세 번째 | 네 번째 | 다섯 번째 | 여섯 번째 |
|---------|---------|---------|---------|-----------|-----------|
| B | C | A | 甲 | 乙 | D |

# 134

| 정답 | ④ | 내용 영역 | 논리학수학 |
|---|---|---|---|
| 난이도 | ★★☆ | 문항 유형 | 모형 추리 |

접근 전략

게임에 대한 내용이지만, 수식을 세워 풀이할 필요가 있다.

제시문 분석 & 해설

A동아리 학생이 진 경기 수를 $x$, 비긴 경기 수를 $y$라고 하면, 모두 이겼을 경우에 대하여 다음과 같이 변화한다.

$x$번 패배한 경우 : $150 - 5x - x = 150 - 6x$
$y$번 비긴 경우 : $150 - 5y + y = 150 - 4y$

따라서 $x$번 패배하고 $y$번 비긴다면 $150 - 6x - 4y$를 점수로 가지게 된다. 그러나 식에 따르면 어떤 경우라도 점수는 짝수일 수밖에 없고, 148점은 만들 수 없다. 따라서 참말을 한 사람은 빛나이다. 빛나는 1번 패배하고, 1번 비겼을 것이다.

# 135

| 정답 | ② | 내용 영역 | 논리학수학 |
|---|---|---|---|
| 난이도 | ★★☆ | 문항 유형 | 모형 추리 |

접근 전략

제시문의 조건을 정리하여, 확정되는 정보와 확정되지 않는 정보를 확인하여 풀이한다.

제시문 분석 & 해설

첫 번째 조건에 따르면 다음과 같다.

| 갑 | 병 |
|---|---|

따라서 갑은 104호, 203호, 302호에는 들어갈 수 없고, 병은 101호, 201호, 301호에는 들어갈 수 없다.
두 번째 조건에 따르면 을은 104호에 들어와 있다.

| 3층 | | 301호 | 302호 | |
|---|---|---|---|---|
| 2층 | 201호 | 202호 | 203호 | |
| 1층 | 101호 | 102호 | 103호 | 104호/을 |

세 번째 조건에 따르면 다음과 같다.

| 정 |
|---|
| 기 |

따라서 정은 101호, 102호, 103호에는 들어갈 수 없고, 기는 201호, 301호, 302호에는 들어갈 수 없다. 그리고 다섯 번째 조건에 따르면 기는 2층에 들어와 있지는 않으므로, 1층에 있으며 정은 2층에 있다.
네 번째 조건에 따르면 무는 203호 또는 302호에 있다.
여섯 번째 조건에 따르면 102호에 들어와 있는 사람이 있으며, 일곱 번째 조건에 따르면 6개의 기업이 들어가 있는 사무실 외에는 빈 사무실이다.

ㄱ. 옳다. 갑이 3층에 들어와 있다면, 갑의 우측 방에는 병이 있어야 하므로, 갑은 301호, 병은 302호에 있다. 무는 203호 또는 302호에 있으므로 무는 203호에 있어야 한다. 이를 정리하면 다음과 같다.

| 3층 | | 301호/갑 | 302호/병 | |
|---|---|---|---|---|
| 2층 | 201호 | 202호 | 203호/무 | |
| 1층 | 101호 | 102호 | 103호 | 104호/을 |

기의 윗방은 정의 방이고 203호는 무가 들어와 있으므로, 기는 101호 또는 102호에 있다. 만약 기가 101호에 들어와 있다면 정은 201호에 들어와 있어야 하므로, 102호에는 아무도 들어와 있지 않다. 이는 102호에 누군가 들어와 있다는 조건에 위배되므로, 102호에는 기가 들어와 있어야 한다. 따라서 202호에는 정이 들어와 있으므로, 정의 바로 윗방에는 갑이 들어와 있다.
이를 정리하면 다음과 같다.

| 3층 | | 301호/갑 | 302호/병 | |
|---|---|---|---|---|
| 2층 | 201호 | 202호/정 | 203호/무 | |
| 1층 | 101호 | 102호/기 | 103호 | 104호/을 |

ㄴ. 옳지 않다. ㄱ에서 살펴본 것과 같이 102호에 기가 들어와 있을 수 있다.

ㄷ. 옳다. 무가 203호라면, 103호에는 기가 들어갈 수 없다. 기는 반드시 1층에 있으므로 기가 들어와 있을 곳은 101호 또는 102호이다. 만약 101호에 기가 들어가게 된다면, 201호는 정이 들어와 있다. 그리고 102호에는 반드시 누군가 들어와 있으므로, 이에 들어와 있을 수 있는 기업은 갑뿐이다. 갑의 바로 우측에는 병이 있으므로, 이를 정리하면 다음과 같다.

| 3층 | | 301호 | 302호 | |
|---|---|---|---|---|
| 2층 | 201호/정 | 202호 | 203호/무 | |
| 1층 | 101호/기 | 102호/갑 | 103호/병 | 104호/을 |

이 경우, 3층에는 아무도 들어와 있지 않으므로 이는 여섯 번째 조건에 위배된다.

따라서 102호에는 기가, 202호에는 정이 들어와 있어야 한다. 따라서 301호에는 갑이, 302호에는 병이 들어와 있다. 이는 ㄱ과 동일하다.

ㄹ. 옳지 않다. 무는 203호 또는 302호에만 들어와 있을 수 있으므로, 이를 기준으로 경우를 고려한다.

경우 1) 무가 203호에 있는 경우

무가 203호에 있는 경우는 ㄱ, ㄴ, ㄷ에서 살펴본 것과 같이 갑, 병, 정, 기가 들어가 있는 위치가 확정된다.

| 3층 | | 301호/갑 | 302호/병 | |
|---|---|---|---|---|
| 2층 | 201호 | 202호/정 | 203호/무 | |
| 1층 | 101호 | 102호/기 | 103호 | 104호/을 |

해당 경우에는 각 층별로 들어와 있는 기업의 수가 2개이므로 동일하다.

경우 2) 무가 302호에 있는 경우

무가 302호에 있는 경우에는 갑은 301호에 있을 수 없다. 따라서 갑은 101호, 102호, 201호, 202호에 있을 수 있다.

갑이 101호에 있다면 병은 102호에 있어야 한다. 이때 기가 103호에 있다면 정은 203호에 있다.

| 3층 | | 301호 | 302호/무 | |
|---|---|---|---|---|
| 2층 | 201호 | 202호 | 203호/정 | |
| 1층 | 101호/갑 | 102호/병 | 103호/기 | 104호/을 |

해당 경우는 2층과 3층이 각 1개의 기업이 들어와 있으므로, 각 층별로 모두 다르지는 않다.

갑이 102호에 있다면 병은 103호에 있어야 한다. 이때 기가 101호에 있다면 정은 201호에 있다.

| 3층 | | 301호 | 302호/무 | |
|---|---|---|---|---|
| 2층 | 201호/정 | 202호 | 203호 | |
| 1층 | 101호/기 | 102호/갑 | 103호/병 | 104호/을 |

해당 경우도 2층과 3층에는 각 1개의 기업이 들어와 있으므로, 각 층별로 모두 다르지는 않다.

갑이 201호에 있다면, 병은 202호에 있어야 한다. 따라서 정은 203호, 기는 103호에 있어야 한다. 해당 경우는 102호에 아무도 들어와 있지 않기 때문에 성립하지 않는다.

| 3층 | | 301호 | 302호/무 | |
|---|---|---|---|---|
| 2층 | 201호/갑 | 202호/병 | 203호/정 | |
| 1층 | 101호 | 102호 | 103호/기 | 104호/을 |

갑이 202호에 있다면, 병은 203호에 있어야 하고, 정은 201호에 있어야 하며, 기는 101호에 있어야 한다. 해당 경우도 102호에 아무도 들어와 있지 않기 때문에 성립하지 않는다.

| 3층 | | 301호 | 302호/무 | |
|---|---|---|---|---|
| 2층 | 201호/정 | 202호/갑 | 203호/병 | |
| 1층 | 101호/기 | 102호 | 103호 | 104호/을 |

따라서 경우 2)에서 성립하는 경우를 고려하였을 때, 각 층별로 모두 다른 경우는 없다.

# 136

| 정답 | ④ | 내용 영역 | 논리학수학 |
|---|---|---|---|
| 난이도 | ★★☆ | 문항 유형 | 모형 추리 |

**접근 전략**

새벽, 기훈, 상우, 일남의 발언이 참인지 거짓인지 여부를 확인하기 위해 상호 모순되는 진술을 비교한다.

**제시문 분석 & 해설**

- 새벽의 "각 알고리듬은 자기보다 늦게 치료제 후보군을 찾아낸 알고리듬이 있어요."라는 발언은 모든 알고리듬이 자기보다 늦게 치료제 후보군을 찾아낸 알고리듬이 있다는 걸 뜻한다. 그런데 제시문에 따르면 10종류의 스크리닝 기술 알고리듬을 개발하는데 걸린 시간은 모두 달랐다. 이를 통해 "모든 알고리듬이 자기보다 늦게 치료제 후보군을 찾아낸 알고리듬이 있을 수 있어요."란 발언이 거짓임을 알 수 있다. 따라서 새벽의 발언은 거짓으로 범인은 기훈이 아니다.

- 기훈의 "몇몇 알고리듬은 다른 모든 알고리듬보다 늦게 치료제 후보군을 찾아냈어요."의 경우, 9번째, 10번째 개발하는 알고리듬 등 다른 알고리듬보다 늦게 치료제 후보군을 찾아낸 것이므로 참이다. 따라서 상우는 범인이 아니다.

- 상우의 "몇몇 알고리듬은 다른 일부 알고리듬보다 빠르게 치료제 후보군을 찾아냈어요."라는 발언의 경우, 1번째, 2번째 개발하는 알고리듬 등 다른 알고리듬보다 빠르게 치료제 후보군을 찾아낸 것이므로 참이다. 따라서 범인은 일남이거나 새벽이다.

- 일남의 "다른 모든 알고리듬보다 빠르게 치료제 후보군을 찾아내는 알고리듬이 있어요."라는 발언의 경우, 가장 먼저 개발하는 알고리듬은 다른 모든 알고리듬보다 빠르게 치료제 후보군을 찾아낸 알고리듬이다. 따라서 새벽은 범인이 아니다. 따라서 범인은 일남이다.

ㄱ. 참이 아니다. 범인은 기훈이 아닌 일남이다.

ㄴ. 참이다. 상우는 참을 말하고 있지만 새벽은 거짓을 말하고 있다.

ㄷ. 참이다. 기훈과 일남의 말은 모두 참이다.

# 137

| 정답 | ③ | 내용 영역 | 논리학수학 |
|---|---|---|---|
| 난이도 | ★★★ | 문항 유형 | 모형 추리 |

**접근 전략**

분류 기준에 따라 가능한 경우를 나누어 문제를 풀이한다.

**제시문 분석 & 해설**

주어진 조건과 사실을 바탕으로 1~5번이 갖는 조건을 정리하면 아래와 같다.

| 조건 \ 물품 | 1 | 2 | 3 | 4 | 5 |
|---|---|---|---|---|---|
| 노란색 | ○ | × | ○ | | |
| 구체 | | | × | ○ | |
| 5kg | | | ○ | | × |
| 양품 여부 | ○ | × | ○ | | |

'양품'은 세 조건 중 둘만 만족하는 물품을 말하므로, 1번을 기준으로 두 가지 경우로 나눌 수 있다.

ⅰ) 1번이 노란색, 구체인 경우

| 조건 \ 물품 | 1 | 2 | 3 | 4 | 5 |
|---|---|---|---|---|---|
| 노란색 | ○ | × | ○ | × | ○ |
| 구체 | ○ | × | × | ○ | ○ |
| 5kg | × | ○ | ○ | × | × |
| 양품여부 | ○ | × | ○ | × | ○ |

ⅱ) 1번이 노란색, 5kg인 경우

| 조건 \ 물품 | 1 | 2 | 3 | 4 | 5 |
|---|---|---|---|---|---|
| 노란색 | ○ | × | ○ | | |
| 구체 | × | ○ | × | ○ | |
| 5kg | ○ | × | ○ | | × |
| 양품 여부 | ○ | × | ○ | | |

ⅱ)의 경우 세 번째 사실인 "3번이 2번과 공통으로 만족하는 조건이 있다."를 충족하지 못하므로 ⅰ)의 경우만 고려하면 된다.

① 반드시 거짓이 아니다. ⅰ)에 따르면 5번은 양품임을 확인할 수 있다.
② 반드시 거짓이 아니다. ⅰ)에 따르면 4번은 불량품임을 확인할 수 있다.
③ 반드시 거짓이다. ⅰ)에 따르면 1~5번 중 구체인 물품은 1, 4, 5번으로 이들은 모두 5kg이 아니다.
④ 반드시 거짓이 아니다. ⅰ)에 따르면 노란색인 물품은 1, 3, 5번으로 모두 양품임을 확인할 수 있다.
⑤ 반드시 거짓이 아니다. ⅰ)에 따르면 5kg인 양품은 3번으로 노란색임을 알 수 있다.

# 138

| 정답 | ⑤ | 내용 영역 | 논리학수학 |
|---|---|---|---|
| 난이도 | ★★★ | 문항 유형 | 모형 추리 |

**접근 전략**

엘리베이터 운행 조건과, 〈상황〉의 대화 내용을 종합하여 조건을 충족하는 경우를 판단한다.

**제시문 분석 & 해설**

戊의 경우 근무하는 층은 2층 혹은 3층이다. 이를 기준으로 경우의 수를 나눠 층이 확정되는 사람을 찾아볼 수 있다. 戊가 3층임을 가정하면, 戊가 이용할 수 있는 엘리베이터는 2, 3호기이다. 丙이 탈 수 있는 엘리베이터는 6, 8, 10층이 가능한 乙과 마주칠 일이 없다고 했으므로 5, 7, 9층 중 5층임을 알 수 있다. 하지만 이 경우 戊를 제외한 나머지와 엘리베이터 안에서 마주칠 가능성이 있다는 丁의 조건을 충족하지 못하므로 戊가 근무하는 층은 3층일 수 없다. 따라서 戊는 근무하는 층이 2층으로 확정된다.

# 139

정답 | ③     내용 영역 | 논리학수학
난이도 | ★★★     문항 유형 | 모형 추리

**접근 전략**

조커의 반응을 바탕으로 회차별 탈락자 수로 가능한 경우를 계산한다.

**제시문 분석 & 해설**

1회차에는 탈락한 사람의 수가 2배수이고, 남은 사람의 수가 3배수이다. 이를 충족하는 경우는 4명이 탈락하는 경우이다. 만약 10명이 탈락하며 39명이 남을 경우 2회차에 최소 인원인 1명이 탈락하더라도 3회차에 14명이 탈락하며 25명 미만이 되어 게임이 종료되기 때문이다.

2회차에는 탈락한 사람의 수가 3배수이고 남은 사람의 수가 3배수이다. 이를 충족하는 경우는 3명이 탈락하는 경우이다. 6명이 탈락하여 39명이 남는 경우 3회차에서 14명이 탈락해 25명이 남게 된다면 4회차에서 최소 인원이 탈락하더라도 25명 미만으로 게임이 종료되기 때문이다.

3회차에는 14명이 탈락하여 28명이 남게 된다.

4회차에는 탈락한 사람의 수가 2배수이고 남은 사람의 수는 3배수가 아니다. 4회차는 2명이 탈락하고, 5회차에는 탈락한 사람의 수가 2배수이고, 남은 사람의 수는 3배수가 아니다. 또한 각 회차마다 탈락한 사람이 다르고 3회차를 제외하고는 10명 이상이 탈락한 회차가 없음을 고려할 때 6명이 탈락해 20명이 남았음을 알 수 있다.

따라서 2회차와 5회차에서 탈락한 사람의 수는 9이다.

# 140

정답 | ⑤     내용 영역 | 논리학수학
난이도 | ★★★     문항 유형 | 모형 추리

**접근 전략**

공작부인의 진술에서 모순이 되는 점을 파악하여 풀이해야 한다.

**제시문 분석 & 해설**

겨울잠 쥐를 기준으로 하여 경우의 수를 나누면 다음과 같다.

겨울잠 쥐가 제정신인 경우, 겨울잠 쥐는 3월의 토끼가 제정신이라고 믿고 있으므로 3월의 토끼도 제정신이다. 이때 모자장수는 3월의 토끼가 그들 셋이 모두 제정신이라는 것을 믿지 않는다고 말했으므로 모자장수가 제정신이라면 3월의 토끼가 제정신이 아니게 되어 모순이 발생하고, 모자장수가 제정신이 아니라면 3월의 토끼가 그들 셋이 모두 제정신이라고 믿고 있는 것이 되므로 역시 모순이 발생한다.

겨울잠 쥐가 제정신이 아닌 경우, 겨울잠 쥐는 3월의 토끼가 제정신이라고 믿고 있으므로 3월의 토끼는 제정신이 아니다. 이때 모자장수는 3월의 토끼가 그들 셋이 모두 제정신이라는 것을 믿지 않는다고 말했으므로 모자장수가 제정신이라면 3월의 토끼가 제정신이 되어 모순이 발생한다. 모자장수가 제정신이 아니라면 3월의 토끼는 그들 셋이 모두 제정신이라 믿고 있는 것이 되므로 모순이 발생하지 않는다.

따라서 제정신이 아닌 사람 또는 동물은 3월의 토끼, 모자장수, 겨울잠 쥐이다.

# 141

| 정답 | ⑤ | 내용 영역 | 논리학수학 |
|---|---|---|---|
| 난이도 | ★★★ | 문항 유형 | 모형 추리 |

### 접근 전략

가영, 나영, 다영이 기억하고 있는 날짜를 기준으로 다른 조건에 위배되는 것이 없는지 파악하여 풀이해야 한다.

### 제시문 분석 & 해설

회의 날짜가 5월 8일인 경우를 가정하면 2개를 맞힌 사람은 2명이 되므로, 제시문의 조건에 맞지 않다.

회의 날짜가 5월 10일인 경우를 가정하면 나영이 2개, 가영이 1개를 맞혔고, 다영은 하나도 맞히지 못했다. 이러한 상황에서 추가로 요일이 확정될 경우 하나만 맞힌 사람, 하나만 틀린 사람, 어느 것도 맞히지 못한 사람이라는 제시문의 조건을 충족할 수 없다. 회의는 세 사람이 언급한 월, 일, 요일 중에 열렸으므로 그 이외의 요일을 가정할 수도 없다.

회의 날짜가 6월 8일인 경우를 가정하면 다영이 2개, 가영이 1개를 맞혔고, 나영은 하나도 맞히지 못했다. 이러한 상황에서 추가로 요일이 확정될 경우 위의 경우와 마찬가지로 주어진 조건을 충족할 수 없다.

그러므로 회의가 열린 월과 일은 6월과 10일이다.

ㄱ. 반드시 참이다. 회의는 6월 10일 화요일 혹은 금요일에 열렸다.

ㄴ. 반드시 참이다. 가영은 5월 8일 목요일을 제시하고 있으므로 어느 것도 맞히지 못하였다.

ㄷ. 반드시 참이다. 회의가 금요일에 열린 경우 다영은 두 개를 맞히게 된다. 반면에 회의가 화요일에 열린 경우 나영이 두 개를 맞히고 다영이 한 개를 맞히게 된다.

# 142

| 정답 | ③ | 내용 영역 | 논리학수학 |
|---|---|---|---|
| 난이도 | ★★★ | 문항 유형 | 모형 추리 |

### 접근 전략

참거짓 유형의 논리게임은 제시된 조건 중에 일부는 참이고 일부는 거짓이 있는 유형이다. 따라서 양립이 불가능한 두 진술을 찾아 어느 하나가 참일 경우와 거짓일 경우로 나누는 것이 문항 해결의 실마리가 된다.

### 제시문 분석 & 해설

제시된 진술은 4개인데 이 중 1개는 거짓이고 3개는 참이다.

(1) ~성격 → 발달 & 임상
(2) 임상 → 성격
(3) ~인지 → ~성격 & 발달
(4) ~인지 & ~발달

- (3)과 (4)의 경우, '~인지'이면서 '발달'과 '~발달'이므로 이 두 진술은 동시에 참이 되거나 거짓이 될 수 없다. 진술들 중 1개만 거짓이라고 하였으므로 (3)과 (4) 중 1개가 거짓이다.

- (3)과 (4) 중 1개가 거짓이고, 4개 진술 중 1개만 거짓이므로 (1)과 (2)는 참이다. (1)에 따르면 '~성격 → 발달 & 임상'이고 (2)의 대우는 '~성격 → ~임상'이다. 이때, 만약 '~성격'이라고 한다면, '임상'과 '~임상'이 도출되므로 모순이 된다. 따라서 '~성격'은 일어날 수 없고, '성격'이 확정된다.

《(3)이 참이고 (4)가 거짓인 경우》

성격은 확정되었으므로 (3)의 대우에 따르면 인지도 확정된다. (4)가 거짓인 경우이므로, '~(~인지 & ~발달)'이다. 따라서 '인지 ∨ 발달'이다. 이미 '인지'가 확정되었으므로 '발달'을 듣는지의 여부와 상관없이 이 경우는 참이다.

| 인지 | 성격 | 발달 | 임상 |
|---|---|---|---|
| ○ | ○ | | |

발달을 듣는 경우와 듣지 않는 경우 모두 참이며, 임상 역시 마찬가지이다. 따라서 가능한 경우는 아래와 같이 4개이다.

| 인지 | 성격 | 발달 | 임상 |
|---|---|---|---|
| ○ | ○ | × | ○, × |
| ○ | ○ | ○ | ○, × |

《(3)이 거짓이고 (4)가 참인 경우》

(4)가 참이므로 인지와 발달은 듣지 않는다. 이 때에도 임상을 듣는 경우와 듣지 않는 경우 모두 참이다. 따라서 가능한 경우는 아래와 같이 2개이다.

| 인지 | 성격 | 발달 | 임상 |
|---|---|---|---|
| × | ○ | × | ○, × |

⇨ 따라서 영희가 들은 수업의 최소 개수는 1개, 최대 개수는 4개이다.

# 143

| 정답 | ④ | 내용 영역 | 논리학수학 |
|---|---|---|---|
| 난이도 | ★★★ | 문항 유형 | 모형 추리 |

**접근 전략**

많은 경우의 수가 존재하므로 해당하는 조각의 피자를 먹을 수 있는 사람을 정리하여 풀이할 필요가 있다.

**제시문 분석 & 해설**

(새우 1개, 버섯 1개)가 들어있는 조각부터 시계방향으로 A, B, C 순으로 정의하여 甲~戊의 식성에 따라 정리하면 다음과 같다.

| A | B | C | D | E | F | G | H | I | J |
|---|---|---|---|---|---|---|---|---|---|
|   |   | 甲 | 甲 |   | 甲 |   | 甲 |   |   |
|   | 乙 | 乙 | 乙 | 乙 |   |   | 乙 |   |   |
| 丙 | 丙 |   |   | 丙 | 丙 | 丙 |   | 丙 | 丙 |
|   | 丁 |   | 丁 |   |   |   |   |   | 丁 |
| 戊 |   | 戊 |   |   |   |   |   |   |   |

甲~戊는 각각 피자 2조각씩 나누어 먹어야 하므로 戊은 반드시 A, C 조각을 먹어야 한다. 또한 G, I 조각은 丙만 먹을 수 있으므로 丙은 반드시 G, I 조각을 먹는다. 이를 반영하면 다음과 같다.

| A | B | C | D | E | F | G | H | I | J |
|---|---|---|---|---|---|---|---|---|---|
|   |   | 甲 | 甲 |   | 甲 |   | 甲 |   |   |
|   | 乙 |   | 乙 | 乙 |   |   | 乙 |   |   |
|   |   |   |   |   |   | 丙 |   | 丙 |   |
|   | 丁 |   | 丁 |   |   |   |   |   | 丁 |
| 戊 |   | 戊 |   |   |   |   |   |   |   |

다음으로 E는 乙만, F는 甲만, J는 丁만 먹게 되므로 甲을 기준으로 경우의 수를 나누어 보면 다음과 같다.

1) 甲이 (D, F)를 먹는 경우

| A | B | C | D | E | F | G | H | I | J |
|---|---|---|---|---|---|---|---|---|---|
|   |   |   | 甲 |   | 甲 |   |   |   |   |
|   |   |   |   | 乙 |   |   |   | 乙 |   |
|   |   |   |   |   |   | 丙 |   | 丙 |   |
|   | 丁 |   |   |   |   |   |   |   | 丁 |
| 戊 |   | 戊 |   |   |   |   |   |   |   |

甲이 (D, F)를 먹는 경우, 丁은 (B, J)를 먹을 수밖에 없으므로 乙은 (E, H)를 먹게 된다.

2) 甲이 (F, H)를 먹는 경우

| A | B | C | D | E | F | G | H | I | J |
|---|---|---|---|---|---|---|---|---|---|
|   |   |   |   |   | 甲 |   | 甲 |   |   |
|   | 乙 |   | 乙 | 乙 |   |   |   |   |   |
|   |   |   |   |   |   | 丙 |   | 丙 |   |
|   | 丁 |   | 丁 |   |   |   |   |   | 丁 |
| 戊 |   | 戊 |   |   |   |   |   |   |   |

甲이 (F, H)를 먹는 경우 乙을 기준으로 다시 경우의 수가 나뉘며, 乙이 (B, E)를 먹는 경우 丁은 (D, J)를 먹게 되며, 乙이 (D, E)를 먹는 경우 丁은 (B, J)를 먹게 된다.

따라서 甲 ~ 戊가 식성에 따라 각각 2조각씩 나누어 먹을 수 있는 방법은 총 3가지이다.

# 144

| 정답 | ③ | 내용 영역 | 논리학수학 |
|---|---|---|---|
| 난이도 | ★★★ | 문항 유형 | 모형 추리 |

**접근 전략**

그룹(악기) 간의 관계를 특정한 속성(음색)을 매개로 위치를 배정하는 문제이다. 주어진 조건에서 순서대로 배치되어야 하는 조합을 찾는 것이 중요하다. 반드시 연결되어야 하거나 연결될 수 없는 조합을 찾으면 나올 수 있는 경우의 수를 최소화할 수 있기 때문이다.

**제시문 분석 & 해설**

〈악기의 배치 조건〉
○ 음색이 서로 잘 어울리는 악기는 바로 옆에 배치한다.
○ 음색이 잘 어울리지 않은 악기는 바로 옆에 배치해서는 안 된다.

〈음색이 서로 잘 어울리는 악기〉
○ 플루트와 클라리넷
○ 플루트와 오보에
  ⇨ (정보 1) 여기서 플루트 양 옆에 클라리넷과 오보에가 배치되어야 한다는 것을 알 수 있다. '클라리넷-플루트-오보에'나 '오보에-플루트-클라리넷' 두 가지 경우 중 어느 것이든 상관없다.
  (정보 2) 바순은 모든 악기와 음색이 잘 어울리지만 1번 자리에는 놓일 수 없다.

〈음색이 잘 어울리지 않은 악기〉
○ 오보에와 클라리넷
○ 호른과 오보에
  ⇨ (정보 3) 여기서 오보에 양 옆에는 클라리넷 혹은 호른이 배치되어서는 안 된다는 것을 알 수 있다.

(정보 1)에서 나오는 두 가지 경우를 나누어 살펴보자.
ⅰ) '클라리넷-플루트-오보에' 순서일 경우
  클라리넷이 1번, 2번, 3번에 배치되는 경우가 가능하고 그 경우는 다음 6가지이다.

| | 1 | 2 | 3 | 4 | 5 | |
|---|---|---|---|---|---|---|
| (1) | 클라리넷 | 플루트 | 오보에 | 바순 | 호른 | : 가능 |
| (2) | 클라리넷 | 플루트 | 오보에 | 호른 | 바순 | : 정보3과 모순 |
| (3) | 바순 | 클라리넷 | 플루트 | 오보에 | 호른 | : 정보3과 모순 |
| (4) | 호른 | 클라리넷 | 플루트 | 오보에 | 바순 | : 가능 |
| (5) | 바순 | 호른 | 클라리넷 | 플루트 | 오보에 | : 정보2와 모순 |
| (6) | 호른 | 바순 | 클라리넷 | 플루트 | 오보에 | : 가능 |

ii) '오보에-플루트-클라리넷에' 순서일 경우
　오보에가 1번, 2번, 3번에 배치되는 경우가 가능하고 그 경우는 다음 6가지이다.

　　　 1　　　 2　　　 3　　　 4　　　 5

(1) **오보에** 플루트 클라리넷　 바순　　 호른　 : 가능
(2) **오보에** 플루트 클라리넷　 호른　　 바순　 : 가능
(3) 바순　 **오보에** 플루트 클라리넷　 호른 : 정보2와 모순
(4) 호른　 **오보에** 플루트 클라리넷　 바순 : 정보3과 모순
(5) 바순　 호른　 **오보에** 플루트 클라리넷 : 정보 2, 3과 모순
(6) 호른　 바순　 **오보에** 플루트 클라리넷 : 가능

ⅰ), ⅱ)에 따르면 오보에가 2번 자리에 놓일 수 없으므로 옳지 않은 것은 ③이다.

# 145

| 정답 | ① | 내용 영역 | 논리학수학 |
|---|---|---|---|
| 난이도 | ★★★ | 문항 유형 | 모형 추리 |

**접근 전략**

〈조건〉의 내용이 많기 때문에 경우의 수를 줄일 수 있는 〈조건〉부터 풀이해야 한다.

**제시문 분석 & 해설**

〈조건〉에서 직업에 대하여 이름과 일당이 모두 제시되어 있으므로 직업을 기준으로 정보들을 정리한다.

다섯 일꾼 중 김씨가 2명, 이씨가 1명, 박씨가 1명, 윤씨가 1명인데, 목수는 이씨이고 대장장이와 미장공은 김씨가 아니므로 단청공과 벽돌공은 김씨이고 대장장이와 미장공 중에 윤씨와 박씨가 있다. 그러면 상득은 김씨이므로 단청공 또는 벽돌공인데 어인놈이 단청공이므로 상득은 벽돌공이고, 어인놈은 김씨이다. 또한 윤씨는 대장장이가 아니므로 미장공이고, 이에 따라 대장장이는 박씨이다. 좀쇠는 박씨도 이씨도 아니므로 김씨 또는 윤씨인데, 김씨 2명이 이미 정해졌으므로 윤씨이고 미장공이다. 정월쇠의 일당은 2전 5푼이므로 단청공, 벽돌공, 대장장이 중 하나이다. 그런데 단청공과 벽돌공은 이미 정해졌으므로 정월쇠는 대장장이이고 박씨이다. 따라서 작은놈은 목수이고 이씨이다. 이를 정리하면 다음과 같다.

| 직업 | 미장공 | 목수 | 단청공 | 벽돌공 | 대장장이 |
|---|---|---|---|---|---|
| 일당 | 4전 2푼 | 4전 2푼 | 2전 5푼 | 2전 5푼 | 2전 5푼 |
| 성 | 윤 | 이 | 김 | 김 | 박 |
| 이름 | 좀쇠 | 작은놈 | 어인놈 | 상득 | 정월쇠 |

이때 각 일꾼별 품삯은 다음과 같다.
좀쇠 : 42푼×3 + 10푼 = 136푼
작은놈 : 42푼×3 = 126푼
어인놈 : 25푼×4 = 100푼
상득 : 25푼×4 = 100푼
정월쇠 : 25푼×5 + 10푼 = 135푼

따라서 가장 많은 품삯을 받는 일꾼은 좀쇠이다.

# 146

정답 | ④

난이도 | ★ ☆ ☆

내용 영역 | 논리학수학

문항 유형 | 모형 추리

'건강생활실천율'의 정의가 '거주자 중 금연, 절주, 걷기를 모두 실천하는 사람의 비율'임을 유의하며 선지를 판단한다.

① 옳지 않다. A지역에서 금연, 절주, 걷기를 실천하는 사람의 비율이 각각 2%p씩 높아진다 하여 '금연, 절주, 걷기를 모두 실천하는 사람'의 비율이 높아진다고 단정할 수 없다. 금연만 하는 사람, 절주만 하는 사람, 걷기만 하는 사람의 비율의 각각 2%씩 높아졌을 수도 있기 때문이다. 따라서 건강생활실천율도 2%p 높아진다고 단정할 수 없다.

② 옳지 않다. 건강생활실천율은 '거주자 중 금연, 절주, 걷기를 모두 실천하는 사람의 비율'을 말한다. 금연, 절주, 걷기를 실천하는 사람의 비율 중 금연이 가장 낮고, 가장 낮은 값이 증가하였다고 가정해 보자. 이때 금연만 하는 사람 비율이 증가하였다면, 건강생활실천율은 변화가 없다. 따라서 가장 낮은 값이 증가해야만 하는 것은 아니다.

③ 옳지 않다. 건강생활실천율은 B지역(30%)이 C지역(25%)보다 높다. 이는 '금연, 절주, 걷기를 모두 실천하는 사람'의 비율은 B지역이 C지역보다 높음을 의미한다. 하지만 이러한 정보가 '금연과 절주를 동시에 실천하는 사람'의 비율 차이를 설명해 주지는 않는다.
예를 들어 B지역 인구가 10명, C지역 인구가 20명이라 가정하면 '금연, 절주, 걷기를 모두 실천하는 사람'의 수는 B지역의 경우 3명, C지역의 경우 5명이다. 그런데 C지역의 나머지 15명이 금연, 절주만 동시에 실천하는 사람이라면, C지역에서 '금연과 절주를 동시에 실천하는 사람'의 비율은 100%가 된다. 따라서 B지역이 C지역보다 높다고 단정할 수 없다.

④ 옳다. 건강생활실천율은 '거주자 중 금연, 절주, 걷기를 모두 실천하는 사람의 비율'을 말한다. D지역의 건강생활실천율은 30%이므로, '금연, 절주, 걷기를 모두 실천하는 사람'의 비율은 30%인 셈이다. 이때 30%를 제외한 나머지 전원이 걷기를 실천하지 않는 경우를 가정할 수 있으며, 이 경우가 걷기를 실천하는 사람의 비율이 가장 적은 경우이다. 따라서 D지역에서 걷기를 실천하는 사람의 비율은 최소 30%이다.

⑤ 옳지 않다. 甲도의 A~E 지역은 인구가 서로 다르다. 따라서 지역별 건강생활실천율의 평균(30%)이 곧 甲도의 건강생활실천율이라고 볼 수는 없다.

# 147

정답 | ①

난이도 | ★ ☆ ☆

내용 영역 | 논리학수학

문항 유형 | 모형 추리

각 조건을 충족하지 않는 아파트 매물을 순서대로 소거하며 판단한다.

ⅰ) 아파트 매물은 10층 이상이고, 2025년 7월 내 입주 가능해야 한다. 따라서 8층에 위치한 E와 2025. 8. 1. 이후 입주할 수 있는 D는 소거된다.

ⅱ) 아파트 매물은 담보 대출이 없어야 한다. 따라서 담보 대출이 있는 B는 소거된다.

ⅲ) 아파트 매물은 전세 보증금 2.3억 원 이하여야 한다. 단, 붙박이장이 있는 경우 2.5억 원 이하여야 한다. A는 붙박이장이 있고 전세 보증금 2.5억, C는 붙박이장이 없고 전세 보증금 2.0억원이다. 따라서 두 매물 모두 조건을 충족한다.

ⅳ) 위 기준을 모두 충족하는 매물이 2개 이상인 경우, 그중 대한동 매물이 있다면 그 매물을 선택한다. A는 대한동, C는 민국동 매물이다. 따라서 A가 아파트 매물로 선택된다.

# 148

정답 | ②                내용 영역 | 논리학수학
난이도 | ★☆☆          문항 유형 | 모형 추리

### 접근 전략
제시문의 조건에 따라 월세를 지원받지 않는 직원을 먼저 소거하고, 남은 직원의 월세 지원액을 계산한다.

### 제시문 분석 & 해설
ⅰ) 지원 대상은 주택을 소유하지 않은 직원 중, 거주지와 근무지 간 편도 거리가 50 km 이상이거나 통근 시간이 1시간 이상인 직원이다. 따라서 주택을 가지고 있는 甲은 지원 대상이 아니다. 그리고 편도 거리 40 km, 통근 시간 50분인 丁도 지원 대상이 아니다.
ⅱ) 남은 직원은 乙, 丙, 戊이다. 직원별로 지급기준에 따라, 지원 대상자 본인의 월세를 초과하지 않는 범위 내에서 최대 지원액을 구한다.

〈乙의 지원금〉
乙은 질병으로 출퇴근에 어려움이 있으므로, 지원 한도액은 35만 원이다. 그리고 을의 월세는 30만 원이다. 따라서 최대 지원액은 30만 원이다.

〈丙의 지원금〉
丙은 출퇴근에 어려움이 있는 자도 아니고, 신규임용일로부터 3년이 지나지 않은 자도 아니다. 지급기준상 '그 외의 자'에 속하며, 지원 한도액은 20만 원이다. 따라서 丙의 월세는 45만 원이지만, 최대 지원액은 20만 원이다.

〈戊의 지원금〉
戊는 신규임용일로부터 3년이 지나지 않았으므로, 지원 한도액은 25만 원이다. 따라서 무의 월세는 35만 원이지만, 최대 지원액은 25만 원이다.

따라서 A부서의 1개월치 월세 지원액의 합은 30 + 20 + 25 = 75(만 원)이다.

# 149

정답 | ④                내용 영역 | 논리학수학
난이도 | ★☆☆          문항 유형 | 모형 추리

### 접근 전략
〈대화〉를 바탕으로, 민서가 가지 않을 공연을 소거하면서 문제를 풀이해야 한다.

### 제시문 분석 & 해설
민서는 지난달에 바이올린 협주 공연을 보고 왔으므로 해당 공연은 민서가 보려는 공연 후보에서 제외된다. 또한 10월 9일 이전에 하는 공연은 보러 갈 수 없으므로 뮤지컬도 제외된다. B시는 집에서 멀어서 가지 않는다고 했으므로 오케스트라도 제외된다.
피아노 협주와 오페라 중 결제할 금액이 제일 저렴한 공연을 보게 되는데, 학생할인이 가능한 피아노 협주는 24,000원을 할인 받아 100,000원인 오페라보다 저렴한 금액인 96,000원에 공연을 볼 수 있으므로 민서가 결제할 금액은 96,000원이다.

# 150

| 정답 | ③ | 내용 영역 | 논리학수학 |
| 난이도 | ★☆☆ | 문항 유형 | 모형 추리 |

**접근 전략**

민원처리 우수 공무원 선정 기준에 따를 때 선정될 수 없는 사람을 소거하면서 문제를 풀이해야 한다.

**제시문 분석 & 해설**

〈민원처리 우수 공무원 선정 기준〉에서 민원만족도가 80점 미만이거나 민원처리 건수가 월 40건 미만인 사람은 민원처리 우수 공무원으로 선정될 수 없다고 했으므로 丁과 戊는 제외된다. 甲 ~ 丙의 민원처리 점수를 계산하면 다음과 같다.

甲 : $85 \times 0.8 + 50 \times 0.2 - 1 - 3 = 74$
乙 : $80 \times 0.8 + 40 \times 0.2 + 3 = 75$
丙 : $85 \times 0.8 + 40 \times 0.2 + 1 - 1 = 76$

丙의 점수가 가장 높으므로 민원처리 우수 공무원으로 丙이 선정된다.

# 151

| 정답 | ③ | 내용 영역 | 논리학수학 |
| 난이도 | ★☆☆ | 문항 유형 | 모형 추리 |

**접근 전략**

통신사 요금 기준에 따를 때 〈상황〉의 甲이 이용할 수 없는 통신사를 소거하면서 문제를 풀이해야 한다.

**제시문 분석 & 해설**

甲은 데이터 전송 속도가 200Mbps 미만인 통신사는 이용하지 않는다고 했으므로 A는 제외된다. 나머지 통신사의 경우 각각의 비용을 모두 더하면 아래와 같다.

| 구분 | 기본요금 (천 원) | OTT (천 원) | 데이터 추가사용 요금 (천 원) | 총액 (천 원) |
|---|---|---|---|---|
| B | 60 | 20 | 60 | 140 |
| C | 80 | 20 | 30 | 130 |
| D | 120 | 20 | 0 | 140 |
| E | 140 | 0 | 0 | 140 |

따라서 甲이 2월에 이용할 통신사는 C이다.

# 152

| 정답 | ② | 내용 영역 | 논리학수학 |
|---|---|---|---|
| 난이도 | ★☆☆ | 문항 유형 | 모형 추리 |

**접근 전략**

〈조건〉 1에서 '주는 항아리가 완전히 비거나 받는 항아리가 가득 찰 때까지 물을 붓는다.'라고 제시되어 있다. 주는 항아리가 완전히 비는 경우와 받는 항아리가 가득 차는 경우 중 하나만 만족하면 되는 것을 감안하며 풀이할 필요가 있다.

**제시문 분석 & 해설**

수행 전 상태는 다음과 같다.

| 구분 | 15L 항아리 | 10L 항아리 | 4L 항아리 |
|---|---|---|---|
| 수행 전 | 15L | 5L | 0L |

수행 과정을 정리하면 다음과 같다.

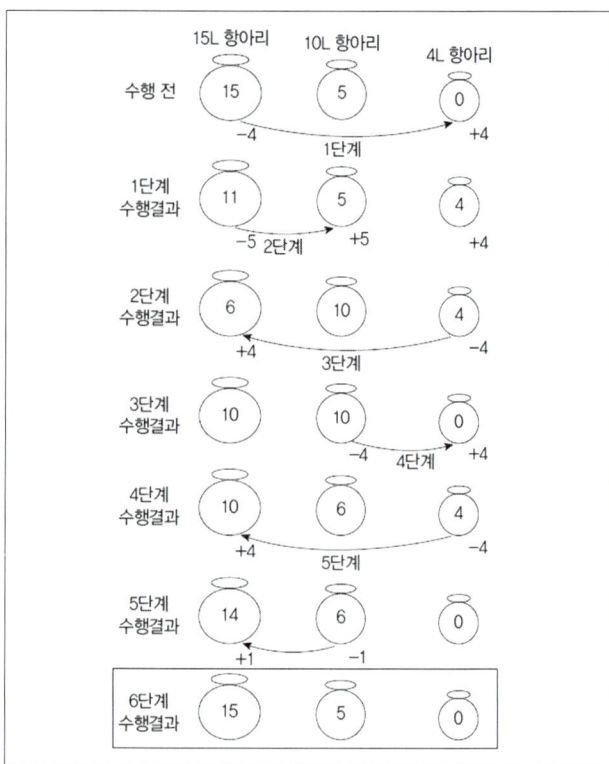

# 153

| 정답 | ① | 내용 영역 | 논리학수학 |
|---|---|---|---|
| 난이도 | ★☆☆ | 문항 유형 | 모형 추리 |

**접근 전략**

개별 문자로 보는 경우와 두 개의 문자를 합쳐서 보는 경우로 나누어 판단해야 한다.

**제시문 분석 & 해설**

o COW
　C는 숫자 1, O는 숫자 3, W는 숫자 5에 대응할 수 있다. 그리고 OW는 숫자 9에 대응할 수 있다. 따라서 COW를 숫자로 표현하면 135 또는 19가 된다.

o EA
　E는 숫자 1, A는 숫자 0에 대응할 수 있다. 그리고 EA는 숫자 8에 대응할 수 있다. 따라서 EA를 숫자로 표현하면 10 또는 8이 된다.

120의 약수로 135와 19는 될 수 없기 때문에 COW와 EA 곱의 결과로 120은 될 수 없다.

# 154

정답 | ④  내용 영역 | 논리학수학
난이도 | ★☆☆  문항 유형 | 모형 추리

평가요소별 기관 점수의 합이 100점으로 정해져 있으므로, 각 기관이 받은 평가요소별 점수의 범위를 구할 수 있다.

제시문 분석 & 해설
A~D의 관계를 파악해보면, A + D = 30, B + C = 30이다. 즉, 甲~丁은 각각 최소 3점에서 최대 27점이 변화할 수 있는 점수의 범위이고, 24점이 줄일 수 있는 최대 점수 차이이다. 또한 甲~丁 순서로 점수의 합을 구하면 각각 (95, 75, 70, 100)점이다.

ㄱ. 옳지 않다. 甲은 A를 고려하기 이전에 95점이고, 丙은 C를 고려하기 이전에 70점이다. A + C = 30이므로 A를 최대한 작게, C를 최대한 크게 할 경우 甲은 98점이고 丙은 97점이다. 또한 丁은 D를 고려하기 이전에 이미 100점이고, D가 3이더라도 103점이다. 따라서 丙은 어떠한 경우에도 2등 이상이 될 수 없고, 인센티브를 받을 수 없다.

ㄴ. 옳다. B가 27이고 D가 25 이상이면, 甲~丁 순서로 각각 95 + 5 = 100, 75 + 27 = 102, 70 + 3 = 73, 100 + 25 = 125(100, 102, 73, 125)이다. 이 경우 乙은 丁에 이어 2위가 된다.

ㄷ. 옳지 않다. 국정과제에 가중치를 2배를 주면, 초기 점수 값에서 각각 (30, 20, 10, 40)을 더하면 된다. 즉, A, B, C, D를 고려하지 않더라도 (125, 95, 80, 140)이 된다. 이때 줄일 수 있는 최대 점수가 24점임을 고려하면, 丁은 乙과 丙보다 평가순위가 높을 수밖에 없다. 따라서 최소 2위를 하므로 항상 인센티브를 받는다.

ㄹ. 옳다. 국정과제에 가중치를 3배를 주면, 초기 점수 값에서 각각 (60, 40, 20, 80)을 더하면 된다. 즉, A, B, C, D를 고려하지 않더라도 (155, 115, 90, 180)이 된다. A, B, C, D,의 최대값은 27이므로, A가 27이라고 하더라도 甲은 182, 丁은 183으로 항상 丁이 1등을 한다.

# 155

정답 | ②  내용 영역 | 논리학수학
난이도 | ★★☆  문항 유형 | 모형 추리

합리적 추론을 위해서는 직원별로 요청된 활동과 점수 범위를 모두 고려하여 가능한 총점의 구간을 산출해야 한다. 이후 비교 문항에서는 단순한 최대치나 최소치가 아니라, 두 구간이 겹치는지 여부와 초과 가능성이 있는지를 따져야 한다. 이렇게 해야 특정 직원의 점수가 다른 직원보다 반드시 높거나 절대 높아질 수 없는지를 올바르게 판단할 수 있다.

제시문 분석 & 해설
ㄱ. 적절하지 않다. 갑의 점수 범위는 유형Ⅰ(혁신 아이디어 0~1) + 유형Ⅱ(협력 1)로 [1, 2]이고, 을의 점수 범위는 유형Ⅰ(국민 중점 민원 0~3)로 [0, 3]이다. 을이 0~1점을 받는 경우가 가능하므로, 갑(최대 2점)이 을보다 높아질 수 있다. 따라서 갑이 을보다 높을 수 없다고 단정할 수 없다.

ㄴ. 적절하지 않다. 병의 점수 범위는 유형Ⅰ(예산 절감 0~2) + 유형Ⅱ(신규 사례 2)로 [2, 4]이고, 을의 점수 범위는 [0, 3]이다. 을이 3점, 병이 2점을 받는 경우가 가능하므로 을이 병보다 높아질 수 있다. 따라서 을이 병보다 높을 수 없다고 단정할 수 없다.

ㄷ. 적절하다. 갑의 점수는 [1, 2], 병의 점수는 [2, 4]이다. 갑의 최대가 2점이고 병의 최소가 2점이므로 갑 > 병은 불가능하고, 최대 동점(2점)만 가능하다. 따라서 갑이 병보다 높을 수 없다는 판단은 타당하다.

# 156

| 정답 | ② | 내용 영역 | 논리학수학 |
|---|---|---|---|
| 난이도 | ★★☆ | 문항 유형 | 모형 추리 |

**접근 전략**

제시문의 조건을 바탕으로, 각 선지를 대입하여 조건과 충돌하지 않는지 확인한다.

**제시문 분석 & 해설**

제시문에 따르면 A~E가 정답인 문항은 2개 이상 6개 이하여야 하며, 동일한 정답이 연속해서 3회 이상 나와서는 안 된다. 정답별 문항 개수 및 정답 배열에 관한 조건을 정리하면 다음과 같다.

| 1~13번 | 14번 | 15번 | 16~20번 |
|---|---|---|---|
| A : 0개<br>B : 0개<br>C : 3개<br>D : 5개<br>E : 5개 | A | A<br>(A : 2개) | A : 4개까지 추가 가능<br>B : 6개까지 추가 가능<br>  ㄴ 반드시 2개 이상 추가<br>C : 3개까지 추가 가능<br>D : 1개까지 추가 가능<br>E : 1개까지 추가 가능 |

① 가능하지 않다. 16번 문제의 정답이 A인 경우, 정답 A가 연속해서 3회 이상 나오게 된다. 이는 동일한 정답이 연속해서 3회 이상 나와서는 안 된다는 조건과 충돌한다.

② 가능하다. 이 경우 A, B, C가 정답인 문항은 각각 1개, 3개, 1개이고, D, E가 정답인 문항은 포함되어 있지 않다. 또한 연속해서 3회 이상 나오는 정답이 없으므로, 16~20번 문항의 정답으로 가능하다.

③ 가능하지 않다. 18번과 20번 문항의 정답이 D인 경우, 정답이 D인 문항 개수는 7개가 된다. 이는 A~E가 정답인 문항은 2개 이상 6개 이하여야 한다는 조건과 충돌한다.

④ 가능하지 않다. 18번~20번 문항의 정답이 B인 경우, 정답 B가 연속해서 3회 이상 나오게 된다. 이는 동일한 정답이 연속해서 3회 이상 나와서는 안 된다는 조건과 충돌한다.

⑤ 가능하지 않다. 17번 문항의 정답만 B인 경우, 정답이 B인 문항 개수는 1개가 된다. 이는 A~E가 정답인 문항은 2개 이상 6개 이하여야 한다는 조건과 충돌한다.

# 157

| 정답 | ③ | 내용 영역 | 논리학수학 |
|---|---|---|---|
| 난이도 | ★★☆ | 문항 유형 | 모형 추리 |

**접근 전략**

제시문에서 공장의 가동비용과 생산비용에 대한 설명을 파악하고, 공장별 총 비용을 구하는 방식을 정리한다.

**제시문 분석 & 해설**

두 공장 A, B의 1일 비용을 비교하면 다음과 같다. (Q는 1일 목표 생산량, $Q_A$, $Q_B$는 공장 A, B의 하루 생산량을 의미한다.)

| 공장 | 가동비용 | 생산비용 | 총 비용 |
|---|---|---|---|
| A | 100만 원 | 1개당 1만 원 | $100 + Q_A$ |
| B | 없음 | 1개당 2만 원 | $2Q_B$ |

ㄱ. 옳다. Q가 120이라면 다음과 같은 경우를 가정할 수 있다.
 ⅰ) 120개 모두 A에서 생산하는 경우
   이 경우 $Q_A = 120$, $Q_B = 0$이다.
   따라서 총 비용은 $100 + Q_A = 100 + 120 = 220$(만 원)이다.
 ⅱ) 120개를 A, B에서 나누어 생산하는 경우
   이 경우 총 비용은 $100 + Q_A + 2Q_B$로 계산된다. 제품 1개당 생산비용이 ⅰ)에 비해 증가한 셈이므로, 어떻게 나누어도 ⅰ)에 비해 많은 비용이 든다.
 ⅲ) 120개 모두 B에서 생산하는 경우
   이 경우 $Q_A = 0$, $Q_B = 120$이다.
   따라서 총 비용은 $2Q_B = 2 \times 120 = 240$(만 원)이다.
 ⅰ)의 경우 최소 비용으로 목표 생산량 120개를 달성할 수 있다. 따라서 A에서만 생산해야 한다.

ㄴ. 옳지 않다. Q가 200이고 B에서 150개를 생산하는 경우, $Q_A = 50$, $Q_B = 150$이다.
 이때 총 비용은 $100 + Q_A + 2Q_B = 100 + 50 + (2 \times 150) = 450$(만 원)이다.
 그런데 A에서 150개를 생산하는 경우, $Q_A = 150$, $Q_B = 50$이다. 이때 총 비용은 $100 + Q_A + 2Q_B = 100 + 150 + (2 \times 50) = 350$(만 원)이다.
 따라서 B가 아니라 A에서 150개를 생산해야 한다.

ㄷ. 옳다. Q가 200일 때, A의 가동비용이 1일 50만 원으로 감소해도 각 공장의 생산비용에는 변동이 없다. 이 경우 총 비용이 $100 + Q_A + 2Q_B$가 $50 + Q_A + 2Q_B$로 변경되는데, A에서 150개를 생산해야 최소 비용으로 목표 생산량 200개를 달성할 수 있다는 점은 변함이 없다.
 따라서 A, B에 대한 배분량은 달라지지 않는다.

# 158

www.megals.co.kr

| 정답 | ② | 내용 영역 | 논리학수학 |
|---|---|---|---|
| 난이도 | ★★☆ | 문항 유형 | 모형 추리 |

### 접근 전략

수강료 부과가 취득점수에 따라 부과되므로, 수강료를 가장 적게 내는 취득점수 조합을 찾아야 한다. 일반과정에 수강료가 가장 저렴한 B를 포함시키는 경우를 중심으로 판단한다.

### 제시문 분석 & 해설

자격증 취득에 필요한 점수 조건을 정리하면 다음과 같다.
O 3과목의 점수 합이 150점 이상일 것
O 어느 과목이라도 40점 미만을 받은 경우 과락

이에 따르면 甲은 어떤 과목에서든 최소 40점 이상을 받아야 한다. 과목별 수강료를 비교하면 일반과정, 속성과정 모두에서 과목 B가 다른 두 과목보다 저렴하다. 따라서 과목 B의 취득점수를 최대화하고, A와 C의 취득점수를 최소화하면 수강료를 최소화할 수 있을 것이다.

| 과목 | 취득점수(점) |
|---|---|
| A | 40 |
| B | 70 |
| C | 40 |

일반과정 2과목, 속성과정 1과목을 수강한다는 조건을 고려하여 甲의 수강 과목 선택을 다음과 같이 나눌 수 있다.

i) 일반과정 A, B / 속성과정 C 선택

| 과목 | 취득점수(점) | 수강료(원) |
|---|---|---|
| A | 40 | 40×5000 = 200000 |
| B | 70 | 70×3000 = 210000 |
| C | 40 | 40×13000 = 520000 |

甲이 지불해야 하는 수강료는 20 + 21 + 52 = 93(만 원)이다.

ii) 일반과정 B, C / 속성과정 A 선택

| 과목 | 취득점수(점) | 수강료(원) |
|---|---|---|
| A | 40 | 40×10000 = 400000 |
| B | 70 | 70×3000 = 210000 |
| C | 40 | 40×10000 = 400000 |

甲이 지불해야 하는 수강료는 40 + 21 + 40 = 101(만 원)이다.

iii) 일반과정 A, C / 속성과정 B 선택

| 과목 | 취득점수(점) | 수강료(원) |
|---|---|---|
| A | 40 | 40×5000 = 200000 |
| B | 70 | 70×7000 = 490000 |
| C | 40 | 40×10000 = 400000 |

甲이 지불해야 하는 수강료는 20 + 49 + 40 = 109(만 원)이다.

세 경우 중 i)이 가장 저렴하므로, 甲이 자격증 취득 시 지불해야 하는 최소 수강료는 93만 원이다.

# 159

| 정답 | ② | 내용 영역 | 논리학수학 |
|---|---|---|---|
| 난이도 | ★★☆ | 문항 유형 | 모형 추리 |

### 접근 전략

분모와 분자에 들어갈 수치를 제시문의 정보를 통해 도출해야 한다.

### 제시문 분석 & 해설

ㄱ. 옳다. 최종 우승팀은 결승전의 1차전에 승리했거나 패배했거나 두 가지 경우 중 하나에 반드시 속한다. 또한 20년간 결승전의 1차전은 매해 있었을 것이다. 따라서 분모는 20이다.

ㄴ. 옳지 않다. 우승팀 중 1차전 승리한 팀이 9팀, 1차전 패배한 팀이 11팀, 1·2차전 모두 승리한 팀이 5팀, 1·2차전 모두 패배한 팀이 6팀과 같은 반례가 존재 가능하다.

ㄷ. 옳지 않다. 우승팀 중 1차전 승리한 팀이 11팀, 1차전 패배한 팀이 9팀, 1·2차전 모두 승리한 팀이 5팀, 1·2차전 모두 패배한 팀이 6팀과 같은 경우라면 A > 50 > B이다.

ㄹ. 옳다. 확률 B를 도출할 때는 1·2차전 모두 승리했거나 모두 패배한 경우만을 고려한다. 즉, 1·2차전 모두 패배한 팀의 우승확률은 분자에 있던 것이 분모에 있던 다른 하나와 바뀐 것이다. 따라서 1·2차전을 모두 패배한 팀의 우승확률은 (100−B)%이다.

# 160

| 정답 | ③ | 내용 영역 | 논리학수학 |
| --- | --- | --- | --- |
| 난이도 | ★★☆ | 문항 유형 | 모형 추리 |

**접근 전략**

1년 동안의 생산량과 공물의 순이동량을 정리하여 풀이해야 한다.

**제시문 분석 & 해설**

1년 경과에 따른 생산량과 공물의 순이동량을 정리하면 다음과 같다.

| 국가 | 생산량 | 공물의 순이동량 |
| --- | --- | --- |
| A | 1 | +3 |
| B | 3 | +1 |
| C | 5 | −1 |
| D | 7 | −3 |

모든 국가는 2015년 1월 1일에 1만 가마를 보유하고 있으며, 소비량 역시 1만 가마로 동일하다. 계산의 편의를 위해 단위는 생략한다.

ㄱ. 옳지 않다. 각 국가의 2016년 1월 1일의 쌀 보유량은 다음과 같다.

| 국가 | 최초 | 소비 | 생산 | 공물 | 계 |
| --- | --- | --- | --- | --- | --- |
| A | 1 | −1 | +1 | +3 | 4 |
| B | 1 | −1 | +3 | +1 | 4 |
| C | 1 | −1 | +5 | −1 | 4 |
| D | 1 | −1 | +7 | −3 | 4 |

따라서 1년 전보다 쌀 보유량이 줄어든 국가는 없다.

ㄴ. 옳지 않다. 각 국가의 2017년 1월 1일의 쌀 보유량은 다음과 같다.

| 국가 | 최초 | 소비 | 생산 | 공물 | 계 |
| --- | --- | --- | --- | --- | --- |
| A | 4 | −1 | +1 | +3 | 7 |
| B | 4 | −1 | +3 | +1 | 7 |
| C | 4 | −1 | +5 | −1 | 7 |
| D | 4 | −1 | +7 | −3 | 7 |

따라서 모든 국가의 쌀 보유량은 동일하다.

ㄷ. 옳다. 각 국가의 2016년 1월 1일의 쌀 보유량은 다음과 같다.

| 국가 | 최초 | 소비 | 생산 | 공물 | 계 |
| --- | --- | --- | --- | --- | --- |
| A | 1 | −1 | +0.5 | +3 | 3.5 |
| B | 1 | −1 | +1.5 | +1 | 2.5 |
| C | 1 | −1 | +2.5 | −1 | 1.5 |
| D | 1 | −1 | +3.5 | −3 | 0.5 |

따라서 모든 국가의 2015년도 쌀 생산량이 반으로 줄어든다고 하여도, 2016년 1월 1일 기준 각 국가의 쌀 보유량은 0보다 크다.

# 161

| 정답 | ③ | 내용 영역 | 논리학수학 |
| --- | --- | --- | --- |
| 난이도 | ★★☆ | 문항 유형 | 모형 추리 |

**접근 전략**

'이상', '미만', '초과' 등 수량 표현에 유의하며 기업별 점수를 매기고 세무조사 대상 기업을 지정해야 한다.

**제시문 분석 & 해설**

ⅰ) 제시문에 따르면 최근 1년 내 세무조사를 받은 기업을 세무조사 대상 기업에서 제외한다. 따라서 최근 1년 내 세무조사를 받은 C는 세무조사 대상 기업에서 제외된다.

ⅱ) 제시된 기준에 따라 기업별 점수를 매기면 다음과 같다. (×는 '해당 사항 없음'을 의미한다.) 한편 '2025년 7월 1일 현재'가 기준이므로, 최근 5년 내 성실 납세 기업 선정 여부는 2020년 7월 1일을 기준으로 나눌 수 있다.

| 기업 | 매출액 | 민원 건수 | 부실 거래 | 성실 납세 |
| --- | --- | --- | --- | --- |
| A | 3 | 5 × 0.5 = 2.5 | 7 × 0.3 = 2.1 | −1(최근 5년 내) |
| B | 1 | 10 × 0.5 = 5 | 4 × 0.3 = 1.2 | ×(8년 전) |
| D | 3 | 7 × 0.5 = 3.5 | 5 × 0.3 = 1.5 | −1(최근 5년 내) |
| E | 5 | 3 × 0.5 = 1.5 | 3 × 0.3 = 0.9 | × (15년 전) |

ⅲ) 기업별 점수에 따라 합산 점수를 매기면 다음과 같다.

| 기업 | 합산 점수 |
| --- | --- |
| A | 3 + 2.5 + 2.1 − 1 = 6.6 |
| B | 1 + 5 + 1.2 = 7.2 |
| D | 3 + 3.5 + 1.5 − 1 = 7.0 |
| E | 5 + 1.5 + 0.9 = 7.4 |

합산 점수가 7점을 초과하는 경우 세무조사 대상 기업으로 지정하므로, A와 D는 세무조사 대상에서 제외한다. 따라서 세무조사 대상 기업은 B와 E이다.

# 162

www.megals.co.kr

| | |
|---|---|
| 정답 │ ③ | 내용 영역 │ 논리학수학 |
| 난이도 │ ★★☆ | 문항 유형 │ 모형 추리 |

**접근 전략**

A국 ○○축제가 최장 기간 열리기 위한 조건을 찾아 풀이해야 한다.

**제시문 분석 & 해설**

A국 ○○축제가 최장 18일이 열리려면 10월 1일이 일요일이어야 한다. 10월 1일이 일요일이어야만 추가로 이틀을 연장하기 때문이다. 일반적으로 1년은 365일이므로 52주 1일인 반면, 윤년의 경우 366일이므로 52주 2일이다. 따라서 윤년이 아닌 해에는 요일이 하나씩 늦춰질 것이고, 윤년인 해에는 요일이 두 개씩 늦춰질 것이다. 이때 2015년 10월 1일은 목요일이고, 규칙에 따르면 2016년, 2020년, 2024년은 윤년이다. 따라서 축제가 18일 동안 개최되는 해는 2023년이다. 연도를 나열하면서 10월 1일의 요일을 구하면 다음과 같다.

| 연도 | 10월 1일의 요일 |
|---|---|
| 2016 | 토 |
| 2017 | 일 |
| 2018 | 월 |
| 2019 | 화 |
| 2020 | 목 |
| 2021 | 금 |
| 2022 | 토 |
| 2023 | 일 |

# 163

| | |
|---|---|
| 정답 │ ① | 내용 영역 │ 논리학수학 |
| 난이도 │ ★★☆ | 문항 유형 │ 모형 추리 |

**접근 전략**

〈암호 해독표〉와 〈예시〉를 통해 규칙을 파악한 후 〈보기〉의 각 사례에 적용시킨다.

**제시문 분석 & 해설**

도형 안에 아무런 표식이 없을 경우에는 왼쪽의 표를, 도형 안에 하나의 점만 있는 경우에는 가운데의 표를, 도형 안에 두 개의 점이 있는 경우에는 오른쪽의 표를 이용한다. 그리고 각 칸의 테두리에 따라 해독한다. 예를 들어, ㄱ은 왼쪽에 있는 표를 이용하고 오른쪽과 아래쪽에 테두리가 있으므로 ☐ 이 된다.

그리고 〈예시〉를 통해 초성, 중성, 종성 순으로 암호문을 작성하며, 이중모음은 단모음의 결합으로 이루어져 있음을 알 수 있다.

ㄱ. 옳다.

　ㄱ은 왼쪽 표에서 오른쪽과 아래쪽에 테두리가 있으므로, ☐ 이 된다.

　ㅜ는 오른쪽 표에서 왼쪽와 아래쪽에 테두리가 있으므로, ☐ 이 된다.

　ㄱ은 앞서 살펴 보았듯이 ☐ 이 된다.

　ㅎ은 가운데 표에서 모든 외곽선에 테두리가 있으므로, ☐ 이 된다.

　ㅢ는 ㅡ와 ㅣ로 나누어 입력한다.

　ㅡ는 오른쪽 표에서 아래쪽과 오른쪽에 테두리가 있으므로, ☐ 이 된다.

　ㅣ는 오른쪽 표에서 오른쪽을 제외한 나머지 부분에 테두리가 있으므로, ☐ 이 된다.

　따라서 ㄱ은 옳다.

ㄴ. 옳다.

　ㄷ은 왼쪽 표에서 왼쪽과 아래쪽에 테두리가 있으므로, ☐ 이 된다.

　ㅐ는 〈예시〉에 제시되어 있듯이, ☐ ☐ 이 된다.

　ㅎ도 〈예시〉에 제시되어 있듯이, ☐ 이 된다.

　ㅏ는 〈예시〉에 제시되어 있듯이, ☐ 이 된다.

　ㄴ은 왼쪽 표에서 위쪽을 제외한 나머지 부분에 테두리가 있으므로, ☐ 이 된다.

　ㅁ은 왼쪽 표에서 모든 외곽선에 테두리가 있으므로, ☐ 이 된다.

　ㄴ은 ☐ 이고, ㄱ은 ☐ 이다.

　ㅜ는 오른쪽 표에서 왼쪽과 아래쪽에 테두리가 있으므로, ☐ 이 된다.

　ㄱ은 ☐ 이다.

　따라서 ㄴ은 옳다.

ㄷ. 옳지 않다.

　ㅅ은 왼쪽 표에서 위쪽과 오른쪽에 테두리가 있으므로, ☐ 이 된다.

　ㅏ는 〈예시〉에 제시되어 있듯이, ☐ 이 된다.

　ㅁ은 앞서 살펴보았듯이, ☐ 이 된다.

ㄱ는 앞서 살펴보았듯이, ┌··┐ 이 된다.

ㄱ은 앞서 살펴보았듯이, □ 이다.

ㅏ는 ㄱ와 ㅏ 순서로 작성하는데, ㄱ는 ··이고, ㅏ는 ·· 이다.

ㄴ은 앞서 살펴보았듯이, □□ 이다.

〈보기〉 ㄷ에는 ┌·□┐·· ┌··┐·└┘ 로 되어 있으나,
┌·□┐·· └┐··│·└┘ 으로 ㅏ의 ㄱ를 잘못 기록하였다.

ㄹ. 옳지 않다.

ㅁ은 앞서 살펴보았듯이, □ 이 된다.

ㅣ는 〈예시〉에 제시되어 있듯이, ·· 이 된다.

ㄴ은 앞서 살펴보았듯이, □□ 이 된다.

ㅈ은 왼쪽 표에서 위쪽과 왼쪽에 테두리가 있으므로, ┌□ 이 된다.

ㄱ는 앞서 살펴보았듯이, ·· 이 된다.

ㅇ은 〈예시〉에 제시되어 있듯이, □ 이 된다.

ㅓ는 ㅡ와 ㅣ 순서로 작성되는데, ㅡ는 오른쪽 표에서 모든 테두리가 다 있으므로, ·· 이 되고, ㅣ는 앞서 살펴보았듯이, ·· 이 된다.

〈보기〉 ㄹ에는 ┌··┐└┘┌·┐┌┐┌·┐ 로 되어 있으나, ┌··┐└┘└┐··┌·┐┌┐┌┐·· 으로 ㅓ의 ㅡ 를 잘못 기록하였다.

---

| 정답 | ④ | 내용 영역 | 논리학수학 |
|---|---|---|---|
| 난이도 | ★★☆ | 문항 유형 | 모형 추리 |

**접근 전략**

'세탁소에 맡기는 셔츠'와 '세탁소에서 찾아오는 셔츠'는 서로 다른 셔츠이며, 입었던 시기가 다르다는 점에 주목하여 셔츠 벌수를 판단한다.

**제시문 분석 & 해설**

ⅰ) 제시문에 따르면 甲은 입었던 셔츠를 한데 모아 놓았다가 매주 월요일 점심에 세탁소에 모두 맡기고 온다. 이로부터 甲이 맡긴 셔츠는 전주 월요일 ~ 일요일에 입은 셔츠임을 알 수 있다. 관련 정보를 정리하면 다음과 같다.

| 월 | 화 | 수 | 목 | 금 | 토 | 일 |
|---|---|---|---|---|---|---|
| a 입음 | b 입음 | c 입음 | d 입음 | e 입음 | f 입음 | g 입음 |
| *a ~ g (맡김) | | | | | | |

ⅱ) 셔츠 세탁에는 일주일이 소요된다. 甲은 매주 월요일 저녁에는 세탁이 다 된 셔츠를 세탁소에서 찾아온다. 이로부터 저녁에 찾아오는 셔츠는 그 전주 월요일 점심에 맡겼던 셔츠임을 알 수 있다. 관련 정보를 정리하면 다음과 같다.

| 월 | 화 | 수 | 목 | 금 | 토 | 일 |
|---|---|---|---|---|---|---|
| a´ 입음 | b´ 입음 | c´ 입음 | d´ 입음 | e´ 입음 | f´ 입음 | g´ 입음 |
| a 입음 | b 입음 | c 입음 | d 입음 | e 입음 | f 입음 | g 입음 |
| *a´ ~ g´ (맡김) | | | | | | |
| *a ~ g (맡김) *a´ ~ g´ (찾음) | | | | | | |

ⅲ) 甲이 월요일 하루 동안 세탁소에 맡기고 찾아오는 셔츠의 벌수는 a´ ~ g´(7벌)과 a ~ g(7벌)을 합하여 총 14벌이다.

제시문에 따르면 매일 아침 甲은 세탁소에서 찾아온 셔츠를 한 벌 꺼내 입는다. 그리고 세탁소에 다녀올 때는 그날 아침에 꺼내 입은 셔츠를 입는다. 이로부터 월요일 아침에 셔츠를 꺼내 입으려면 위의 14벌에 포함되지 않은 여벌의 셔츠가 1벌 이상 필요하다는 점을 알 수 있다. 여벌 셔츠가 1벌 더 있다면, 월요일 아침에 그것을 입은 뒤, 월요일 저녁에 찾은 셔츠를 다음날부터 입을 수 있다. 관련 정보를 정리하면 다음과 같다. (h : 여벌 셔츠)

| 월 | 화 | 수 | 목 | 금 | 토 | 일 |
|---|---|---|---|---|---|---|
| a´ 입음 | b´ 입음 | c´ 입음 | d´ 입음 | e´ 입음 | f´ 입음 | g´ 입음 |
| a 입음 | b 입음 | c 입음 | d 입음 | e 입음 | f 입음 | g 입음 |
| *a´ ~ g´ (맡김) | | | | | | |
| h 입음 | | | | | | |
| *a ~ g (맡김) *a´ ~ g´ (찾음) | | | | | | |

따라서 甲의 셔츠의 최소 벌수는 15벌이다.

# 165

| | |
|---|---|
| 정답 \| ③ | 내용 영역 \| 논리학수학 |
| 난이도 \| ★★☆ | 문항 유형 \| 모형 추리 |

접근 전략
제시문의 기존 식권 총액을 계산하고, 새로운 식권을 배부했을 때 총액이 일치하는 경우를 도출한다.

**제시문 분석 & 해설**

ⅰ) 4,000원 식권 6장과 5,000원 식권 7장의 총액을 구하면 다음과 같다.
$(4000 \times 6) + (5000 \times 7) = 24000 + 35000 = 59000(원)$

ⅱ) 4,500원 식권과 5,500원 식권을 사는 경우를 나누면 다음과 같다.
　ⅱ-1) 4,500원 식권을 최대한 구매하는 경우
　　　이 경우 4,500원 식권 13장을 구매하는 데
　　　$4500 \times (10+3) = 45000 + 13500 = 58500(원)$을 사용하고
　　　500원이 남는다. 기존 식권의 총액과 새로운 식권의 총액은
　　　동일하지 않다.
　ⅱ-2) 5,500원 식권을 최대한 구매하는 경우
　　　이 경우 5,500원 식권 10장을 구매하는 데 $5500 \times 10 =$
　　　$55000(원)$을 사용하고 4,000원이 남는다. 기존 식권의 총액
　　　과 새로운 식권의 총액은 동일하지 않다.
　ⅱ-3) 4,500원 식권과 5,500원 식권을 함께 구매하는 경우
　　　4,500원, 5,500원 식권을 각각 5장씩 구매하는 데
　　　$(4500 + 5500) \times 5 = 10000 \times 5 = 50000$원을 사용하고 9,000
　　　원이 남는다. 이를 4,500원 식권 2장 구매에 사용하면 총
　　　59,000원을 사용하게 된다. 기존 식권의 총액과 새로운 식권
　　　의 총액은 동일하다.
　　　따라서 甲이 받을 새로운 식권의 개수는 12장이다.

# 166

| | |
|---|---|
| 정답 \| ⑤ | 내용 영역 \| 논리학수학 |
| 난이도 \| ★★★ | 문항 유형 \| 모형 추리 |

접근 전략
분기별로 안전평가를 실시한 부서와 그렇지 않은 부서를 구분하여 가능한 경우를 도출한다.

**제시문 분석 & 해설**

ⅰ) 丙과 丁의 진술에 따르면 丙의 부서는 1월에, 丁의 부서는 올해(1월, 4월, 7월) 안전평가를 받지 않았다. 그리고 戊의 진술에 따르면 戊의 부서는 매 분기마다 안전평가를 받았다.

ⅱ) 제시문에 따르면 안전평가 대상은 직전 분기 안전평가에서 보완 등급을 받은 부서이다. 그리고 乙의 진술에 따르면 乙의 부서는 1월 안전평가에서 우수 등급을 받았다. 따라서 乙의 부서는 1월에 안전평가를 받았고, 4월에 안전평가를 받지 않았을 것이다. 이를 표로 정리하면 다음과 같다.

| | 1분기(1월) | 2분기(4월) | 3분기(7월) |
|---|---|---|---|
| 甲 | | | |
| 乙 | ○(우수) | × | |
| 丙 | × | | |
| 丁 | × | × | × |
| 戊 | ○ | ○ | ○ |

ⅲ) 제시문에 따르면 A기업에서는 매 분기 전체 5개 부서 중 3개 이상의 부서를 대상으로 안전평가를 실시한다. 1분기에는 丙의 부서와 丁의 부서가 안전평가를 받지 않으므로 3개 이상의 부서가 안전평가를 받으려면 甲의 부서가 반드시 안전평가를 받아야 한다.

ⅳ) 2분기에는 乙의 부서와 丁의 부서가 안전평가를 받지 않으므로 3개 이상의 부서가 안전평가를 받으려면 甲의 부서와 丙의 부서가 반드시 안전평가를 받아야 한다. 그리고 안전평가 대상은 직전 분기 안전평가에서 보완 등급을 받은 부서이다. 이에 따르면 1, 2분기 연속으로 안전평가를 받는 甲의 부서는 1분기에, 1~3분기 연속으로 안전평가를 받는 戊의 부서는 1, 2분기에 보완 등급을 받았음을 알 수 있다. 이를 표로 정리하면 다음과 같다.

| | 1분기(1월) | 2분기(4월) | 3분기(7월) |
|---|---|---|---|
| 甲 | ○(보완) | ○ | |
| 乙 | ○(우수) | × | |
| 丙 | × | ○ | |
| 丁 | × | × | × |
| 戊 | ○(보완) | ○(보완) | ○ |

ⅴ) 丙은 자신의 부서가 1월에 안전평가를 받지 않았다고 말하므로 2분기(4월), 3분기(7월)에는 안전평가를 받았을 것이다.
그리고 乙과 丁은 2분기 안전평가를 받지 않았는데, 乙이 3분기 안전평가를 받았는지 여부를 기준으로 경우를 나눈다.
　ⅴ-1) 乙이 3분기 안전평가를 받은 경우
　　　이 경우 乙은 2분기 안전평가를 받지 않았는데 3분기 안전평
　　　가를 받았다. 그러므로 이 경우는 2분기에 보완 등급을 받은
　　　부서가 2개 이하인 점으로 인해, 부서를 추가하여 평가한 경우
　　　에 해당한다. 부서 추가는 안전평가를 받은 지 오래된 순서대
　　　로 진행되는데, 이 경우 乙보다 안전평가를 받은 지 더 오래된
　　　丁이 안전평가에 추가되지 않아 제시문의 조건과 충돌한다.

v-2) 乙이 3분기 안전평가를 받지 않은 경우

이 경우 안전평가를 받은 부서는 甲, 丙, 戊이다. 甲의 진술에 따르면 7월, 즉 3분기 안전평가에서 3개 부서가 우수 등급을 받았다. 甲, 丙, 戊 3개 부서가 안전평가를 받았으므로, 우수 등급을 받은 부서는 甲, 丙, 戊이다.

안전평가 대상은 직전 분기 안전평가에서 보완 등급을 받은 부서이므로, 甲, 丙은 2분기 안전평가에서 보완 등급을 받았음을 알 수 있다. 이를 표로 정리하면 다음과 같다.

|  | 1분기(1월) | 2분기(4월) | 3분기(7월) |
|---|---|---|---|
| 甲 | ○(보완) | ○(보완) | ○(우수) |
| 乙 | ○(우수) | × | × |
| 丙 | × | ○(보완) | ○(우수) |
| 丁 | × | × | × |
| 戊 | ○(보완) | ○(보완) | ○(우수) |

따라서 A기업의 1~3분기 안전평가에서 '보완' 등급이 부여된 횟수는 5회이다.

# 167

| 정답 | ② | 내용 영역 | 논리학수학 |
|---|---|---|---|
| 난이도 | ★★☆ | 문항 유형 | 모형 추리 |

접근 전략

제공되는 에스프레소 종류와 컵 용량을 정확히 파악한 후 내용을 파악하여 풀이할 필요가 있다.

제시문 분석 & 해설

甲 : 싱귤러로 만든 카페라떼는 에스프레소 1잔과 물을 1 : 6의 부피 비율로 제조한다고 했으므로 30 ml인 싱귤러와 180 ml인 물을 섞어 제조함을 알 수 있다. 따라서 제공되는 컵은 200 ml 이상의 음료일 때 제공되는 큰 컵이다.

乙 : 아인슈패너는 30 ml인 싱귤러 1잔, 물, 생크림을 1 : 3 : 1의 비율로 제조하므로 총 150 ml임을 알 수 있고, 콘파냐는 60 ml인 도피오와 생크림을 1 : 1.5의 비율로 제조하므로 총 150 ml임을 알 수 있다. 따라서 제공되는 컵은 중간 컵 2개이다.

丙 : 쓴맛이 강한 에스프레소는 40 ml의 룽고이고, 이를 통해 아메리카노를 만들 때 에스프레소와 물의 비율을 1 : 8의 비율로 제조하므로 총 360 ml임을 알 수 있다. 따라서 제공되는 컵은 큰 컵이다.

丁 : 농도가 진한 에스프레소는 20 ml인 리스트레또로 총 20 ml이므로 제공되는 컵은 작은 컵 1개이다.

이에 따라 甲 ~ 丁 일행에게 제공되는 중간 컵의 개수는 2개임을 알 수 있다.

# 168

www.megals.co.kr

| 정답 | ⑤ | 내용 영역 | 논리학수학 |
|---|---|---|---|
| 난이도 | ★★☆ | 문항 유형 | 모형 추리 |

### 접근 전략

압력을 나타내는 단위의 변환 기준을 정확히 파악한 후 문제를 풀이해야 한다.

### 제시문 분석 & 해설

(가) : 240

1 mmHg는 수은 기압계의 수은 기둥 높이가 1 mm일 때의 압력을 의미한다고 하였다. 1 m는 1,000 mm이므로 수은 기둥 높이가 1m일 때의 압력은 1,000 mmHg이다. 따라서 760 mmHg인 1기압과의 차이는 240 mmHg이다.

(나) : 3800

10 m씩 깊어질 때마다 1기압에 해당하는 압력이 증가한다면 수심 40 m에서의 압력은 4기압(= 3,040 mmHg)이 증가한다. 이에 더하여 해수면에서 측정되는 대기 압력인 760 mmHg를 고려하면 총 3,800 mmHg이다.

# 169

| 정답 | ① | 내용 영역 | 논리학수학 |
|---|---|---|---|
| 난이도 | ★★☆ | 문항 유형 | 모형 추리 |

### 접근 전략

물고기별 점수와 〈상황〉을 바탕으로 가능한 경우들을 도출하여 문제를 풀이해야 한다.

### 제시문 분석 & 해설

ㄱ. 옳다. 甲이 A를 잡지 않았다고 가정하면 가장 높은 점수를 받기 위해 B 3마리를 잡은 경우가 가능할지 확인해본다. 이 경우 甲은 60점이 되는데, 乙은 이보다 낮은 50점을 받기 위해 B 1마리, C 3마리를 잡았다고 가정할 수 있다. 하지만 이 경우 丙은 가장 낮은 점수를 받는 C를 5마리 잡더라도 50점이 되어 점수의 합이 서로 다르다고 하는 〈상황〉에 부합하지 않는다. 따라서 甲은 A를 잡았음을 알 수 있다.

ㄴ. 옳지 않다. 乙이 80점으로 2위를 차지했을 때 A 2마리, C 2마리를 잡은 경우도 가능하므로 B를 잡았다고 할 수 없다.

ㄷ. 옳지 않다. 丙이 받을 수 있는 가장 높은 점수는 70점이다. 그런데 A와 B 조합만으로 5마리를 잡아서 70점을 만드는 것은 불가능하므로 C를 잡았음을 알 수 있다.

# 170

| 정답 | ③ | 내용 영역 | 논리학수학 |
|---|---|---|---|
| 난이도 | ★★☆ | 문항 유형 | 모형 추리 |

**접근 전략**

선지에 제시된 조건을 고려하여, 입력된 업무코드로 가능한 경우들을 도출하여 문제를 풀이해야 한다.

**제시문 분석 & 해설**

ㄱ. 옳다. A를 한 번만 입력했다면 '휴폐업신고서 관리' 외에 업무코드로 A가 들어가는 것은 처리하지 않았다는 것을 뜻한다. 주어진 두 업무 외에 '휴폐업신고서 조회', '사업자등록신청서 입력', '신고자내역 조회', '전자계산서 발급 조회' 업무를 처리했는데 이때 업무코드에 들어간 D 개수를 세면 3개이다.

ㄴ. 옳지 않다. '전자계산서 발급 조회'를 처리하면서도 가장 많이 입력한 알파벳이 'B'인 경우를 찾을 수 있다. 글을 통해 확인한 업무와 '전자계산서 발급 조회' 외에 '휴폐업신고서 조회', '사업자등록신청서 입력', '신용카드 이용대금 조회', '전자계산서 발급 조회' 업무를 처리한 경우 'B'가 4번으로 가장 많이 입력된 알파벳임을 알 수 있다.

ㄷ. 옳다. '신고자내역 조회'를 제외하고 일의 자리 숫자가 가장 큰 4건의 업무를 처리하더라도 6개의 업무코드 네 번째 자리의 숫자 총합이 21이 되지 않는다. 따라서 입력한 업무코드 네 번째 자리의 숫자 총합이 21이라면 업무코드 네 번째 자리 숫자가 가장 큰 '신고자내역 조회'를 처리했음을 알 수 있다.

# 171

| 정답 | ③ | 내용 영역 | 논리학수학 |
|---|---|---|---|
| 난이도 | ★★☆ | 문항 유형 | 모형 추리 |

**접근 전략**

제시문과 〈상황〉을 고려하여, 요일별 읽는 쪽수를 계산하며 문제를 풀이해야 한다.

**제시문 분석 & 해설**

월요일부터 금요일까지 각 요일별로 읽은 쪽수를 a, b, c, d, e라 하자. 〈상황〉을 참고하면 $a + 2b + c + d + e = 17$, $c + d = 6$, $a + b + e = 8$이 된다. 이를 조합하면 b가 3임을 알 수 있다. b가 3인 경우 한 주 동안 읽는 쪽수는 14이다. 화요일부터 그 다음 주 월요일까지 읽은 쪽수가 14인데, 이렇게 5주를 읽고 화요일에 책을 읽으면 총 73쪽을 읽은 것이 된다. 수요일에 최소 1쪽은 읽으므로 뛰이 새로 빌려온 책의 마지막 쪽을 읽는 요일은 수요일이 됨을 알 수 있다.

# 172

정답 | ①     내용 영역 | 논리학수학
난이도 | ★★☆     문항 유형 | 모형 추리

제시문과 〈상황〉을 고려하여, 결제한 현금과 불편지수를 계산하며 문제를 풀이해야 한다.

지폐의 불편지수 계수가 3으로 1인 동전보다 크더라도 지폐만큼의 단위를 채우기 위해 동전을 들고 다니면 불편지수가 더 커지기에 甲은 되도록 지폐를 들고 다녔을 것이라 예상할 수 있다. 〈상황〉을 통해 문구점에서 850머니를 결제했을 때 1,000머니를 통해 결제했다고 예상할 수 있고, 거스름돈인 150머니는 불편지수가 최소가 되도록 거스름돈을 받을 때도 적용한다고 했으므로 100머니와 50머니 동전 각각 1개씩 받았을 것이다.

이후 꽃집에서 1,000머니, 편의점에서 800머니를 사용한 후 지폐가 남아 있지 않다고 했는데, 이 경우 문구점 결제 후에는 1,000머니 지폐 2장을 가지고 있었음을 알 수 있다. 문구점 결제 후 거스름돈을 받은 상태에서 불편지수가 9라 했는데, 이때 가지고 있던 화폐로 알 수 있는 것은 1,000머니 지폐 2장과 거스름돈으로 받은 100머니, 50머니이다.

해당 화폐만으로는 불편지수가 8이므로 동전 1개를 더 가지고 있었음을 알 수 있다. 따라서 문구점에 가기 전에는 거스름돈을 받기 전의 상황이므로 동전을 1개만 가지고 있었음을 알 수 있다.

# 173

정답 | ①     내용 영역 | 논리학수학
난이도 | ★★☆     문항 유형 | 모형 추리

제시문과 〈상황〉을 고려하여, 단위 변환 기준에 따라 두 사람이 소비한 물의 단위를 통일하여 계산해야 한다.

(가) : 5

甲이 소비하고 남은 물이 40플루이드온스라 했으므로 해당 단위를 기준으로 단위를 추론해가는 것이 좋다. 5파인트는 80플루이드온스이다. 甲은 80플루이드온스 중 (가) 만큼을 소비해 40플루이드온스가 남았다고 했으므로 40플루이드온스를 소비한 것이고, 8플루이드온스가 1컵이라 했으므로 40플루이드온스는 5컵이 된다.

(나) : 32

甲은 1갤런의 물 중 5파인트만 남겼다고 했다. 1갤런은 128플루이드온스이고 5파인트는 80플루이드온스이므로 乙은 48플루이드온스를 甲에게 받았다. 이 중 1쿼트를 소비했다고 했는데 1쿼트는 32플루이드온스로, 남은 물은 16플루이드온스이다. 1컵은 48티스푼, 16테이블스푼, 8플루이드온스를 뜻한다. 1플루이드온스는 2테이블스푼과 같으므로 16플루이드온스는 32테이블스푼이 된다.

# 174

| 정답 | ④ | 내용 영역 | 논리학수학 |
|---|---|---|---|
| 난이도 | ★★☆ | 문항 유형 | 모형 추리 |

**접근 전략**

제시문에 따라 초원에 간 AI 로봇이 심은 총 나무 수를 먼저 계산하고, 이를 기준으로 사막에 간 AI 로봇이 심은 총 나무 수를 계산한다. 그리고 1의 자리만 먼저 확인하여 9가 나오지 않는 선지들은 제거하는 방법으로 시간을 단축할 수 있다.

**제시문 분석 & 해설**

사막에 간 AI 로봇이 심은 총 나무 수는 초원에 간 AI 로봇이 심은 총 나무 수에 포함된 숫자로만 이루어져 있었다고 한다. 초원에 간 AI 로봇이 심은 총 나무 수는 142,857그루 × 7이며 이는 999,999그루이다. 따라서 9만이 포함되어 있어야 한다. 최소 일수를 구하여야 하므로 선지 ①의 값부터 차례로 대입해보면 17의 경우 37 × 17 = 629로 9가 아닌 숫자가 포함되어 있고, 23 × 37 = 851로 9가 아닌 숫자로 구성되어 있으며, 37 × 25 = 925로 9가 아닌 숫자가 포함되어 있다.

선지 ④의 경우 37 × 27 = 999로 27일이 답이 됨을 알 수 있다.

# 175

| 정답 | ④ | 내용 영역 | 논리학수학 |
|---|---|---|---|
| 난이도 | ★★☆ | 문항 유형 | 모형 추리 |

**접근 전략**

제시문과 〈보기〉의 조건에 따라 가능한 경우를 나누고, 약을 제대로 복용한 날의 수를 확인한다.

**제시문 분석 & 해설**

ㄱ. 옳지 않다. A와 B가 각각 2정씩 남아 있었더라도 1일차에 A 2정, 2일차에 B 2정을 먹고 나머지 날에는 A와 B를 함께 먹은 것과 같이 복용하였다면 甲은 8일 내내 약을 제대로 복용한 것은 아니다.

ㄴ. 옳다. A가 1정, B가 3정 남아있다면 8일 동안 A 9정, B 7정을 복용한 것이다. 약을 제대로 복용하는 날이 하루도 없게 하기 위하여 A만 먹거나 B만 먹는 식으로 배정하더라도 A와 B가 각각 1정씩 남게 되어 적어도 하루는 약을 제대로 복용하는 날이 있다.

ㄷ. 옳다. A만 4정이 남아 있었다면 8일 동안 A 6정, B 9정을 복용한 것이다. 약을 제대로 복용한 날을 5일로 하기 위해 배정하면 A는 1정, B는 4정이 남는다. 따라서 적어도 하루는 약을 제대로 먹는 날이 더 생기므로 A만 4정 남았다면 8일 중 약을 제대로 복용한 날이 5일이 될 수 없다.

# 176

정답 | ③  　　내용 영역 | 논리학수학
난이도 | ★★☆  　　문항 유형 | 모형 추리

접근 전략
제시문과 〈상황〉에 따라 각 과녁의 내구성 값을 계산한다.

제시문 분석 & 해설

乙을 기준으로 B와 E의 내구성을 두 개의 경우를 나눠 생각할 수 있다.

ⅰ) B = 1, E = 2

　　이 경우 甲의 과녁 3개가 관통하기 위해서는 A + C가 7 이하이여야 한다. 1부터 5까지의 정수 중 남은 3, 4, 5 의 조합으로 이를 만족시킬 수 있으려면 D가 5가 되어야 한다. 또한 D가 5인 경우 丙의 과녁 2개를 관통할 수 있다. 따라서 A와 C의 내구성을 더하면 7이 된다.

ⅱ) B = 2, E = 1

　　이 경우는 D가 가장 큰 수인 5가 되더라도 A + 2 + C는 8보다 크기 때문에 甲의 과녁 3개를 관통할 수 없다. 따라서 해당 경우는 성립할 수 없다.

# 177

정답 | ①  　　내용 영역 | 논리학수학
난이도 | ★★☆  　　문항 유형 | 모형 추리

접근 전략
제시문의 조건에 따라 △△산악회가 선택하지 않을 산을 소거하며 문제를 풀이한다.

제시문 분석 & 해설

△△산악회가 산을 선택함에 있어 체력소모도 점수와 위험도 점수의 합이 7을 초과하면 선택하지 않는다고 했으므로 B는 제외된다. 나머지 산의 최종점수를 계산하면 다음과 같다.

A : 2 × (3 + 4) − (3.5 + 3) = 7.5
C : 2 × (1.5 + 2) − (2 + 3) = 2
D : 2 × (2.5 + 4) − (3.5 + 2) = 7.5
E : 2 × (3 + 3) − (2 + 4) = 6

A와 D의 최종점수가 동일하므로 접근성과 경관, 위험도 순서로 점수를 비교하면 접근성은 동일하고 경관은 A에 대한 선호도가 더 높으므로 △△산악회가 선택할 산은 A가 된다.

# 178

| 정답 | ① | 내용 영역 | 논리학수학 |
| 난이도 | ★★☆ | 문항 유형 | 모형 추리 |

**접근 전략**

제시문과 〈상황〉에 따라 불합격자를 소거하며 문제를 풀이한다.

**제시문 분석 & 해설**

실무평가에서 하나라도 60점 이하인 경우에는 선발 대상에서 제외하므로 C가 제외된다. 나머지 후보자 중 후보자별로 가장 낮은 평가 점수를 제외하고 나머지 심사위원 2인의 점수 합이 높은 3명을 뽑으면 170점인 E, 165점인 D, 155점인 A이다. 이후 최종 합격자 1명은 각 심사위원들이 실무평가와 면접평가 점수를 모두 합산한 최종 점수가 가장 높은 1명을 선발한다.

| 구분 | 실무평가 합산 | 면접평가 합산 | 최종 점수 |
|---|---|---|---|
| A | 225 | 245 | 470 |
| D | 230 | 240 | 470 |
| E | 245 | 220 | 465 |

A와 D의 최종 점수가 동일하므로 면접평가 점수 합계가 높은 후보자인 A가 최종 합격자로 선발된다.

# 179

| 정답 | ③ | 내용 영역 | 논리학수학 |
| 난이도 | ★★★ | 문항 유형 | 모형 추리 |

**접근 전략**

甲이 아들을 낳은 때의 나이를 계산하고, 각 선지를 제시문의 경우에 대입하며 충돌하는 부분이 없는지 확인한다.

**제시문 분석 & 해설**

乙이 21세가 되는 날, 乙의 나이보다 30세가 더 많아 보이는 甲과 결혼했다고 했으므로 甲은 당시 51세의 나이로 보였음을 알 수 있다. 이때 甲의 실제 나이는 24세이고, 결혼한 지 1년이 되는 날에 아이를 낳았다고 했으므로 당시 실제 나이는 25세, 보이는 나이는 50세이다.

甲의 얼굴이 아들과 동일한 나이로 보이게 되는 날은 실제 나이 50세, 보이는 나이 25세가 되는 해이다. 이때 乙이 사망하였다고 했으므로 甲의 나이는 50세임을 알 수 있다.

# 180

정답 | ④  내용 영역 | 논리학수학
난이도 | ★★★  문항 유형 | 모형 추리

셔틀콕의 개수의 합으로 가능한 경우를 나누어 계산한다.

제시문 분석 & 해설

甲이 하루에 가져오는 셔틀콕 개수를 x라 하면 丙이 하루에 가져오는 셔틀콕 개수는 5x이다. 丁이 하루에 가져오는 셔틀콕 개수를 y라 하면 주어진 글을 통해 15x-2y=3임을 알 수 있다. y를 x로 표현하면 $y = \dfrac{15x-3}{2}$ 가 된다.

하루에 가져오는 셔틀콕 개수의 총합이 24임을 고려하여 x를 예측해볼 수 있다. x가 짝수라면 丁이 가져오는 셔틀콕 개수가 자연수가 아니므로 x는 짝수가 될 수 없고, x가 3이 되면 甲, 丙, 丁이 하루에 가져오는 셔틀콕 개수만 하더라도 24개를 초과한다. 따라서 x는 1이 됨을 알 수 있다.

이로부터 甲이 하루에 가져오는 셔틀콕 개수가 1개, 丙은 5개, 丁은 6개임을 알 수 있다. 남은 셔틀콕은 12개이며, 乙이 하루에 가져오는 셔틀콕 개수가 戊보다 더 많다는 점, 두 수를 곱하면 홀수라는 점을 고려할 수 있는 경우의 수를 (乙이 하루에 가져오는 셔틀콕 개수, 戊가 하루에 가져오는 셔틀콕 개수)로 표현하면 (1, 11), (3, 9), (5, 7)이다.

(1, 11)과 (5, 7)은 각자에게 지정된 개수가 5명이 서로 다르다는 조건에 부합하지 않으므로 (3, 9)가 됨을 알 수 있다. 따라서 甲과 戊가 하루에 가져오는 셔틀콕 개수의 차는 8이다.

# 181

정답 | ④  내용 영역 | 논리학수학
난이도 | ★★★  문항 유형 | 모형 추리

개미가 모자라거나 남는 먹이 없이 겨울을 무사히 보낼 수 있었다는 점에 주목하여, 홍수가 난 날로 가능한 경우를 나누어 계산한다.

제시문 분석 & 해설

모자라거나 남는 먹이 없이 겨울을 무사히 보내기 위해서는 비축한 먹이 중 홍수에 휩쓸려 사라지고 남은 먹이가 나누어 떨어져야 한다. 180일째부터 220일째까지 각 10일 단위로 해당 일까지 비축한 양은 720, 760, 800, 840, 880인데 이 중 $\dfrac{1}{3}$ 에 해당하는 양이 나누어떨어지는 경우는 720과 840이다.

i) 180일 째 홍수가 난 경우
홍수에 휩쓸려 사라지고 남은 양은 240 g, 남은 95일 동안 비축되는 양은 380 g이다. 90일 동안 6 g씩 먹기 위해서는 540 g이 필요하므로 비축된 620 g 먹이가 남게 되어 180일 째는 홍수가 난 날이 아니다.

ii) 210일 째 홍수가 난 경우
홍수에 휩쓸려 사라지고 남은 양은 280 g, 남은 65일 동안 비축되는 양은 260 g이다. 90일 동안 6 g씩 먹기 위해서는 540 g이 필요하고 비축된 양도 540 g이므로 210일 째가 홍수가 난 날이다.

# 182

| 정답 | ① | 내용 영역 | 논리학수학 |
|---|---|---|---|
| 난이도 | ★★★ | 문항 유형 | 모형 추리 |

### 접근 전략
팀의 숙련자 대 비숙련자 비율을 충족하는 인원으로 가능한 경우를 나누어 계산한다.

### 제시문 분석 & 해설
각 팀별 이동 후 각 팀의 남성 대 여성, 숙련자 대 비숙련자의 비가 모두 1 : 1이 된다는 것을 통해 전체 인원이 3의 배수임을 알 수 있다. 따라서 ①과 ④만을 고려하면 된다.
i) 전체 인원이 18명인 경우
  최종적으로 각 팀이 6명으로 구성된 상태임을 알 수 있다. 이때 맨 처음 상태로 되돌리기 위해 C팀으로 보낸 A팀의 남성 숙련자 1명, A팀으로 보낸 B팀의 남성 비숙련자 1명, B팀으로 보낸 C팀의 여성 비숙련자 1명을 원래의 팀으로 돌려보낸 후 구성비를 비교해보면 초기 상태를 충족함을 알 수 있다.
ii) 전체 인원이 24명인 경우
  최종적으로 각 팀이 8명으로 구성된 상태임을 알 수 있다. 이때 맨 처음 상태로 되돌리기 위해 B팀 남성의 경우 5명, 여성의 경우 3명이 되어 2 : 1을 충족하지 않음을 알 수 있다.

# 183

| 정답 | ② | 내용 영역 | 논리학수학 |
|---|---|---|---|
| 난이도 | ★★★ | 문항 유형 | 모형 추리 |

### 접근 전략
발문에 있는 조건과 함께 의원 분류에 따라 기호를 설정하여 풀이한다.

### 제시문 분석 & 해설
두 번째 조건에 따라, 남성 의원 수는 $300 \times 0.8 = 240$명, 여성 의원 수는 $300 \times 0.2 = 60$명이다. 세 번째 조건에 따라 초선 여성 의원 수는 30명, 재선 여성 의원 수는 15명, 3선 이상 여성 의원 수는 15명이다.

| | | 지역구 | 비례 | 계 |
|---|---|---|---|---|
| 남성 | 초선 | | | |
| | 재선 | | | |
| | 3선 이상 | | | |
| | 소계 | | | 240 |
| 여성 | 초선 | | | 30 |
| | 재선 | | | 15 |
| | 3선 이상 | | | 15 |
| | 소계 | | | 60 |
| 계 | | 254 | 46 | 300 |

비례대표 의원 수는 46명이고, 네 번째 조건에 따라 남성 비례대표 의원 수를 x명이라 하면 여성 비례대표 의원 수는 (x + 2)명이다. $x + (x + 2) = 46$이므로 $x = 22$이다. 따라서 남성 비례대표 의원 수는 22명, 여성 비례대표 의원 수는 24명이다. 전체 남성 의원의 수는 240명이므로, 지역구 남성 의원 수는 $240 - 22 = 218$명이다. 전체 여성 의원의 수는 60명이므로, 지역구 여성 의원 수는 $60 - 24 = 36$명이다.

| | | 지역구 | 비례 | 계 |
|---|---|---|---|---|
| 남성 | 초선 | | | |
| | 재선 | | | |
| | 3선 이상 | | | |
| | 소계 | 218 | 22 | 240 |
| 여성 | 초선 | | | 30 |
| | 재선 | | | 15 |
| | 3선 이상 | | | 15 |
| | 소계 | 36 | 24 | 60 |
| 계 | | 254 | 46 | 300 |

여섯 번째 조건에 따라 3선 이상 남성 의원 수는 74명이므로, 지역구 의원 중 초선 남성 의원 수와 재선 남성 의원 수를 합하면 $218 - 74 = 144$명이다. 그리고 일곱 번째 조건에 따라 남성 지역구 의원 중 초선 의원 수는 재선 의원 수보다 25% 많다. 남성 지역구 재선 의원 수를 y라 하면, 남성 지역구 초선 의원 수는 1.25y이므로, $1.25y + y = 144$이다. $2.25y = 144$, $y = 64$이므로 남성 지역구 재선 의원 수는 64명, 남성 지역구 초선 의원 수는 80명이다.

| | | 지역구 | 비례 | 계 |
|---|---|---|---|---|
| 남성 | 초선 | 80 | | |
| | 재선 | 64 | | |
| | 3선 이상 | 74 | | |
| | 소계 | 218 | 22 | 240 |
| 여성 | 초선 | | | 30 |
| | 재선 | | | 15 |
| | 3선 이상 | | | 15 |
| | 소계 | 36 | 24 | 60 |
| 계 | | 254 | 46 | 300 |

그리고 일곱 번째 조건에 따라 남성 지역구 의원 중 초선 의원 수는 전체 의원 중 재선 의원 수와 같다. 따라서 전체 재선 의원 수는 80명이다. 남성 지역구 재선 의원 수는 64명이고 여성 재선 의원 수는 15명이므로, 남성 비례대표 재선 의원 수는 80 - 64 - 15 = 1명이다. 남성 비례대표 의원 수는 22명이고 남성 비례대표 3선 이상 의원 수는 0명이므로, 남성 비례대표 초선 의원 수는 21명이다.

|  |  | 지역구 | 비례 | 계 |
|---|---|---|---|---|
| 남성 | 초선 | 80 | 21 | 101 |
|  | 재선 | 64 | 1 | 65 |
|  | 3선 이상 | 74 | 0 | 74 |
|  | 소계 | 218 | 22 | 240 |
| 여성 | 초선 |  |  | 30 |
|  | 재선 |  |  | 15 |
|  | 3선 이상 |  |  | 15 |
|  | 소계 | 36 | 24 | 60 |
| 계 |  | 254 | 46 | 300 |

다섯 번째 조건에 따라 남성 비례대표 의원 중 초선 의원 수는 여성 비례대표 의원 중 초선 의원 수와 같으므로, 여성 비례대표 초선 의원 수는 21명이다. 따라서 여성 지역구 초선 의원 수는 9명이다. 여섯 번째 조건에 따라 3선 이상 의원은 모두 지역구 의원이므로, 3선 이상 여성 비례대표 의원은 0명이다. 이에 따라 빈칸을 채우면 다음과 같다.

|  |  | 지역구 | 비례 | 계 |
|---|---|---|---|---|
| 남성 | 초선 | 80 | 21 | 101 |
|  | 재선 | 64 | 1 | 80 |
|  | 3선 이상 | 74 | 0 | 74 |
|  | 소계 | 218 | 22 | 240 |
| 여성 | 초선 | 9 | 21 | 30 |
|  | 재선 | 12 | 3 | 15 |
|  | 3선 이상 | 15 | 0 | 15 |
|  | 소계 | 36 | 24 | 60 |
| 계 |  | 254 | 46 | 300 |

ㄱ. 옳다. 초선 의원 수는 101 + 30 = 131명이고, 3선 이상 의원 수는 74 + 15 = 89명이다. 따라서 초선 의원 수는 3선 이상 의원 수보다 42명 많다.

ㄴ. 옳지 않다. 여성 지역구 의원 중 재선 의원 수는 12명이고, 남성 비례대표 의원 중 초선 의원 수는 21명이다. 21 × 0.6 = 12.6이므로, 여성 지역구 의원 중 재선 의원 수는 남성 비례대표 의원 중 초선 의원 수의 60% 미만이다.

ㄷ. 옳지 않다 여성 지역구 의원 중 3선 이상 이원 수는 15명이고, 여성 비례대표 의원 중 재선 의원 수는 3명이다. 따라서 여성 지역구 의원 중 3선 이상 의원 수와 여성 비례대표 의원 중 재선 의원 수의 차이는 12명이다.

ㄹ. 옳다. 지역구 의원 중 남성 의원 수는 218명이고, 지역구 의원 중 여성 의원 수는 36명이다. 36 × 6 = 216이므로, 지역구 의원 중 남성 의원 수는 지역구 의원 중 여성 의원 수의 6배 이상이다.

# 184

| 정답 | ② | 내용 영역 | 논리학수학 |
|---|---|---|---|
| 난이도 | ★★★ | 문항 유형 | 모형 추리 |

**접근 전략**

공정별, 재료 단위별 작업 시간이 주어지고 제시문에 주어진 전체 공정의 소요 시간을 구하는 문제이다. 공정이 여러 단계로 나누어져 있을 경우 하나의 공정이 끝나려면 어느 정도의 시간이 소요되는지 각각 계산할 필요가 있다.

**제시문 분석 & 해설**

〈팔만대장경 제작에 필요한 재료의 개수〉
ㅇ 필요한 경판의 수는 8만 장이고 원목 1개로 경판 100장을 만들 수 있으므로 원목은 800개가 필요하다.
ㅇ 총 글자 수 5천만 자이므로 필사 5천만 자, 판각 5천만 자가 필요하다.

〈1년 동안 제작 가능한 개수〉
ㅇ 원목 채집 : 1인 10개 × 10명 = 100개
ㅇ 경판 제작 : 1인 100장 × 100명 = 1만 장
ㅇ 필사 : 1인 25만자 × 40명 = 1,000만 자
ㅇ 판각 : 1인 1만자 × 500명 = 5만 자

〈경판과 판각의 제작 시작 년도〉
ㅇ 경판 제작의 경우 갯벌에서 꺼낸 원목으로 경판을 제작한다. 원목은 채집된 다음 해부터 3년간 갯벌에 묻어 두어야 하므로 경판제작 작업은 원목 채집된 해부터 총 4년이 지난 5년째부터 시작된다.
ㅇ 판각은 경판 1만 장이 제작된 후 시작한다. 경판 1만 장을 제작하는 데는 1년이 걸린다. 따라서 판각은 6년째부터 시작된다.

이를 표로 정리하면 다음과 같다.

|  | 필요한 수 | 1년 동안 제작 가능한 수 | 필요한 연수 | 작업 년도 |
|---|---|---|---|---|
| 원목채집 | 800개 | 100개 | 8년 | 1년째~8년째 |
| 경판제작 | 8만 장 | 1만 장 | 8년 | 5년째~12년째 |
| 필사 | 5천 만 | 1,000만 자 | 5년 | 6년째~10년째 |
| 판각 | 5천 만 | 5만 자 | 10년 | 6년째~15년째 |

따라서 팔만대장경을 제작하는 경우 소요되는 최단 기간은 15년이므로 정답은 ②이다.

# 185

| 정답 | ⑤ | 내용 영역 | 논리학수학 |
|---|---|---|---|
| 난이도 | ★★★ | 문항 유형 | 모형 추리 |

**접근 전략**

하루에 가능한 트래킹의 최대시간을 고려하여 일별 소요 일정을 정리하여 풀이해야 한다. 이때 반드시 안나푸르나 베이스캠프에서 숙박할 필요는 없다는 점에 유의해야 한다.

**제시문 분석 & 해설**

| 소요 일정 | 트래킹 구간 | 소요 시간 |
|---|---|---|
| 1일차 | 나야풀 → 김체(혹은 사울리바자르) | 5시간(또는 3시간) |
| 2일차 | 김체(혹은 사울리바자르) → 콤롱 | 4시간(또는 6시간) |
| 3일차 | 콤롱 → 뱀부(혹은 시누와) | 6시간(또는 5시간) |
| 4일차 | 뱀부(혹은 시누와) → 히말라야 | 5시간(또는 6시간) |
| 5일차 | 히말라야 → 데우랄리 | 2시간 |
| 6일차 | 데우랄리 → 데우랄리 | 6시간 |
| 7일차 | 데우랄리 → 촘롱 | 5시간 |
| 8일차 | 촘롱 → 나야풀 | 6시간 |

① 옳지 않다. 1일차에는 김체 혹은 사울리바자르에서 숙박을 한다. 간드룩에서 숙박을 하게 되면 7시간의 트래킹을 해야 하므로 트래킹 최대시간 6시간에 위배된다.

② 옳지 않다. 6일차에 데우랄리에서 시작하여 안나푸르나 베이스캠프에 도달한 다음 하산하여 데우랄리로 돌아오면 6시간이 걸리며, 전날 숙박한 데우랄리에서 다시 숙박하게 되므로 수면고도도 문제되지 않는다.

③ 옳지 않다. 5일차에는 데우랄리에서 숙박하며, 안나푸르나 베이스캠프까지는 아직 도달하지 못하였다.

④ 옳지 않다. 하루 6시간을 걷는 경우는 일정에 따라 1일차에 김체에서 숙박 시 3번이 되며, 사울리바자르에서 숙박 시 4번이 된다.

⑤ 옳다. 트래킹은 나야풀에서 시작하여 다시 돌아오기까지 8일이 소요된다.

# 186

정답 | ③　　　　내용 영역 | 사회
난이도 | ★☆☆　　문항 유형 | 논증 분석

**접근 전략**

각 발언의 주장 근거와 연결된 검증 자료를 찾는 것이 핵심이다. 을의 매뉴얼 도입 효과는 B시의 스트레스 감소 자료, 병의 종결권 제도 효과는 A시와 C시 직원 만족도 차이, 정의 캠코더 정책 효과는 D시의 욕설·폭언 감소 자료로 확인해야 한다.

**제시문 분석 & 해설**

A시 행정복지센터에서 악성 민원으로 인한 직원 피해가 발생하자, 대응 방안을 논의했다. 을은 대응 매뉴얼 도입, 병은 종결권 제도 도입, 정은 캠코더 고지 정책을 제안했고, 갑은 각 방안의 효과 검증 자료 조사를 지시했다.

ㄱ. 적절하다. 을의 주장은 B시 사례를 근거로 매뉴얼 도입이 스트레스 감소에 효과가 있다고 본 것이다. 따라서 이 주장의 타당성을 검증하려면 실제로 도입 전후 스트레스가 얼마나 줄었는지를 보여 주는 자료가 필요하다.

ㄴ. 적절하지 않다. 병은 종결권 제도가 직원 만족도를 높였다고 주장했지만, C시는 아직 제도를 도입 중인 단계라 실제 만족도 차이를 확인할 수 없다.

ㄷ. 적절하다. 정의 주장은 정책 도입이 민원인의 욕설과 폭언이 줄었다는 것이므로, 정책 시행 전후의 변화를 보여주는 자료는 적절하다.

# 187

정답 | ①　　　　내용 영역 | 인문
난이도 | ★☆☆　　문항 유형 | 논증 분석

**접근 전략**

제시문이 어떤 주장을 뒷받침할 수 있는지를 묻는 문제이다. 사례 분석을 통해 의과 대학 학생이 X-선 사진의 판독이 불가능했던 때와 판독이 가능했던 때에 어떤 차이가 있었는지를 파악함으로써 이 글의 주장을 찾을 수 있다.

**제시문 분석 & 해설**

| 주장 | [빈칸] |
|---|---|
| 사례 | X-선 사진을 통해 폐질환 진단법을 배우고 있는 의과 대학 학생의 첫 강의 때와 몇 주 후 강의 때의 X-선 사진에 대한 이해도의 변화 |

(1) 첫 강의 : X-선에 대한 전문의의 설명을 이해하지 못하고, X-선 사진을 판독할 수 없음

(2) 몇 주 후의 강의 : X-선에 대한 전문의의 설명을 이해할 수 있게 되었으며 사진의 명확한 의미를 해석할 수 있게 됨

⇨ (1)에서 (2)로의 변화 과정을 거치는 동안, 의과 대학 학생은 X-선을 판독하는 데 필요한 이론을 배우고 그 이론을 실습하는 시간을 가질 수 있었다.

① 적절하다. 의과 대학 학생은 (1)의 시기와는 달리 이론과 실습을 통해 배경지식을 습득하게 된 (2)의 시기에는 X-선 사진의 의미를 해석할 수 있게 되었다. 이론 학습 및 실습을 통해 의과대학 학생의 배경지식이 풍부해졌고 이것이 X-선 관찰에 영향을 주었다고 볼 수 있으므로 ①은 제시문의 주장이 될 수 있다.

② 적절하지 않다. 의과 대학 학생이 (1)에서 X-선에 대한 전문의의 설명을 이해하지 못했던 것은 X-선 사진이 나타내는 음영이 무엇을 나타내는지 몰랐기 때문이지 사진을 잘못 판독했기 때문이 아니다. 즉 관찰에 오류가 있을 수 있다는 진술은 제시문의 주장이 될 수 없다.

③ 적절하지 않다. 과학 장비의 도움으로 관찰 가능한 영역이 확대되었다는 진술이 제시문의 주장이 되려면 (1)과 달리 (2)에서 장비의 성능이 높아졌다거나 추가적인 장비의 도움이 있었다는 언급이 있어야 한다. 하지만 이러한 언급은 제시문 어디에도 나타나 있지 않으므로 제시문의 주장이 될 수 없다.

④ 적절하지 않다. X-선 사진을 읽을 수 있게 된 것은 시각에 맺혀진 상에 대한 해석이 달라졌기 때문이지 시각에 맺혀지는 상이 달라졌기 때문이 아니다.

⑤ 적절하지 않다. X-선 사진 판독이 과학데이터 해석의 일반적인 원리에 따른다고 하더라도 주어진 사례처럼 이론과 실습하는 시간을 가지지 못했다면 X-선 사진 판독에 여전히 어려움을 겪었을 수 있다. 따라서 ⑤의 진술은 이 제시문의 주장이 될 수 없다.

# 188

| 정답 | ① | 내용 영역 | 과학기술 |
| 난이도 | ★☆☆ | 문항 유형 | 논증 분석 |

### 접근 전략

이 문제의 경우 선지 ①과 ②는 둘의 공통점을 판단하는 것이고 나머지 선지는 둘의 차이점을 판단하게 한다. 따라서 '가'와 '나'에서 제시하는 과학적 탐구 방식의 공통점과 차이점을 분석하는 작업이 필요하다.

### 제시문 분석 & 해설

가. 과학자는 빛에 대한 어떤 이론을 가정한 후 이와 관련한 일반적 사실을 고려할 때 어떠한 현상(결론)이 관측되어야 하는지를 논리적으로 따져보고 있다.

| 전제 | 빛은 정적인 에테르를 매질로 하는 파동이다. (가정)<br>지구는 태양을 중심으로 시속 106,000km로 움직인다. (일반적 사실)<br>파동이 정적인 매질을 운동할 때의 원칙 (일반적 사실) |
| 결론 | 따라서 지구의 운동과 평행 방향으로 광속을 측정할 때와 수직 방향으로 광속을 측정할 때 다른 값이 나타나야 한다. |

다음으로 '빛은 정적인 에테르를 매질로 하는 파동이다.'라는 p 이론이 참이라고 가정했을 때 발생할 수 있는 결과를 예측하고 이 예측한 결과를 실제 실험 결과를 통해 검증함으로써 이론을 검토하고 있다.

| 전제1 | '빛은 정적인 에테르를 매질로 하는 파동이다.(p)' → '지구의 운동과 평행한 방향으로 측정했을 때와 수직 방향으로 측정했을 때 광속의 값은 다르다.(q)' |
| 전제2 | '지구의 운동과 평행한 방향으로 측정했을 때와 수직 방향으로 측정했을 때 광속의 값은 같다.(~q)' |
| 결론 | '빛은 정적인 에테르를 매질로 하는 파동이 아니다(~p)' |

나. 폴링의 탐구 방법은 X선 사진을 보면서 복잡한 고등 수학을 사용하는 것이 아니라, 한 원자의 바로 이웃에 어떤 원자가 자리 잡을 가능성이 가장 큰지를 분자 모형을 가지고 생각하는 방식이다. 이는 주로 논리적인 추론에 의해서만 검증한 가의 방식에 대비되는 방법이다.

① 옳지 않다. '가'에서는 빛과 관련하여 어떤 현상이 관측되어야 하는지, 빛에 대한 과학자의 가정이 옳은지 등을 판단하는 데 있어 일반적인 사실들을 토대로 논리적으로 따지는 연역 추론의 방법이 활용되고 있다. 하지만 '나'에서는 폴리펩티드 사슬이 어떤 구조인지를 밝히는 데 있어서 수학적 계산과 같은 논리적, 연역적 추론을 활용하지 않는다.

② 옳다. '가'는 태양을 중심으로 도는 지구 공전의 속도나 파동의 일반적 성질 등과 같이 이미 알려진 것을 토대로 하여 아직 밝혀지지 않은 빛의 속성을 탐구하고 있다. '나' 역시 이미 알려진 수소 화학의 법칙과 상식 등을 동원하여 아직 밝혀지지 않은 폴리펩티드 사슬의 구조를 탐구하고 있다.

③ 옳다. '가'와 '나' 모두 에테르와 $\alpha$ 나선 등 직접 관찰이 불가능한 대상의 존재를 가정하고 있다.

④ 옳다. '가'는 '빛이 정적인 에테르를 매질로 하는 파동'이라는 이미 제안된 이론이 검토되는 과정을 서술하고 있는 반면, '나'는 크릭이 DNA의 구조를 밝히기 위한 탐구 과정을 서술하고 있다.

⑤ 옳다. '가'는 마이컬슨과 몰리의 실험 결과에 의해 '빛이 정적인 에테르를 매질로 하는 파동'이라는 이론이 수정되어야 했다는 사실을 보여준다. '나'는 $\alpha$ 나선의 발견이 복잡한 고등 수학에 의한 결론이 아니라 상식적 차원에서 '한 원자의 바로 이웃에 어떤 원자가 자리 잡을 가능성이 가장 큰지를 생각'한 결론임을 보여준다.

# 189

| 정답 | ④ | 내용 영역 | 인문 |
| 난이도 | ★★☆ | 문항 유형 | 논증 분석 |

### 접근 전략

왓슨의 추론에 박수를 보낼 수 없는 이유를 고르는 문제이다. 이때 왓슨의 추론과정을 기술한 5문단의 내용을 가지고 선지를 골라서는 안 되며 글의 전체적인 맥락, 즉 글쓴이가 왜 왓슨의 사례를 제시하였는지 그 의도를 파악해야 한다.

### 제시문 분석 & 해설

1~3문단에서는 어떤 응시자가 문제를 제대로 알고 있음을 확인하려면 다음 두 조건을 확인할 필요가 있다는 점이 제기된다.

1) 문제에 관해 올바른 정보를 가지고 있다.
2) 문제에 관해 정답을 제시한다.

그런데 4문단에서는 위 두 조건이 올바른 추론 능력을 가지고 있다고 할 필요충분조건이 될 수 있는가에 대해서 의문을 제기하고, 5문단에서 왓슨의 사례가 등장한다.

이상의 정보와 함께 5문단의 내용을 함께 고려하면 글쓴이가 왓슨의 사례를 제시한 것은 위 두 조건이 올바른 추론 능력의 필요충분조건이 될 수 없다는 점을 말하려는 것임을 알 수 있다. 따라서 이를 고려하여 선지를 찾아야 한다.

① 적절하지 않다. 이름에 모음의 수가 가장 적다는 이유로 용의자를 범인으로 지목하였으므로 왓슨의 추론은 타당한 개인적 경험을 토대로 한 것이라 볼 수 없다.

② 적절하지 않다. 왓슨이 추론의 방법을 알고 있었는지에 대해 알 수 없으며, 요행을 우선시했는지도 알 수 없다.

③ 적절하지 않다. 왓슨은 범인을 제대로 지목했으므로 빈칸에 들어갈 내용으로 적절하지 않다.

④ 적절하다. 왓슨은 올바른 추론에 필요한 정보를 가지고 있었지만, 그 정보와 무관한 이유로 범인을 지목했다.

⑤ 적절하지 않다. 왓슨은 올바른 결론을 내리는 데 필요한 모든 정보를 갖고 있었으며, 정보 내용과는 무관한 이유로 범인을 지목했으므로 올바른 추론에 필요한 논리적 능력을 갖추고 있다고 볼 수도 없다.

# 190

| 정답 | ④ | 내용 영역 | 과학기술 |
| 난이도 | ★★☆ | 문항 유형 | 논증 분석 |

**접근 전략**

우주의 기원과 구조에 대한 두 개의 견해를 비교·분석하여 각 견해의 내용이 아닌 진술을 고르는 문제이다. 대부분의 선지의 경우, 제시문의 정보를 단순 비교·분석함으로써 그 진위 여부를 판단할 수 있지만, 우주 물질의 총 질량과 같이 아주 낮은 수준의 추론을 요구하는 문항도 있다. 이 경우 각 진영이 제시하는 정보 간의 관계를 고려하여 추론한다면 어렵지 않게 문제 해결에 이를 수 있다.

**제시문 분석 & 해설**

A와 B는 우리 은하와 멀리 떨어져 있는 은하들이 우리 은하로부터 점점 더 멀어지고 있는 사실을 두고 우주의 기원과 구조에 대해 다음과 같은 견해차를 보인다.

| A | B |
|---|---|
| · 우주는 항상성을 유지<br>· 은하와 은하 사이에 새로운 은하들이 형성<br>· 우주 전체의 평균 밀도가 일정하게 유지<br>· 우주가 작은 점에서 시작되어 대폭발에 의해 발생되었다는 주장은 거짓임<br>· 우주는 시간적으로 무한히 오래되었음 | · 우주는 항상성을 유지하지 않음<br>· 은하와 은하 사이에 새로운 은하들이 형성되지 않음<br>· 우주 평균 밀도는 계속 낮아짐<br>· 우주는 작은 점에서 시작되어 대폭발에 의해 발생 |

① 옳다. A는 우주가 팽창하지만 은하와 은하 사이에 새로운 은하들이 형성하여 밀도는 일정하게 유지하고 있다고 보고 있다. 즉 물질의 총 질량은 지속적으로 증가할 것이다.

② 옳다. B는 우주는 한 점에서 시작되었다고 보고 있으므로 우주의 시작이 있다고 볼 것이다. 반면 A는 우주가 시간적으로 무한히 오래되었다고 보고 있으므로 우주의 시작이 없다고 볼 것이다.

③ 옳다. A는 우주가 팽창하면서 새로운 은하가 생겨나므로 국소적인 변화는 있다고 보고 있지만 전체적으로 항상성이 유지되므로 전체적으로는 변화가 없다고 본다.

④ 옳지 않다. B는 우주가 팽창하여 인접한 은하들 사이의 평균 거리가 멀어진다고 본다. 하지만 A는 우주가 팽창하고 있더라도 그 사이에 새로운 은하가 생성되어 전체적으로 항상성을 유지하므로 은하들 사이의 거리에는 변화가 없다고 본다.

⑤ 옳다. (나)는 영희와 철수의 행위에 본질적인 차이가 없다고 보아 철수도 영희와 마찬가지로 믿음 A를 갖고 있다고 보고 있다. 즉 영희와 철수의 행위에서 본질적인 차이가 있다고 한다면 철수도 영희와 마찬가지로 믿음 A를 가지고 있다는 (나)는 약화될 것이다.

# 191

| 정답 | ④ | 내용 영역 | 인문 |
| 난이도 | ★☆☆ | 문항 유형 | 논증 분석 |

**접근 전략**

제시된 논증과 같은 형식의 논증을 찾는 문제로, 각 논증을 간단한 기호로 표현함으로써 논증의 형식을 파악할 수 있다.

**제시문 분석 & 해설**

을은 '이기주의적 태도는 사회 전체에 기여할 수 있다'는 상대방의 주장을 참이라 가정하였을 때 이와 모순되는 결과를 얻을 수 있음을 보여줌으로써 '이기주의적 태도는 사회 전체에 기여할 수 있다'는 상대방의 주장을 반박하고 있다. 즉, 을은 갑의 주장 p를 참이라 가정하면 q라는 현상이 나타나야 하지만 실제로는 ~q가 나타남을 보임으로써 갑의 주장 p를 반박하는 것이다.

① 같은 형식의 논증이 아니다. 'p → (q ∨ r), ~p / ∴ ~r'의 형태로 전건 부정의 오류를 취하고 있는 논증이다.

② 같은 형식의 논증이 아니다. 'p → q, p / ∴ q'의 형태로 전건 긍정의 논증 방식을 취하고 있다.

③ 같은 형식의 논증이 아니다. '(p ∨ q) → r, ~r → ~(p ∨ q)'의 형태로 두 진술은 대우관계에 있다.

④ 같은 형식의 논증이다. '사람의 성격은 염색체에 의해서 결정된다(P)는 주장이 옳다면 사람의 성격은 다른 요인에 의해서는 결정되어서는 안 될 것이다. 그런데 실제로는 사람의 성격이 다른 요인, 즉 성장 과정이나 환경의 영향을 받기 때문에 글쓴이는 주장 P가 옳지 않음을 보여 반박하는 것이다.

⑤ 같은 형식의 논증이 아니다. 'p ∨ q, p / ∴ ~q'의 형태로 선언삼단 논법 중 배타적 선언논증이다. 이때 배타적 선언논증은 선택 사항 가운데 한 가지에 대해서 긍정했다면 반드시 다른 선택 사항에서는 부정해야만 하는 경우를 말한다.

# 192

| 정답 | ⑤ | 내용 영역 | 인문 |
|---|---|---|---|
| 난이도 | ★★☆ | 문항 유형 | 논증 분석 |

선지의 구성 방식이 갑과 을의 견해의 차이점을 서술하고 있으므로, 제시문의 내용을 파악할 때 갑과 을이 각각 전개하는 논증의 결론이 어떻게 다른지를 중심으로 접근한다.

**제시문 분석 & 해설**

갑과 을의 주장을 간략히 정리하면 아래와 같다.

| 갑 | 을 |
|---|---|
| • 필연적으로 발생하는 행동은 자유로운 행동이 아니다.<br>(필연 → ~자유) | • 필연적으로 발생하는 행동도 강요가 없다면 자유로운 행동이 될 수 있다. |
| • 필연성의 여부가 행동의 자유 여부를 결정 | • 필연성의 여부가 행동의 자유 여부를 결정× |

① 적절하지 않다. 을은 신이 강요하지 않는 한 철수가 한 행동에는 철수 자신의 의지가 반영되어 있다고 본다.

② 적절하지 않다. 을은 필연적으로 발생하는 행동도 강요가 없다면 자유로운 행동이 될 수 있다고 본다. 즉, 어떠한 행동이 자유로운지를 판단하는 데 강요의 유무를 결정적인 것으로 본 것이다. 따라서 을은 강요에 의한 행동을 자유로운 것으로 생각하지 않는다.

③ 적절하지 않다. 갑과 을의 두 번째 대화에 따르면, t시점에 철수의 행동이 필연적이라면 철수가 t시점에 그 행동 외에 다른 행동을 할 가능성이 없다는 것에 갑과 을 모두 동의하고 있다.

④ 적절하지 않다. 갑에 따르면, 철수의 행동이 자유로울 수 있으려면 그 행동이 필연적으로 발생한 것이 아니어야 한다. 그런데 갑은 전지전능한 신이 존재하고, 신이 철수가 특정한 시점에 어떠한 행동을 할 것임을 안 경우에 철수의 행동은 필연적이라고 보고 있다. 즉, 갑에 따르면, 전지전능한 신이 존재하는 것의 여부만으로는 철수의 행동이 필연적인 것인지를 판단할 수 없다. 따라서 갑은 전지전능한 신이 존재하지 않는다는 것만으로 철수의 행동이 자유로울 것이라고 생각하지 않는다.

⑤ 적절하다. 다른 행동을 할 가능성이 없다는 것은 곧, 그 행동이 필연적으로 발생하는 것임을 의미한다. 갑은 필연적으로 발생하는 행동이라면 자유로운 행동이 아니라고 본다. 그러나 을은 필연적으로 발생하는 행동이라도 강요가 없었다면 그 행동도 자유로운 행동이 될 수 있다고 본다. 즉, 다른 행동을 할 가능성의 유무만으로는 행동의 자유 여부를 결정할 수 없다고 본 것이다.

# 193

| 정답 | ① | 내용 영역 | 인문 |
|---|---|---|---|
| 난이도 | ★★☆ | 문항 유형 | 논증 분석 |

논리적 함축 관계의 두 명제가 특정하게 결합하여 자기모순적인 명제를 만들게 되는 흄의 논증 방식을 이해하고, 이를 활용하여 사실 명제와 당위 명제가 논리적 함축관계에 있는지 여부를 판단할 수 있어야 한다.

**제시문 분석 & 해설**

〈(가)의 경우〉
1. "비가 오고 구름이 끼어 있다."는 "비가 온다."를 논리적으로 함축한다.
2. "비가 오고 비가 오지 않는다."는 자기모순적인 명제이다.
3. ∴ "비가 오고 구름이 끼어 있지만, 비가 오지 않는다."는 자기모순적인 명제이다.

"비가 오고 구름이 끼어 있다."를 명제 P, 명제 "비가 온다."를 명제 Q라고 할 경우, 1~3으로부터 "P가 Q를 논리적으로 함축한다면, "P이지만, Q가 아니다."는 자기 모순적인 명제이다."라는 결론을 지을 수 있다. 따라서 (가)에는 ㄱ이 적절하다.

〈(나)의 경우〉
1. Q가 P로부터 도출될 수 있다면 "P이지만, Q가 아니다."는 자기 모순적인 명제이다.
2. 명제 A가 사실 진술이고 B가 당위 진술일 경우, 'A이지만 B가 아니다'는 자기모순적인 명제가 아니다.
3. ∴ B가 A로부터 도출될 수 없다.

명제 A를 "타인을 돕는 행동은 행복을 최대화한다.", 명제 B를 "우리는 타인을 도와야 한다."라고 할 경우, 1~3으로부터 "어떤 행동이 행복을 최대화한다는 것으로부터 그 행동을 행하여야만 한다는 것을 도출할 수 없다."라는 결론이 나올 수 있다. 따라서 (나)에는 ㄷ이 적절하다.

따라서 정답은 ①이다.

# 194

| 정답 | ⑤ | 내용 영역 | 인문 |
|---|---|---|---|
| 난이도 | ★★☆ | 문항 유형 | 논증 분석 |

### 접근 전략

정보의 양이 많지 않은 제시문이지만 아래와 같이 간단히 정리한 뒤 선지의 정오를 판단하면 문제를 해결하는 데 도움이 된다.

### 제시문 분석 & 해설

(가)~(다)는 다음과 같이 바꾸어 쓸 수 있다.
(가) 모든 유의미한 종교는 물리적으로 확증할 수 있다.
(나) 종교적 용어 중에는 대상을 물리적으로 확증할 수 없는 것이 존재한다.
(다) 종교적 용어 중에는 유의미한 용어가 존재한다.

(가)와 (나), (가)와 (다)를 벤다이어그램으로 나타내면 다음과 같다. (단, 음영 부분은 '해당 사실이 존재하지 않음'을, x부분은 '해당 사실이 존재할 수 있음'을 의미한다.)

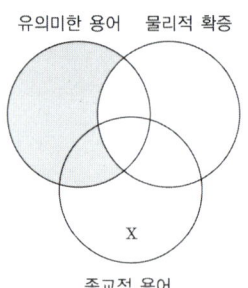
(가) & (나)

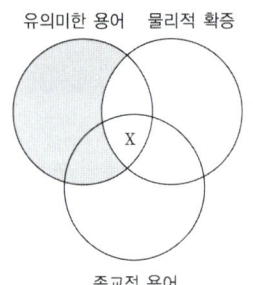
(가) & (다)

ㄱ. 옳다. (가)와 (나)를 벤다이어그램으로 나타내면 다음과 같다.(음영 부분은 '해당 사실이 존재하지 않음'을, x부분은 '해당 사실이 존재할 수 있음'을 의미한다.) 표시된 x는 종교적 용어 중에 무의미한 용어가 존재한다는 것이므로 ㄱ은 옳은 진술이다.

ㄴ. 옳지 않다. (가)와 (다)를 벤다이어그램을 살펴보면, 종교적 용어 중에는 표시된 x 외에 a가 존재할 수 있다. 즉, 무의미한 종교적 용어가 존재할 수 있다는 것이다. 따라서 '신(神)'이라는 종교적 용어가 a에 속할 수 있으므로 신이라는 종교적 용어가 유의미하다는 추론은 옳지 않다.

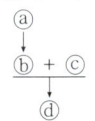
(가) & (다)

ㄷ. 옳다. (가)와 (다)를 벤다이어그램을 살펴보면, 표시된 x는 종교적 용어 중에는 물리적으로 확증할 수 있는 것이 존재한다는 것이다. 따라서 ㄷ은 옳은 진술이다.

ㄹ. 옳다. (가) & (다)의 벤다이어그램을 살펴보면, (나)의 종교적 용어 중에는 대상을 물리적으로 확정할 수 없는 것이 존재할 수 있다는 것이 존재한다. 따라서 (가), (나), (다)는 동시에 참일 수 있다.

# 195

| 정답 | ④ | 내용 영역 | 인문 |
|---|---|---|---|
| 난이도 | ★★★ | 문항 유형 | 논증 분석 |

### 접근 전략

제시된 글을 전제와 결론의 논증으로 재구성하고, 명시된 전제들로부터 결론이 도출되기 위해 필요한 암묵적 전제를 파악한다. 이에 기초하여 논증에 대한 비판이 어떠한 전제를 거짓이라고 주장하는지, 왜 결론의 도출이 논리적이지 않다고 주장하는지, 어떤 점에서 결론을 수용할 수 없다고 하는지를 파악한다.

### 제시문 분석 & 해설

제시된 ⓐ~ⓓ의 논증을 구조화하면 아래와 같다.

ⓐ
↓
ⓑ + ⓒ
↓
ⓓ

ㄱ. 적절하다. (가)의 주장을 재구성하면 다음과 같다.
  1. 자연법칙은 보편적으로 받아들여지는 것이다.
  2. 약육강식은 과거와 달리 오늘날에는 자연법칙으로 받아들이는 사람이 거의 없다.
  3. (약육강식은 보편적으로 받아들여지는 것이 아니다.)
  4. ∴ 약육강식은 자연법칙이 아니다.
  따라서 (가)의 주장이 참이라면 약육강식은 자연법칙이라는 ⓐ는 거짓이 된다.

ㄴ. 적절하지 않다. (나)의 주장은 사실에 대한 판단에서 도덕적인 판단을 이끌어내는 것은 오류라는 것이다. ⓐ는 사실 판단, ⓑ와 ⓓ는 도덕적인 판단에 해당한다. ⓑ에서 ⓓ를 이끌어내는 것은 도덕적인 판단으로부터 도덕적인 판단을 도출하는 것이므로, (나)가 주장하는 오류에 해당하지 않는다.

ㄷ. 적절하다. 인간이 생태계 피라미드에서 가장 높은 위치에 있다고 하는 ⓒ는 생태계 피라미드의 존재를 전제로 한다. (다)의 주장은 생태계 피라미드가 실제로 존재하지 않는다는 것이다. 이러한 (다)의 주장이 참이라면, ⓒ의 전제가 부정되므로 ⓒ는 거짓이 된다.

ㄹ. 적절하다. (라)의 논증은 귀류법 형식으로 이를 재구성하면 다음과 같다.
  1. [가정] 인간이 생태계에서 가장 높은 위치에 있다는 이유로 다른 존재를 잡아먹는 것이 도덕적으로 허용된다.
  2. 생태계에서 인간보다 높은 위치에 있는 존재가 나타날 경우 그들이 인간을 잡아먹는 것도 도덕적 잘못이 아니다.
  3. 2의 결론에 동의할 사람은 없다.
  4. ∴ 1의 [가정]은 잘못이다.
  (라)의 주장은 1의 [가정]을 받아들이면 우리가 동의할 수 없는 결론이 나오기 때문에 1의 [가정]은 잘못이라는 것이다. 1의 [가정]은 생태계 피라미드에서 상층의 존재들은 하층의 존재들을 마음대로 이용해도 된다는 ⓑ와 인간은 생태계 피라미드에서 가장 높은 위치에 있는 존재라는 ⓒ를 수용한 경우이다.

# 196

정답 | ①      내용 영역 | 사회
난이도 | ★★★      문항 유형 | 논증 분석

**접근 전략**

양측의 주장과 근거를 파악하여 각 입장이 주장할 진술로 적절하지 않은 것을 고르는 문제이다. 이 문제의 경우 『세종실록지리지』, 『신증동국여지승람』의 두 책에 대한 양국의 인용 방식이 어떤 차이를 보이는지를 파악하는 것이 문제해결의 핵심이다.

**제시문 분석 & 해설**

글을 분석하면 다음과 같다.

|  | 대한민국정부 | 일본정부 |
|---|---|---|
| 주장 | 독도(우산도)와 울릉도는 두 개의 섬이다. | 독도(우산도)와 울릉도는 같은 섬이다. |
| 근거 | "우산과 울릉의 두 섬이 울진현의 정동쪽 바다 가운데 위치하고 또 이 두 섬이 거리가 그리 멀지 않기 때문에 일기가 청명한 때는 이 두 섬 서로가 바라볼 수 있다." | "신라 때 칭하기를 우산국을 일러 울릉도"<br>"일설에 우산과 울릉은 본디 하나의 섬" |

① 적절하지 않다. 대한민국정부는 우산도를 독도로 보기 때문에, 대한민국정부에 의하면 우산도와 독도는 같은 섬이다.
② 적절하다. 대한민국정부는 울릉도와 우산도(독도)를 별개의 섬으로 본다.
③ 적절하다. 일본정부에 의하면, 우산국은 울릉도이고 우산도는 독도인데 일본정부는 이를 같은 섬으로 본다.
④ 적절하다. 일본정부는 "신라 때 칭하기를 우산국을 일러 울릉도"라고 한 구절을 근거로 삼고 있으므로 일본정부에 의하면, 우산국과 울릉도는 같은 섬이다.
⑤ 적절하다. 일본정부는 "일설에 우산과 울릉은 본디 하나의 섬"이라고 한 구절을 근거로 삼고 있으므로 일본정부에 의하면, 울릉도와 우산도는 같은 섬이다.

# 197

정답 | ⑤      내용 영역 | 사회
난이도 | ★☆☆      문항 유형 | 논증 분석

**접근 전략**

글쓴이가 비판하는 입장과, 옹호하는 입장이 제시문에 혼재되어 있으므로, 이를 구분하여 검토한다.

**제시문 분석 & 해설**

① 적절하지 않다. 3문단에 따르면 데카르트주의자들은 뉴턴 물리학이 데카르트 물리학보다 데카르트적 기준을 잘 만족했기 때문에 뉴턴 물리학을 받아들였으므로, 분명히 과학 이론 중에는 다양한 문화의 평가 기준을 만족하는 것이 존재한다. 하지만 이것은 필자의 주장을 뒷받침하는 사례의 일부일 뿐, 제시문의 핵심 논지로는 보기 어렵다.
② 적절하지 않다. 이론 선택이 문화의 상대적인 기준에 따라 이루어진다는 것은 1~2문단에 나타난 상대주의자들의 주장이다. 필자는 3문단에서 반례를 제시하며 이를 반박하고 있다.
③ 적절하지 않다. 3문단에 따르면 A그룹이 만든 이론이 A, B그룹의 기준을 모두 만족할 경우, B그룹도 이 이론을 받아들인다. 즉, 다른 이론보다 탁월한 이론을 자기 문화의 기준으로 평가하지 않는 것이 아니라 자기 문화의 기준을 만족하기 때문에 탁월한 이론으로 여기고 받아들이는 것이다.
④ 적절하지 않다. 2문단에 따르면 엄밀한 예측 가능성과 실용성은 상대주의자들의 주장을 뒷받침하는 특정 사례의 기준으로 사용되었을 뿐, 이 기준이 고정되어 있는지 아닌지의 여부는 제시문의 핵심 논지와는 관련이 없다.
⑤ 적절하다. 필자는 1문단과 2문단에서 제시된 '문화마다 다른 기준은 자신의 문화에서 만들어진 이론만 수용하도록 만들 것'이라는 상대주의자들의 주장을 3문단에서 반박하고 있다. A그룹이 만든 이론이 A그룹뿐만 아니라 B그룹의 기준에도 충족되는 경우, 다른 문화에서 만들어진 이론이라 할지라도 B그룹에서는 이를 받아들인다는 것이다. 따라서 해당 논지는 이러한 제시문의 예시를 통해 알 수 있는 제시문의 핵심 논지라고 볼 수 있다.

# 198

| 정답 | ③ | 내용 영역 | 사회 |
|---|---|---|---|
| 난이도 | ★☆☆ | 문항 유형 | 논증 분석 |

**접근 전략**

제시문의 결론을 파악하고, 선지의 내용이 결론과 관련이 있는지 판단한다.

**제시문 분석 & 해설**

ㄱ. 추가해야 할 전제가 아니다. 제시문의 결론과 대립되는 견해이므로 결론 도출에 필요한 전제로 적절하지 않다.

ㄴ. 추가해야 할 전제가 아니다. 결론 도출을 위해서는 표음문자의 보편화와 사회적 권력의 변화를 연결시킬 수 있는 전제가 필요하다. 그런데 표음문자의 기능에 대한 견해는 그러한 역할을 할 수 있는 내용이 아니다.

ㄷ. 추가해야 할 전제이다. 전제를 볼 때, 결론에서 표음문자가 보편화되었다는 것은 글의 이해에 있어 남성이 여성보다 유리해졌다는 것을 의미한다. 이러한 글 이해 능력의 차이를 여성의 사회적 권력 약화와 연결시킬 수 있는 전제가 있어야 결론이 도출될 수 있다. 따라서 글을 이해하는 능력이 사회적 권력에 영향을 미친다는 전제가 필요하다.

# 199

| 정답 | ③ | 내용 영역 | 인문 |
|---|---|---|---|
| 난이도 | ★☆☆ | 문항 유형 | 논증 분석 |

**접근 전략**

'철학의 여인'이 주장하는 논지를 파악하고, 선지의 내용이 논지와 관련이 있는지 판단한다.

**제시문 분석 & 해설**

ㄱ. 적절하다. 철학의 여인은 보에티우스가 만물의 궁극적인 목적이 선을 지향하는 데 있다는 것을 모르기 때문에 비탄에 빠져 있다고 하였다. 따라서 이를 아는 것은 ㉠으로 볼 수 있다.

ㄴ. 적절하다. 철학의 여인은 보에티우스가 세상이 제멋대로 흘러가는 것이라고 믿고 있기 때문에 비탄에 빠져 있다고 하였다. 따라서 세상이 제멋대로 흘러가는 것이 아니라 정의에 의해 다스려진다는 것을 깨닫는 것은 ㉠으로 볼 수 있다.

ㄷ. 적절하지 않다. 철학의 여인이 제시한 ㉠은 병의 원인이 되는 잘못된 생각, 즉 모든 소유물들을 박탈당했다고 생각하는 잘못을 바로잡는 것이지, 박탈당했다고 여기는 모든 것들을 되찾을 방도를 아는 것이 아니다.

# 200

| 정답 | ② | 내용 영역 | 인문 |
| 난이도 | ★☆☆ | 문항 유형 | 논증 분석 |

### 접근 전략

빈칸 다음 문장이 논증의 결론에 해당하므로 빈칸에는 결론을 뒷받침하는 (생략된) 전제가 들어가야 한다. 생략된 전제를 찾는 문제를 해결하기 위해서는 먼저 제시된 논증을 재구성해야 한다. 유념할 점은 선지가 전제 또는 결론을 부정하거나 논증과 무관한 내용인 경우에는 생략된 전제라고 볼 수 없다는 것이다.

### 제시문 분석 & 해설

○ 논증 재구성

| 전제1 | 세속어를 기준으로 영토를 분할하였다. |
| --- | --- |
| 전제2 | 루이는 로망어로, 샤를은 게르만어로 서약 문서를 작성하였다. |
| 전제3 | [빈칸] |
| 결론 | 루이와 샤를 중 적어도 한 명은 서약 문서를 자신의 모어로 작성한 것이 아니다. |

① 적절하지 않다. 전제1과 전제2에 따르면 세속어를 기준으로 영토를 분할하였고 그 기준이 되는 언어가 게르만어와 로망어였으므로 게르만어와 로망어는 세속어라고 전제하고 있음을 알 수 있다. 따라서 게르만어와 로망어는 세속어가 아니었다는 사실은 논증의 전제를 부정하므로 빈칸에 들어갈 생략된 전제로 적절하지 않다.

② 적절하다. 서약 문서를 루이는 로망어로, 샤를은 게르만어로 작성하였는데 이들 중 적어도 한 명은 서약 문서를 자신의 모어로 작성한 것이 아니려면,

  ⅰ) 루이의 모어가 로망어가 아닌 경우,

  ⅱ) 샤를의 모어가 게르만어가 아닌 경우,

  ⅲ) 루이와 샤를의 모어가 로망어도 게르만어도 아닌 제3의 언어인 경우

등 세 가지가 있다. 따라서 루이와 샤를 모두 게르만어를 모어로 사용하였다는 사실(⑭)이 알려져 있다는 진술은 빈칸에 들어갈 생략된 전제로 적절하다.

③ 적절하지 않다. 스트라스부르는 루이와 샤를이 서약 문서를 교환한 장소일 뿐이므로, 스트라스부르의 세속어가 무엇이었든 주어진 논증과 무관하다. 따라서 빈칸에 들어갈 생략된 전제로 적절하지 않다.

④ 적절하지 않다. 루이와 샤를의 모어가 각각 상대방이 분할 받은 영토의 세속어와 일치하였다면, 루이와 샤를은 모두 자신의 모어로 서약 문서를 작성한 것이 된다. 즉 루이와 샤를 중 적어도 한 명은 서약 문서를 자신의 모어로 작성한 것이 아니라는 논증의 결론을 부정하게 된다. 따라서 빈칸에 들어갈 생략된 전제로 적절하지 않다.

⑤ 적절하지 않다. 루이와 샤를 각자 자신의 모어로 서약 문서를 작성하였다면 루이와 샤를 중 적어도 한 명은 서약 문서를 자신의 모어로 작성한 것이 아니라는 결론을 정면으로 부정하게 된다. 따라서 빈칸에 들어갈 생략된 전제로 적절하지 않다.

# 201

| 정답 | ② | 내용 영역 | 사회 |
| 난이도 | ★☆☆ | 문항 유형 | 논증 분석 |

### 접근 전략

전제와 중간 결론, 그리고 전체 결론과의 관계를 파악하여 가장 적합한 것을 고를 필요가 있다.

### 제시문 분석 & 해설

A : 전제 1~3으로부터 중간 결론인 4에 이르는 논증을 정리하면 다음과 같다.

  1. 근대 국가 → 큰 규모
  2. 직접 민주주의 실행 어려움 → 대의제 발달
  3. _____A_____
  4. 근대 국가 → 대의제 발달

  따라서 1, 2, 3으로부터 가언삼단논법이 성립하여 4를 도출하려면 '큰 규모 → 직접 민주주의 실행의 어려움'이 A에 들어가야 한다.

B : 전제 5~9로부터 결론인 10에 이르는 논증을 정리하면 다음과 같다.

  5. 정보 사회 ∧ 공간 한계 극복
  6. 인터넷 기술 발달 ∧ 대규모 의견 처리 가능
  7. 공간 한계 극복 ∧ 대규모 의견 처리 가능 → 직접 민주주의 시행 가능
  8. 직접 민주주의 시행 가능 → 직접 민주주의가 대의제보다 나은 제도
  9. _____B_____
  10. 직접 민주주의 시행

5와 6으로부터 7의 전건에 해당하는 '공간 한계 극복 ∧ 대규모 의견 처리 가능'이 참이 되므로 7의 후건에 해당하는 '직접 민주주의 시행 가능'이 도출된다. 이로부터 8의 전건이 참이 되므로 '직접 민주주의가 대의제보다 나은 제도' 또한 도출된다.

여기서 10과 같이 '직접 민주주의 시행'이라는 결론을 도출하려면 '인류가 더 나은 제도를 선택한다'는 진술이 B에 들어가야 한다.

## 202

| | |
|---|---|
| 정답 \| ① | 내용 영역 \| 인문 |
| 난이도 \| ★☆☆ | 문항 유형 \| 논증 분석 |

### 접근 전략

추리를 위해 필요한 가정을 찾는 문제이다. 이때 필요한 가정은 추리 과정에서 의존하는 원리·원칙으로, 전제로부터 결론을 도출(추리)할 때 전제의 원리·원칙으로 적합한 진술을 찾아야 한다. 보통 각 선지의 진술을 추가하였을 때 논자가 내린 결론을 도출할 수 있는 것을 고르는 것이 문제 해결 방법이 될 수 있지만, 역으로 각 선지의 진술들을 부정하였을 때 논자가 내린 결론을 내릴 수 없는 것을 찾는 방법이 더 쉬운 접근법일 수도 있다.

### 제시문 분석 & 해설

러셀의 추리는 다음과 같다.

| 가정 | [빈칸] |
|---|---|
| 전제1 | 샌디는 영원히 살며, 자신의 이야기를 쓰는 일에 싫증 내지 않는다. |
| 전제2 | 태어난 후 모든 날에 대응하는 해가 있고, 쓰기 시작한 후의 모든 해에 대응하는 날이 있다. |
| 결론 | 따라서 샌디의 전기의 어떤 부분도 영원히 쓰이지 않은 채로 남아 있는 일은 없을 것이다. |

① 옳다. 전제2의 원리·원칙으로 적합한 진술이다. 셀 수 있는 두 무한 집합의 원소들 사이에 일대일 대응이 성립된다고 가정한다면, 태어난 후 모든 날과 쓰기 시작한 후의 모든 해의 일대일 대응이 성립될 것이므로 러셀의 결론을 도출할 수 있을 것이다. 반대로 셀 수 있는 두 무한 집합의 원소들 사이에 일대일 대응이 성립되지 않는다고 가정한다면, 태어난 후 모든 날과 쓰기 시작한 후의 모든 해의 일대일 대응이 성립되지 않을 것이므로 러셀의 결론을 도출할 수 없을 것이다.
② 옳지 않다. 두 무한 집합의 경우, 한 집합이 다른 집합의 부분집합이 아니라고 해도 태어난 후의 모든 날과 쓰기 시작한 후의 모든 해의 일대일의 대응이 성립될 것이므로 러셀의 결론을 도출할 수 있을 것이다.
③ 옳지 않다. 두 무한 계열을 이루는 원소들로 이루어진 두 무한 집합의 크기를 비교할 수 있다고 해도 태어난 후의 모든 날과 쓰기 시작한 후의 모든 해의 일대일의 대응이 성립될 것이므로 러셀의 결론을 도출할 수 있을 것이다.
④ 옳지 않다. 두 무한 집합 사이에 대응이 성립한다면 태어난 후의 모든 날과 쓰기 시작한 후의 모든 해의 일대일의 대응이 성립될 것이므로 러셀의 결론을 도출할 수 있을 것이다.
⑤ 옳지 않다. 제시문에 따르면 태어난 후 날들과 대응하는 해는 점점 갈수록 간격이 커지고 있음에도 그와 같은 결론을 내리고 있으므로 이는 추가되어야 할 가정이 아니다.

## 203

| | |
|---|---|
| 정답 \| ① | 내용 영역 \| 사회 |
| 난이도 \| ★☆☆ | 문항 유형 \| 논증 분석 |

### 접근 전략

정책 도입을 주장하기 위해 필요한 전제가 아닌 것을 찾는 문제이다. 선지의 진술을 참이라고 가정할 경우 이 정책 도입으로 기대되는 결과와 다른 결과가 발생하는 것이 정답이다.

### 제시문 분석 & 해설

우리 교육의 문제점과 이에 대한 해결 방법으로 제시한 '작은 학년제'의 내용과 이 제도의 도입을 통해 기대되는 결과는 다음과 같다.

| 우리 교육의 문제점 | 담임교사와 교과 담당교사의 잦은 변동으로 교사와 학생 간의 형식적인 관계만이 반복 |
|---|---|
| 작은 학년제 | • 학년이 바뀔 때마다 담임교사가 바뀌는 체제를 탈피<br>• 학 학년의 학급 수 절반으로 줄임<br>• 3, 4년간 학급을 변경하지 않음 |
| 작은 학년제의 도입을 통해 기대되는 결과 | • 공동체 의식의 형성<br>• 교과 수업·생활지도·진로지도·인성지도·각종 행사 등이 더욱 내실 있고 밀도 있게 운영됨<br>• 학생들 간 교우관계 개선 |

① 적절하지 않다. 작은 학년제는 한 학년의 학급 수를 절반으로 줄이는 것이지 한 학년 전체의 수를 줄이는 것은 아니므로 교사 대 학생 비율이 개선되지는 않을 것이다.
② 적절하다. 작은 학년제 도입의 취지 중 하나는 담임교사와 교과 담당교사가 자주 바뀌기 때문에 교사와 학생 간에 형식적인 관계가 반복된다는 점이다. 즉 교사와 학생 사이의 신뢰관계가 함께 보내는 시간의 길이에 의해 영향을 받는다는 점이 전제되어 있다.
③ 적절하다. 현재의 1년 단위의 학급 운영 방식으로는 교사와 학생들 사이에 깊이 있고 폭넓은 이해와 친밀한 관계가 형성되기 어렵다고 보아 작은 학년제를 도입하려는 것이다.
④ 적절하다. 작은 학년제는 교사와 학생 사이에 깊이 있는 만남 없이 형식적인 관계가 반복되는 우리 교육의 문제점을 해결하기 위한 것이다.
⑤ 적절하다. 작은 학년제는 3, 4년간 학급을 변경하지 않는 제도라는 점에서 '작은 학년제 도입 시 폭넓은 교우관계는 제한된다.'는 전제가 가능하고, 작은 학년제 도입으로 학생들 간의 교우관계의 개선이 기대되므로 '같은 학급에서 오랜 기간 함께 한 급우 간의 이해는 더욱 깊어진다.'는 전제도 가능하다.

# 204

정답 | ②　　　　내용 영역 | 인문
난이도 | ★☆☆　　　문항 유형 | 논증 분석

### 접근 전략

긴 제시문에서 갑 ~ 무의 핵심 주장을 파악하고, 이를 비교하며 풀이한다.

### 제시문 분석 & 해설

갑 ~ 무의 주장을 정리하면 다음과 같다.

갑 : 행복은 개인의 욕구가 충족되어 만족이라는 심리 상태에 이른 것을 말한다.

을 : 행복은 도덕적 삶을 사는 것을 말하며, 행복과 도덕적 삶은 모두 규범적 목표에 속하는 것이다.

병 : 행복은 개인의 심리적 상태라 볼 수 없으며, 행복이 심리적 상태라면 부도덕한 사람 역시 행복한 사람이라 불릴 수 있지만 행복한 사람은 모두 도덕적인 사람이므로 도덕적으로 타락한 사람은 행복한 사람이라 불릴 수 없다.

정 : 행복의 달성에 필요한 조건은 개인의 도덕성 외에도 사회 제도의 개혁 등을 들 수 있다.

무 : 사회 구성원의 도덕성은 복지의 실현에 기여함으로써 행복의 달성에 간접적으로 영향을 준다.

① 적절하다. 갑은 행복의 정의를 욕구가 충족되어 만족을 느끼는 것으로 파악하므로, 행복이 욕구 충족에 의존한다는 것에 동의한다.

② 적절하지 않다. 을은 규범적 목표가 하나뿐이고, 행복과 도덕적 삶 모두 규범적 목표에 속한다는 전제를 바탕으로 도덕적인 삶과 행복은 같다는 결론을 내린다. 다양한 규범적 목표가 있다는 전제는 행복과 도덕적 삶이 별개의 두 가지 목표에 속한다는 결론으로 이어질 수도 있다. 그러므로 다양한 규범적 목표가 있다는 전제가 추가될 경우 도덕적인 삶과 행복이 같다는 결론이 도출될 수 없다.

③ 적절하다. 병은 도덕적으로 타락한 사람은 행복한 사람이 아니라는 점을 주장하는데, 이는 도덕성과 개인의 심리 상태는 별개의 것임을 나타내는 것이다.

④ 적절하다. 정은 도덕성이 행복을 위해 필요한 전부라면 과거의 사회 개혁들이 무의미해질 것이라는 점을 전제로 행복에 필요한 조건들이 도덕성 외에도 많이 있다는 결론을 내린다. 그러므로 사회 제도의 개혁들이 무의미하지 않았다는 것이 전제가 되어야 한다.

⑤ 적절하다. 무는 사회 복지를 행복을 달성하기 위한 수단의 하나로 파악한다. 그러므로 사회 복지가 실현된다고 해서 그 사회에 속한 개인들이 반드시 행복해진다고 보지는 않는다.

# 205

정답 | ④　　　　내용 영역 | 과학기술
난이도 | ★★☆　　　문항 유형 | 논증 분석

### 접근 전략

자연발생설을 비판하기 위한 실험과 그 결과에 대해 자연발생설 지지자의 입장에서 제기할 수 있는 반론으로 적절한 것을 찾을 수 있어야 한다. 자연발생설을 비판하기 위한 실험이 자연발생설의 가정을 충실히 따르고 있는지 살펴보아야 한다.

### 제시문 분석 & 해설

〈자연발생설〉
적당한 유기물 & 충분한 공기 → 생명이 없는 물질로부터 생명체가 생겨날 수 있음

〈자연발생설에 대한 비판〉
ⅰ) 스팔란차니 실험

| [가정] | 유기 물질을 충분히 끓이면 그 속의 미생물이 모두 파괴됨 |
|---|---|
| [실험] | 끓인 유기 물질을 플라스크에 담고 밀폐 |
| [결과] | 유기 물질은 부패하지 않았음 |

⇨ 스팔란차니의 결론 : 미생물이 없는 유기 물질에서는 미생물이 발생할 수 없음

⇨ 자연발생설 지지자의 반론 : ＿＿＿（가）＿＿＿

ⅱ) 19세기 생물학자들의 실험

| [가정] | 유기 물질을 충분히 끓이면 그 속의 미생물이 모두 파괴됨 |
|---|---|
| [실험] | 유기 물질을 끓인 다음 수은을 이용해 정화된 공기 주입 후 밀폐 |
| [결과] | 미생물 발견 또는 미발견 모두 관찰 |

⇨ 자연발생설 비판자들의 해석 : 미생물이 발견된 실험은 수은이 미생물에 오염되었기 때문

⇨ 자연발생설 지지자의 반론 : ＿＿＿（나）＿＿＿

ㄱ. (가), (나)에 들어가기에 적절하지 않다. 미생물이 생겨나면 유기 물질을 부패하게 할 것이라는 것은 스팔란차니와 자연발생론 지지자들이 받아들이고 있는 가정이다. 만약 이를 받아들이지 않는 사람이 있다면, 부패 여부로 미생물의 존재를 확인하려 하는 스팔란차니의 실험 설계 자체가 오류임을 지적했을 것이다. 따라서 유기 물질을 부패하게 만들지 않는 미생물도 존재한다는 주장은 (가)는 물론이고 (나)에도 적절하지 않다.

ㄴ. (가)에 들어가기에 적절하다. 자연발생설은 적당한 유기물과 충분한 공기가 있는 환경에서 생명체가 생겨날 수 있다는 학설이다. 플라스크 속에 생명체의 발생에 필요한 만큼의 공기가 없었다면, 스팔란차니의 실험은 사연발생설이 성립하기 위해 필요한 '충분한 공기'의 조건을 갖추지 않은 것이 된다. 스팔란차니의 실험은 적당한 유기물을 조성하였지만, 충분한 공기가 있는 환경을 고려하지 않았다. 그러한 실험의 결과는 자연발생설에 대한 비판이 되지 못한다. 따라서 플라스크 속에 생명체의 발생에 필요한 만큼의 공기가 없었다는 주장은 자연발생설 지지자가 스팔란차니의 실험에 대해 제시할 수 있는 반론으로 (가)에 들어가기에 적절하다.

ㄷ. (나)에 들어가기에 적절하다. 유기 물질을 끓일 때 유기물 중 미생물의 발생에 필요한 성분도 파괴되었다면, 19세기 생물학자들의 실험은 자연발생설이 성립하기 위해 필요한 '적당한 유기물'의 조건을 갖추지 않은 것이 된다. 그러므로 그 실험의 결과가 자연발생설에 대한 비판이 되지 못한다. 따라서 유기 물질을 끓일 때 유기물 중 미생물의 발생에 필요한 성분도 파괴되었다는 주장은, 미생물이 발견되지 않은 실험 결과에 대한 자연발생설 지지자의 반론이 될 수 있으므로 (나)에 들어가기에 적절하다.

ㄹ. (가), (나)에 들어가기에 적절하지 않다. 유기 물질을 끓이면 그 속의 미생물이 사멸할 것이라는 것은 스팔란차니는 물론이고 19세기 생물학자들도 받아들인 가정이다. 이를 받아들이지 않았다면, 자연발생설 지지자들은 미생물이 발견된 실험 결과에 대해서도 자신들에게 유리한 해석을 하지 않았을 것이다. 따라서 유기 물질을 끓인다고 하더라도 그 속에 있던 미생물은 사멸하지 않는다는 주장은 (가), (나) 모두에 들어가기에 적절하지 않다.

# 206

| 정답 | ② | 내용 영역 | 인문 |
| 난이도 | ★★☆ | 문항 유형 | 논증 분석 |

### 접근 전략

㉠에는 A가 암묵적으로 전제한 것임과 동시에 B가 반박하고 있는 것이 들어가야 한다. A의 주장을 재구성하여 암묵적 전제를 찾고 B가 어떤 지점을 지적하고 있는지를 분석해야 한다. 암묵적 전제는 논증을 뒷받침해야 하므로 선지가 논증과 관련이 없으면 암묵적 전제라고 할 수 없다.

### 제시문 분석 & 해설

〈A의 주장〉

1. 어떤 물질도 존재하지 않지만 나 자신은 영혼 상태로 존재하는 세계를 나는 상상할 수 있다.
2. (우리가 상상할 수 있는 모든 세계는 가능하다.)
3. 따라서 나는 존재하지만 어떤 물질도 존재하지 않는 세계는 가능하다.
4. 나는 존재하지만 어떤 물질도 존재하지 않는 세계는 가능하다면 나의 본질은 물질이 아니다.
5. (인간의 본질은 물질이거나 영혼이다.)
6. 따라서 나의 본질은 물질이 아니라 영혼이다.
7. (물질적인 것의 탐구는 인간의 본질에 대해 알려 줄 수 없다.)
8. 따라서 물질적인 뇌세포를 탐구하는 뇌과학은 인간의 본질에 대해 알려 줄 수 없다.

〈B의 주장〉

1. 골드바흐 명제가 참인 세계를 상상할 수 있고, 거짓인 세계를 상상할 수 있다.
2. (우리가 상상할 수 있는 모든 세계는 가능하다.)[A의 암묵적 전제]
3. (골드바흐의 명제가 참인 세계와 거짓인 세계 모두 가능하다.) [1과 2에 따른 결론]
4. 그러나 골드바흐 명제가 참이라면 그것이 거짓이라는 것은 불가능하고, 골드바흐 명제가 거짓이라면 그것이 참이라는 것은 불가능하다.
5. 따라서 골드바흐 명제가 참인 세계와 거짓인 세계 중 하나는 분명히 가능하지 않다. [3의 결론 반박]

① 적절하지 않다. A가 '나의 본질은 물질이거나 영혼이다'는 것을 암묵적으로 전제하고 있는 것은 맞다. 그렇지만 B가 이 전제를 반박하는 것이 아니다.

② 적절하다. 〈B의 주장〉에서 보듯이, B는 전제2, 즉 "우리가 상상할 수 있는 모든 세계는 가능하다."는 A의 암묵적 전제를 받아들이면 3이 도출되는데, B는 4의 근거를 들어 3을 반박하면서 전제2가 잘못되었음을 지적하고 있다.

③ 적절하지 않다. A는 상상할 수 있는 어떤 세계가 있다면 그 세계는 가능하다고 전제하고 있어도 상상할 수 없는 어떤 것의 참 또는 거짓이라는 것을 전제하고 있지 않다. ③은 A의 논증과 관련이 없으므로 A가 암묵적으로 전제하고 있다고 볼 수 없다.

④ 적절하지 않다. A는 우리가 상상할 수 있는 세계는 가능하다고 전제하고 논증을 전개하고 있다. 상상할 수 없는 것은 A의 주장과 관련이 없으므로 ④를 A가 암묵적으로 전제하고 있다고 볼 수 없다.

⑤ 적절하지 않다. A가 뇌과학을 제시한 이유는, 인간의 본질은 영혼이므로 물질적인 뇌세포를 탐구하는 뇌과학이 인간의 본질에 대해 알려 줄 수 없다고 주장하기 위해서이다. 뇌과학과 수학이 다루는 문제의 동일성 여부에 대해서는 논하고 있지 않으므로 ⑤를 A가 암묵적으로 전제한 것으로 볼 수 없다.

# 207

| 정답 | ⑤ | 내용 영역 | 인문 |
|---|---|---|---|
| 난이도 | ★★☆ | 문항 유형 | 논증 분석 |

**접근 전략**

회의주의자들의 논증 과정을 분석하여 두 소재와의 연결고리가 될 수 있는 전제를 찾아야 한다.

**제시문 분석 & 해설**

회의주의자들의 논증을 정리하면 다음과 같다.

o 지각 경험을 설명할 수 있는 대안 가설은 무수히 많다. 이 모든 대안 가설이 거짓이라는 것에 대한 증거는 획득할 수 없다. 결국 회의적 대안 가설들이 거짓이라는 믿음은 정당화될 수 없다. 따라서 지각 경험만으로는 대상에 대한 믿음을 정당화할 수 없다.

이 논증에서 논리적인 비약이 있는 지점은, 바로 회의적 대안 가설들이 거짓이라는 점으로부터 지각 경험만으로 대상에 대한 믿음을 정당화할 수 없다는 결론을 내리는 것이다. 빈칸에는 '회의적 대안 가설이 거짓임'과 '지각 경험만으로는 믿음을 정당화할 수 없다'라는 두 소재의 연결고리가 될 수 있는 전제가 필요하다. 따라서 '회의적 대안 가설이 거짓이라는 믿음이 정당화될 수 없다면 손인 것처럼 보이는 지각 경험은 손이 있다는 것에 대한 믿음을 정당화하지 못한다'가 빈칸에 들어가기 적절하다. 이를 도식화하여 표현하면 다음과 같다.

전제 1 : 모든 회의적 대안 가설들이 거짓이라는 믿음은 정당화될 수 없다.
전제 2 : ⑤ 회의적 대안 가설이 거짓이라는 믿음이 정당화될 수 없다면 손인 것처럼 보이는 지각 경험은 손이 있다는 것에 대한 믿음을 정당화하지 못한다.
결론 : 손인 것처럼 보이는 지각 경험이 손이 있다는 것에 대한 믿음을 정당화하지 못한다.

# 208

| 정답 | ② | 내용 영역 | 사회 |
|---|---|---|---|
| 난이도 | ★★☆ | 문항 유형 | 논증 분석 |

**접근 전략**

글쓴이가 자신의 견해를 주장하기 위해 첫 번째 문단에서 죽음의 편재성에 관련한 일반적인 생각을 먼저 제시하고 있으므로, 첫 번째 문단의 결론이 글쓴이의 주장이 아니라는 점을 유의해야 한다. 이후 글쓴이의 주장을 재구성하여 명시적으로 드러난 전제와 결론을 찾고, 글쓴이가 가정한 숨은 전제를 찾아야 한다.

**제시문 분석 & 해설**

우리는 죽음의 편재성이 회피대상이라고 생각하지만 글쓴이는 스카이다이버들의 사례와 같이 죽음의 편재성과 관련한 생각이 항상 맞지 않는 사례가 있다고 한다. 그래서 글쓴이는 '죽음의 편재성이 회피대상이라는 결론을 부정하는데, 글쓴이가 제시한 논증을 재구성하면 다음과 같다.

〈죽음의 편재성이 회피대상이라는 주장〉

| 전제1 | 죽음의 편재성은 우리에게 죽음의 공포를 불러일으킨다. |
|---|---|
| 전제2 | 우리는 죽음의 공포를 불러일으키는 것을 회피대상으로 생각한다. |
| 결론 | 따라서 우리는 죽음의 편재성은 회피대상이라고 생각한다. |

〈글쓴이의 주장〉

| 전제1 | 죽음의 편재성은 우리에게 죽음의 공포를 불러일으킨다. |
|---|---|
| 전제2 | [빈칸] |
| 결론 | 따라서 죽음의 편재성은 회피대상이 아니다. |

①, ③ 적절하지 않다. 글쓴이는 스카이다이버들은 죽음의 공포를 느끼면서도 비행기에서 뛰어 내린다고 하여 '죽음의 편재성은 우리에게 죽음의 공포를 불러일으킨다'는 전제1을 받아들인다. 따라서 ①, ③은 글쓴이의 전제를 부정하는 것으로 빈칸에 들어갈 추가 진술로 적절하지 않다.

② 적절하다. 죽음의 편재성(A)이 공포를 불러일으킨다(B)는 전제에서, '죽음의 편재성(A)은 회피대상(C)이 아니다'는 결론이 도출되는 과정을 간단히 나타내면 아래와 같을 것이다.

| 전제1 | A는 B다. |
|---|---|
| 전제2 | [빈칸] |
| 결론 | 따라서 A는 C가 아니다. |

이때 빈칸에 추가될 진술은 'B는 C가 아니다'가 될 것이다. 따라서 죽음의 공포를 불러일으키는 것이 반드시 회피대상이 되는 것이 아니라는 ②는 빈칸에 들어갈 진술로 적절하다.

④ 적절하지 않다. ④는 현실에서는 죽음의 공포로부터 자유로운 공간이나 시간이 존재하지 않는다는 것으로서 글쓴이가 전제1에서 이미 받아들이고 있는 것이다. 따라서 ④는 빈칸에 들어갈 추가 진술로 적절하지 않다.

⑤ 적절하지 않다. 스카이다이버들이 죽음의 공포를 무릅쓰고 비행기에서 뛰어내리는 것은 죽음의 공포를 회피하는 행동이 아니라 감수하는 행동이다. 따라서 죽음을 피할 수 있는 공간에 모이는 행동이 아니다. 또한 스카이다이버들이 죽음의 공포를 감수하는 것은 죽음의 공포가 클수록 스카이다이빙의 성공이 주는 매력이 크기 때문이다. 삶을 전제로 죽음의 공포를 감수하는 이유를 죽음에 대한 동경 때문이라고 할 수 없다. 따라서 ⑤는 빈칸에 들어갈 진술로 적절하지 않다.

# 209

정답 | ③          내용 영역 | 인문
난이도 | ★☆☆     문항 유형 | 논증 분석

**접근 전략**

전체 결론에 맞추어 문장 간의 연결 관계에 주의하여 풀이해야 한다. 논증에서 각 전제와 결론의 관계를 파악하기 위해서는 우선적으로 결론을 찾고, 다음으로 결론을 위해 논자가 어떤 전략을 쓰고 있는지를 판단하는 것이 효과적이다. 따라서 이 논증의 결론인 '행동주의가 옳지 않다.'는 것을 기준으로 논증을 재구성해볼 필요가 있다.

**제시문 분석 & 해설**

O 논증의 결론
  : 따라서 행동주의는 옳지 않다. (Ⓐ)
O 행동주의의 주장
  : 마음은 특정 자극에 따라 이러저러한 행동을 하려는 성향이다. (Ⓜ)
O Ⓜ을 반박하는 논증

| 전제1 | 행동주의가 옳다면, 인간은 철학적 좀비와 동일하다. (Ⓗ) (인간과 철학적 좀비가 동일한 존재가 아니라면, 행동주의는 옳지 않다.) | p→q (~q→~p) |
|---|---|---|
| 전제2 | 그러나 인간과 달리 철학적 좀비는 마음이 없어서 어떤 의식도 가질 수 없는 존재다. (인간과 철학적 좀비는 동일한 존재가 아니다.Ⓒ) | ~q |
| 결론 | 행동주의는 옳지 않다. (Ⓐ) | ∴ ~p |

O 전제2를 도출하는 논증

| 전제1 | 인간이 철학적 좀비와 동일한 존재라면, 인간도 고통을 느끼지 못하는 존재여야 한다. (Ⓔ) (인간이 고통을 느끼거나 좀비가 고통을 느끼는 존재라면, 인간과 철학적 좀비는 동일한 존재가 아니다.) | p→q (~q→~p) |
|---|---|---|
| 전제2 | 인간은 고통을 느끼지만 철학적 좀비는 고통을 느끼지 못한다. (㉠) | ~q |
| 결론 | 인간과 철학적 좀비는 동일한 존재가 아니다. (Ⓒ) | ∴ ~p |

① 적절하다. ㉠과 Ⓛ은 결합되어 다른 전제나 결론을 지지하는 관계가 아니라 서로 독립된 전제들이다. 따라서 어느 전제가 다른 전제의 참 거짓에 영향을 주지 않으므로, ㉠과 Ⓛ은 동시에 참일 수 있다.
② 적절하다. 〈전제2를 도출하는 논증〉과 같이 ㉠과 Ⓔ은 서로 결합하여 Ⓒ을 도출한다. 따라서 ㉠과 Ⓔ이 모두 참이면, Ⓒ은 반드시 참이다.
③ 적절하지 않다. Ⓗ을 전제로 하였을 때, Ⓛ은 후건을 긍정하고 있어서 전건인 행동주의가 옳다는 것(마음이 행동을 하려는 성향과 같다)을 도출할 수가 없다. 따라서 Ⓛ과 Ⓗ이 모두 참이더라도 Ⓜ이 참일 수 없다.

| 전제1 | 행동주의가 옳다면, 인간은 철학적 좀비와 동일하다. (Ⓗ) | p→q |
|---|---|---|
| 전제2 | 철학적 좀비도 압정을 밟으면 인간과 마찬가지로 비명을 지르며 상처 부위를 부여잡을 것이다. (Ⓛ) (철학적 좀비와 인간이 동일하다는 예시) | q |
| 결론 | 마음은 특정 자극에 따라 이러저러한 행동을 하려는 성향이다. (Ⓜ) | 도출 안 됨 |

④ 적절하다. 〈Ⓜ을 반박하는 논증〉과 같이 Ⓒ과 Ⓗ은 서로 결합하여 Ⓐ을 도출한다. 따라서 Ⓒ과 Ⓗ이 모두 참이면, Ⓐ은 반드시 참이다.
⑤ 적절하다. 〈Ⓜ을 반박하는 논증〉의 결론은 Ⓐ이다. 즉, Ⓐ은 Ⓜ을 부정하는 것이므로 둘 중의 하나가 참이라면 다른 하나는 거짓이다. 따라서 Ⓐ과 Ⓜ이 동시에 거짓일 수 없다.

# 210

정답 | ①          내용 영역 | 인문
난이도 | ★☆☆     문항 유형 | 논증 분석

**접근 전략**

각 선지에 언급된 명제 및 추가 전제에 주목하여 논리적 관계를 파악한다.

**제시문 분석 & 해설**

제시문을 간단히 기호화하면 다음과 같다.
㉠ 형상 → ~물질
㉡ 이성 → ~물질
㉢ (형상 → ~물질) → (물질 → ~형상 이해)
㉣ 영혼 → 불멸
㉤ 이성 ↔ 영혼
㉥ {(이성 → 형상 이해) & (형상 → 불멸)} → (이성 → 불멸)

ㄱ. 적절하다. '이성이 형상을 이해할 수 있다'(이성 → 형상 이해)라는 전제가 선지에서 추가로 제시되었다. 이를 추가하여 논증을 재구성하면 다음과 같다.

| 전제1 | 형상 → ~물질 | ㉠ |
|---|---|---|
| 전제2 | (형상 → ~물질) → (물질 → ~형상 이해) | ㉢ |
| 소결론(전제3) | (물질 → ~형상 이해) | 전건긍정법 |
| 전제4 | 형상 이해 → ~물질 | 소결론의 대우 |
| 전제5 | 이성 → 형상 이해 | ㄱ선지의 추가 전제 |
| 결론 | 이성 → ~물질 | ㉡ |

따라서 선지에 제시된 전제가 추가되면 ㉠과 ㉢으로부터 ㉡이 도출된다.

ㄴ. 적절하지 않다. '오직 불멸하는 이성만이 비물질적이다'(~물질 → 불멸하는 이성)라는 전제가 선지에서 추가로 제시되었다.

| 전제1 | 이성 → ~물질 | ㉡ |
|---|---|---|
| 전제2 | ~물질 → 불멸하는 이성 | ㄴ선지의 추가 전제 |
| 결론 | 이성 → 불멸하는 이성 | |

이 경우 '이성 → 불멸하는 이성'이 도출된다. 하지만 '영혼 → 불멸'(㉣)이 도출되지는 않는다.

ㄷ. 적절하지 않다. '불멸하는 것만이 불멸하는 것을 이해할 수 있다.'(불멸 이해 → 불멸)라는 전제가 선지에서 추가로 제시되었다.

| 전제1 | 이성 ↔ 영혼 | ㉤ |
|---|---|---|
| 전제2 | {(이성 → 형상 이해) & (형상 → 불멸)} → (이성 → 불멸) | ㉥ |
| 결론 | {(영혼 → 형상 이해) & (형상 → 불멸)} → (영혼 → 불멸) | |

㉤과 ㉥으로부터 '{(영혼 → 형상 이해) & (형상 → 불멸)} → (영혼 → 불멸)'이 도출된다. 그리고 후건에 해당하는 '영혼 → 불멸'(㉣)이 도출되기 위해서는 전건이 긍정되어야 한다. 그러나 '불멸 이해 → 불멸'로는 전건이 긍정되지 않으므로 불멸하는 것만이 불멸하는 것을 이해할 수 있다는 것이 전제되면 ㉤과 ㉥으로부터 ㉣이 도출되지 않는다.

# 211

| 정답 | ③ | 내용 영역 | 인문 |
|---|---|---|---|
| 난이도 | ★☆☆ | 문항 유형 | 논증 분석 |

**접근 전략**

어떤 주장을 반박하는 방법은 주장의 근거를 비판하거나 근거로부터 결론을 이끌어내는 방식이 부당함을 보이는 것이다. 제시문이 비교적 길지만 라이헨바흐 논증의 결론을 먼저 파악하고 이를 지지하는 핵심 전제만 가려내면 간단히 해결할 수 있는 문제이다.

**제시문 분석 & 해설**

○ 라이헨바흐의 주장 : 귀납 방법은 신뢰성이 보장되지 않을 수 있지만, 그 어떤 대안 방법들보다 낫다.

라이헨바흐는 이 주장을 증명하기 위해 다음의 전제를 바탕으로 귀납과 귀납이 아닌 다른 대안 방법들을 비교하는 논증을 펼친다.

| 전제1 | 자연이 한결같다고 가정하면, 귀납의 신뢰성이 보장되지만 대안 방법들의 신뢰성은 보장되지 않는다. (귀납을 채택하는 것이 대안 방법을 채택하는 것보다 낫다.) |
|---|---|
| 전제2 | 자연이 한결같지 않다고 가정하면, 귀납이든 대안 방법이든 모두 신뢰할 만하지 않다. (귀납과 대안 방법 중 어느 것을 채택해도 결과는 같다.) |
| 결론 | 귀납을 채택하는 것이 어떤 대안 방법을 채택하는 것보다 낫다. |

ㄱ. 적절하다. 라이헨바흐는 전제1과 전제2에 따라 귀납을 채택하는 것이 다른 대안 방법들을 채택하는 것보다 낫다는 결론을 도출하고 있다. 이때 전제1이 옳지 않음을 밝힌다면, '귀납을 채택하는 것이 대안을 채택하는 것보다 낫다.'는 결론은 도출되지 않을 것이다.

ㄴ. 적절하다. 라이헨바흐는 전제1과 전제2에 따라 귀납을 채택하는 것이 대안을 채택하는 것보다 낫다는 결론을 도출하고 있다. 이때 전제2가 옳지 않음을 밝힌다면 '귀납을 채택하는 것이 대안을 채택하는 것보다 낫다.'는 결론은 도출되지 않을 것이다.

ㄷ. 적절하지 않다. 자연이 한결같지 않을 경우는 전제2에 해당하므로 라이헨바흐의 논증을 비판하려면 전제2를 부정하면 된다. 즉, 자연이 한결같지 않을 경우에 "귀납이든 대안 방법이든 그 신뢰성이 모두 신뢰할 만하다."는 것을 밝히면 될 것이다. 그런데 ㄷ과 같이 "대안 방법들이 신뢰할 만하지 않다면 귀납도 신뢰할 만하지 않다."라는 것을 밝힌다고 해서 "귀납이든 대안 방법이든 그 신뢰성이 모두 신뢰할 만하다."라는 점이 밝혀지는 것이 아니므로 ㄷ은 전제2를 부정하지 못한다. 따라서 ㄷ은 라이헨바흐의 논증도 비판하지 못한다.

# 212

| 정답 | ③ | 내용 영역 | 사회 |
|---|---|---|---|
| 난이도 | ★☆☆ | 문항 유형 | 논증 분석 |

**접근 전략**

각 진술들 간의 관계에 대한 분석으로 적절하지 않은 진술을 고르는 문제이다. 각 단락에서 '자율성'이 어떤 범위와 의미를 갖고 있는지에 대해 파악하면서 선지의 진술 내용을 판단해야 한다.

**제시문 분석 & 해설**

① 적절하다. '노동은 인간의 활동이기 때문에 반드시 자율적인 행위여야만 한다(㉠)'와 동시에 성립할 수 없는 진술은 '노동은 자율적인 행위가 아니다'라는 내용을 담고 있어야 한다. 그러나 ㉡은 이와 달리 '첨단 기술은 노동자에게 자율성을 부여한다'는 내용을 담고 있다. 노동이 자율적이어야 한다는 당위와 첨단 기술이 노동자에게 자율성을 부여한다는 사실은 동시에 성립할 수 있다. 따라서 ㉠과 ㉡은 동시에 성립할 수 있다.

② 적절하다. ㉢은 '노동의 문제는 자율성의 문제와 무관하다'고 말하며 ㉠은 '노동은 자율적인 행위여야만 한다'고 말하여 노동과 자율성이 무관한 문제가 아니라는 전제를 드러낸다. 즉 이 두 진술은 노동의 문제가 자율성의 문제가 관련이 있는지 여부에 대해 서로 다른 견해를 갖고 있으므로, ㉢은 ㉠을 거부한다고 할 수 있다.

③ 적절하지 않다. 절충안은 서로 다른 견해를 각각 일부 수용하여 둘다 동시에 만족시키는 방법을 찾은 것이다. 그래서 ㉢이 절충안이 되려면 ㉠과 ㉡의 두 견해의 일부 내용을 포함하고 있어야 한다. 하지만 ㉢은 '노동의 문제가 자율성과 무관하다'는 내용을 담고 있으므로 ㉠과 상반된 입장을 가지고 있다. 즉 ㉢은 ㉠과 ㉡의 절충안이 될 수 없다.

④ 적절하다. ㉡은 첨단 기술이 노동자에게 자율성을 부여한다고 보고 있는 반면, ㉣은 전문직 종사자의 자율성은 통제된 자율성에 불과한 것이라고 본다. 즉 ㉣은 첨단 기술이 제공하는 자율성은 순수한 의미의 자율이 아님을 지적하여 비판하는 것이다.

⑤ 적절하다. ㉤은 업무를 수행하는 데에 있어 자율성이 필요함에도 불구하고 노동의 문제에 자율성을 허용하지 않으려 한다는 점을 지적하여 ㉢을 비판할 수 있다.

# 213

정답 | ③  내용 영역 | 인문
난이도 | ★★☆  문항 유형 | 논증 분석

### 접근 전략
A와 B의 대화가 제시되어 있지만, 형식 논리를 통해 풀어야 한다.

### 제시문 분석 & 해설
A와 B의 대화 내용을 기호화하면 다음과 같다.
1. 용기 → 대담
2. 지혜 → 대담
3. ~지혜 ∧ 대담 → ~용기

ㄱ. 적절하다. 3에 따르면 '용기 → 지혜 ∨ ~대담'이 도출되고, 1에 따르면 '용기 → 대담'이 도출된다. 이들 진술을 조합하면 '용기'가 참인 경우 '지혜 ∨ ~대담'에서 '~대담'이 부정되어 반드시 '지혜'가 도출된다. 따라서 "용기 있는 사람은 누구나 지혜롭다."라는 진술은 ㉠에 들어가기에 적절하다.

ㄴ. 적절하지 않다. 지혜롭기는 하지만 용기가 없는 사람이 있다고 가정하면, 2에 따라 이 사람은 대담하다는 것이 도출된다. 이 사람이 갖춘 덕목은 '지혜 ∧ 대담 ∧ ~용기'로 정리할 수 있고, 이는 제시문의 조건과 충돌하지 않는다. 따라서 B의 견해에 따르면, 지혜롭기는 하지만 용기가 없는 사람이 있을 수 있다.

ㄷ. 적절하다. B가 새롭게 인정한 진술은 '대담 → 용기'이다. 그리고 추가 정보에 따르면 '(세종대왕) 지혜'가 참이므로 2에 따라 '(세종대왕) 대담'이 도출된다. 이는 '대담 → 용기'의 전건을 긍정하므로 '(세종대왕) 용기'가 도출된다. 따라서 〈보기〉 ㄷ의 조건에 따라 세종대왕이 용기가 있는 사람이라는 결론을 도출할 수 있다.

# 214

정답 | ⑤  내용 영역 | 과학기술
난이도 | ★★☆  문항 유형 | 논증 분석

### 접근 전략
논증의 구조를 파악하고 각 진술들 간의 지지 관계를 파악하기 위해서는 먼저, 결론부터 찾는 것이 문제를 해결하는 데 도움이 된다. 결론은 글에서 궁극적으로 말하려고 하는 것이다.

### 제시문 분석 & 해설
주어진 글의 결론은 "㉣유전자는 우주에서 지구로 유입되었을 가능성이 크다."이다. 논증을 재구성하면 다음과 같다.

○ 유전자가 자연발생할 확률은 지구에서보다 지구 외부 우주에서 훨씬 작다. ........................................... p
○ 유전자가 자연발생했다. ........................................... q
○ 유전자는 우주에서 지구로 유입되었을 가능성이 크다. ............ r

| 전제1 | ㉤ p |
|---|---|
| 전제2 | ㉢ q |
| 전제3 | ㉡ (p & q) → r |
| 결론 | ㉣ r |

위 논증은 연역적으로 타당한 추론 규칙, 즉 전건긍정식에 의한 것이다. 또한, 글에서 ㉠은 전제 1인 ㉤을 뒷받침하는 구체적인 자료에 해당한다. 이상을 논증 구조도로 나타내면 다음과 같다.

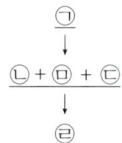

① 바르지 않다. ㉢과 ㉤은 각각 ㉣을 뒷받침하는 전제에 해당한다. 따라서 ㉢이 참이라고 해서 ㉤이 반드시 참이 되는 것은 아니다.

② 바르지 않다. ㉠은 지구에서 유전자가 자연발생할 확률은 지구 외부에서 유전자가 자연발생할 확률보다 훨씬 작다는 ㉤에 해당하는 하나의 사례이다. 따라서 ㉠이 참이면 ㉤이 참이 되지만, ㉤이 참이라고 해서 ㉠이 반드시 참이 되는 것은 아니다. 가령, 지구에서 유전자가 자연발생할 확률이 1/10보다 작고, 지구 외부 우주에서 유전자가 자연발생할 확률이 1/2보다 크다고 할 때, 여전히 ㉤은 참이지만 ㉠은 거짓이 된다.

③ 바르지 않다. ㉠은 ㉤을 뒷받침하고 ㉢과 ㉤은 각각 ㉣을 뒷받침하는 전제에 해당한다. 따라서 ㉠, ㉢이 모두 참이더라도 ㉤이 반드시 참이 되는 것은 아니다.

④ 바르지 않다. ㉢과 ㉤은 각각 ㉣을 뒷받침하는 전제에 해당한다. 따라서 ㉢과 ㉣이 참이라고 해서 ㉤이 반드시 참이 되는 것은 아니다.

⑤ 바르다. 제시문의 분석처럼 ㉠, ㉢, ㉡으로 ㉣이 연역적으로 타당한 논증이므로 전제가 참이면 결론이 반드시 참이 된다. 따라서 ㉠, ㉢, ㉡이 참이라면 ㉣은 반드시 참이다.

# 215

| 정답 | ② | 내용 영역 | 인문 |
|---|---|---|---|
| 난이도 | ★★☆ | 문항 유형 | 논증 분석 |

**접근 전략**

ⓐ~ⓔ의 논리적 관계를 분석하여 논증을 재구성해야 한다. 논증을 분석할 때는 결론이 무엇인지 먼저 찾은 후에 이를 뒷받침하는 전제들을 찾는 것이 효과적이다.

**제시문 분석 & 해설**

제시문의 결론은 마지막 문장인 "ⓔ 영혼은 소멸하지 않는 존재이다."이다. ⓐ~ⓓ로부터 ⓔ가 도출되는 과정을 분석하면 다음과 같다. 일상어를 기호화할 때 "A하는 경우에만 B하다"는 "B → A"로 기호화해야 함을 유의하자.

1. 소멸 가능한 존재 → 결합물       [ⓐ, 전제]
2. ~변화 → ~결합물       [ⓑ, 전제]
3. ~변화 → ~소멸 가능한 존재   [1과 2, 가언삼단논법]
4. ~일상적으로 볼 수 없는 것 → ~변화    [ⓒ, 전제]
5. ~일상적으로 볼 수 없는 것 → ~소멸 가능한 존재

                [3과 4, 가언삼단논법]
6. (영혼) ~일상적으로 볼 수 없는 것    [ⓓ, 전제]
7. ∴(영혼) ~소멸 가능한 존재     [ⓔ, 결론]

ㄱ. 적절하지 않다. 제시문 분석과 같이 ⓐ, ⓑ, ⓒ로부터 우리가 일상적으로 볼 수 없는 것들은 소멸 가능하지 않다는 것(전제5)이 논리적으로 도출된다.

ㄴ. 적절하다. 제시문에서는 숫자 3과 수 3을 구별하면서 수 3을 근거로 ⓒ를 정당화하고 있다.

1. 수 3은 칠판에 적힌 숫자 '3'과 달리 절대로 변화하지 않는다.

                [전제]
2. 수 3은 일상적으로 볼 수 없는 것이다.   [생략된 전제]
3. ∴ 수 3은 일상적으로 볼 수 없고 절대로 변화하지 않는다.

                [생략된 소결론]
4. ∴ 일상적으로 볼 수 없는 것들은 변화하지 않는다. [ⓒ, 결론]

그러나, ㄴ과 같이 일상적으로 볼 수 없는 모든 것이 변화하지 않는다는 것을 반드시 받아들일 필요가 없다면 전제1~3으로부터 전제4가 도출되지 않을 수 있다. 따라서 ⓒ에 대한 정당화가 충분하지 않다는 ㄴ의 평가는 적절하다.

ㄷ. 적절하지 않다. 제시문 분석과 같이 ⓐ, ⓑ, ⓒ, ⓓ로부터 영혼은 소멸하지 않는 존재라는 것이 논리적으로 도출된다.

# 216

| 정답 | ① | 내용 영역 | 인문 |
|---|---|---|---|
| 난이도 | ★★☆ | 문항 유형 | 논증 분석 |

**접근 전략**

제시된 논증의 각 진술 간의 관계를 파악하는 문제이다. 논증을 분석하는 문제 중에서도 진술들 간의 관계를 묻는 문제의 경우 논증구조도를 그려보는 것이 논증 분석에 큰 도움이 된다. ㄷ처럼 한 진술과 다른 진술의 내용이 일견 상반되는 것처럼 보일지라도, 한 진술이 다른 진술을 전제하고 있거나, 한 진술은 사실적 진술이고 다른 진술은 당위적 진술인 경우 등에서는 한 진술이 다른 진술을 반박한다고 보기 어렵기 때문에, 양자의 논리적 관계를 엄밀히 따져 두 진술이 반대관계에 있는지, 양립 불가능한 관계에 있는지 등에 대한 판단이 필요하다.

**제시문 분석 & 해설**

글의 논증을 구조화하면 다음과 같다.

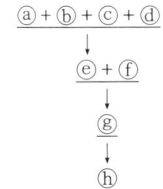

ㄱ. 적절하다. ⓒ는 '자신의 노력을 통해서 획득한 것이 아니다라는 말이다'라고 해서, ⓑ의 '우연적'이라는 개념을 상술하는 문장이다. 따라서 ⓒ는 ⓑ를 부연한다고 볼 수 있다.

  ⇨ ⓑ~ⓒ를 정리하면 다음과 같다.
    '우연적' = ~(정당한 근거 ∨ 필연적인 이유)
           = ~(획득 by 자신의 노력)
따라서 ⓒ는 ⓑ를 부연한다고 볼 수 있다.

ㄴ. 적절하다. 생략된 전제를 보충하여 ⓔ가 도출되는 과정을 재구성하면 다음과 같다.

| 전제1 | ⓑ 이와 같은 자연적인 자산을 개인이 소유하게 된 것은 우연적이다. |
|---|---|
| 전제2 | ⓓ 물려받은 부나 재산은 애당초 공동체의 사회적인 협력이나 협동으로 획득된 것이다. |
| 전제3 | 우연적으로 소유하게 되거나 공동체의 사회적인 협력이나 협동으로 획득된 자산에 대해서는 권리를 주장할 수 없다. (생략된 전제) |
| 결론 | ⓔ 그와 같은 재산에 대한 권리는 극히 제한적이거나 아예 없다고도 말할 수 있다. |

  ⇨ ⓓ는 ⓔ라는 소결론을 도출하는 근거가 된다. 따라서 ⓓ는 ⓔ를 지지한다고 볼 수 있다.

ㄷ. 적절하지 않다. ⓕ는 ⓐ를 반박하고 있는 것이 아니라 ⓐ를 인정하면서 ⓕ라고 주장하고 있다. 다시 말해서, 각 개인이 타고난 지적 능력, 육체적인 힘, 성격이나 외모, 상속받은 유산 등 자연적인 자산 혹은 부를 가지고 있음을 인정하지만 그러한 부를 개인의 독점적인 자산이 아닌 공동체의 공동자산으로 간주해야 함을 주장하고 있는 것이다.

ㄹ. 적절하지 않다. ⓗ는 ⓖ를 부연하고 있는 것이 아니라 ⓖ로부터 ⓗ가 도출된다.

# 217

| 정답 | ⑤ | 내용 영역 | 인문 |
|---|---|---|---|
| 난이도 | ★★★ | 문항 유형 | 논증 분석 |

### 접근 전략

논증을 재구성하기 위해서는 먼저 결론부터 찾아야 할 필요가 있다. 이때 사용되는 추론 규칙은 다음과 같다.

| • 전건긍정식 | • 후건부정식 |
|---|---|
| P → Q | P → Q |
| P | ~Q |
| ∴ Q | ∴ ~P |

또한 일상어를 기호화할 때 다음을 유의해야 한다.

• (오직) P인 경우에만 Q이다. : Q → P

### 제시문 분석 & 해설

진리 표현에 대해 진리 다원주의와 진리 최소주의 두 견해가 소개되어 있다.

〈진리 다원주의자의 주장〉
진리 다원주의자들은 '진리가 진정한 속성이다(ⓒ)'고 주장한다. 이들의 논증을 재구성하면 다음과 같다.

| 전제1 | 진리 표현은 명제가 속한 영역에 따라서 다른 진리를 나타낸다는 주장은(p) 진리가 진정한 속성일 때에만 성립한다(q). (ⓛ)<br>[진리가 진정한 속성일 때에만(q) 진리 표현이 서로 다른 진리를 나타낸다.(p)] | p → q |
|---|---|---|
| 전제2 | 수학과 사회적 규약이라는 서로 다른 영역에 속한 위 두 명제들의 진리 표현은 서로 다른 진리를 나타낸다. (㉠)<br>[진리 표현은 서로 다른 진리를 나타낸다.] | p |
| 결론 | 진리가 진정한 속성이다. (ⓒ) | ∴ q |

〈진리 최소주의자의 주장〉
진리 최소주의자들은 전제1과 전제2만을 제시하고 있지만 이를 통해 도출된 결론은 ⓒ을 부정하고 있다.

| 전제1 | 언어 사용을 통해 어떤 속성에 대한 모든 것을 알 수 있다면(p), 그것은 진정한 속성이 아니다.(q) (㉣) | p → q |
|---|---|---|
| 전제2 | 언어 사용을 통해 진리에 관한 모든 것을 알 수 있다. (㉤) | p |
| 결론 | 진리는 진정한 속성이 아니다. (~ⓒ) | ∴ q |

ㄱ. 적절하다. ㉠과 ⓛ이 결합하여 ⓒ을 도출한다.
ㄴ. 적절하다. ㉣과 ㉤이 결합하여 ~ⓒ를 도출하여 ⓒ을 부정한다.
ㄷ. 적절하다. ㉠과 ⓛ이 결합할 경우 ⓒ은 반드시 도출된다. 그리고 ⓒ과 ㉣이 결합하여 ~㉤을 도출한다.

| 전제1 | 진리 표현은 명제가 속한 영역에 따라서 다른 진리를 나타낸다는 주장은(p) 진리가 진정한 속성일 때에만 성립한다(q). (ⓛ) | p → q |
|---|---|---|
| 전제2 | 수학과 사회적 규약이라는 서로 다른 영역에 속한 위 두 명제들의 진리 표현은 서로 다른 진리를 나타낸다(p). (㉠) | p |
| (소결론) | (진리가 진정한 속성이다. (ⓒ))<br>[생략된 결론] | (∴ q) |
| 전제3 | 언어 사용을 통해 어떤 속성에 대한 모든 것을 알 수 있다면(r), 그것은 진정한 속성이 아니다(~q). (㉣) | r → ~q<br>[q → ~r] |
| 결론 | 언어 사용을 통해 진리에 관한 모든 것을 알 수 있는 것은 아니다(~r). (~㉤) | ∴ ~r |

# 218

| 정답 | ③ | 내용 영역 | 인문 |
|---|---|---|---|
| 난이도 | ★☆☆ | 문항 유형 | 논증 분석 |

## 접근 전략

제시문의 길이가 길기 때문에, 선지에서 언급하는 정보만 발췌하여 풀이한다.

## 제시문 분석 & 해설

제시문의 명제 ㉠ ~ ㉣을 기호로 정리하면 다음과 같다.

㉠ (p 믿음 인식적 정당화 → p 믿어야 함) ∧ (p 믿어야 함 → p 믿음 인식적 정당화) ≡ (p 믿음 인식적 정당화 ↔ p 믿어야 함)

㉡ ~p 믿음 자유 선택

㉢ ~p 믿음 자유 선택 → p 믿어야 할 인식적 의무 ×

㉣ ~p 믿음 인식적 정당화

ㄱ. 옳다. ㉠과 ㉢은 별개의 내용을 다룬 명제이므로, 이로부터 도출되는 진술은 없다. 따라서 ㉠과 ㉢만으로는 ㉣이 도출되지 않는다.

ㄴ. 옳지 않다. ㉡을 부정하면 'p 믿음 자유 선택'이 도출되지만, 이는 ㉢의 전건을 부정한 내용일 뿐이다. 따라서 ㉡의 부정으로부터 ㉢의 부정은 도출되지 않는다.

ㄷ. 옳다. 자유주의 논제에 따르면, '비의지적'임은 '자유롭게 선택할 수 있는 것이 아니다'와 동일한 의미를 갖는다. 따라서 '~p 믿음 자유 선택 → p 믿어야 할 인식적 의무 ×' (㉢) 과 "'지금 비가 오고 있다.'를 믿는다는 것이 비의지적이다."라는 전제로부터 "우리에게 '지금 비가 오고 있다.'를 믿어야 할 인식적 의무가 없다."는 것이 도출된다.

# 219

정답 | ③          내용 영역 | 인문
난이도 | ★☆☆     문항 유형 | 논쟁 및 반론

어떤 주장을 반박하는 방법은 1) 주장의 근거를 비판하거나, 주장을 부정하거나, 그리고 2) 근거로부터 결론을 이끌어내는 방식이 부당함을 보이는 것이다. 이 문제의 경우 A의 근거를 찾아서 비판하는 방식으로 해결 가능하다. 이때 A가 제시하지 않은 근거를 비판하는 것은 쟁점을 벗어나므로 A를 반박할 수 없음에 유의해야 한다.

A와 B의 대화는 다음과 같이 정리할 수 있다.

A : 인간은 자신의 욕구를 합리적으로 통제하며, 좋은 것만을 욕구한다.
B : 인간이 자신의 욕구를 합리적으로 통제하지 못하는 경우도 있으며, 좋은 것만을 욕구하는 것도 아니다. 전자의 예로 범죄를, 후자의 예로 마약 중독을 들 수 있다.
A : 범죄는 자신의 행동이 나쁘다는 것을 모르기 때문에 그와 같은 행동을 저지르는 것이고, 마약 중독자는 마약이 좋은 것이라 믿기 때문에 마약을 원하는 것이다.

① 적절하지 않다. A와 B의 쟁점은 '마약 중독자가 욕구를 합리적으로 통제할 수 없는 인간의 사례에 해당하는가'이지 '마약 중독자에게 처벌이나 치료 중 무엇이 필요한가'가 아니다. 따라서 이 진술은 A의 주장을 반박할 수 없다.
② 적절하지 않다. A에 따르면 범죄를 저지르는 것은 자신의 행동이 나쁘다는 것을 모르기 때문이지 욕구를 합리적으로 통제하지 못해서가 아니다. 즉 범죄가 합리적인 계획 하에서 저질러졌다는 점이 범죄자가 그 범죄가 나쁘다는 것을 몰랐음을 반박하는 것은 아니다.
③ 적절하다. A는 인간은 항상 좋은 것만을 욕구한다고 전제한다. 몸에 좋지 않다는 것을 알면서도 그것을 원하는 사람들이 있다는 사실은 이에 대한 반례에 해당하므로 A의 주장을 반박할 수 있다.
④, ⑤ 적절하지 않다. 제시문은 인간에 한정하여 욕구를 합리적으로 통제할 수 있는지에 대한 논쟁을 보여주고 있다. 즉 인간이 아닌 동물의 욕구나 처벌의 문제는 쟁점을 벗어나므로 제시문을 반박하는 진술로 적절하지 않다.

# 220

정답 | ⑤          내용 영역 | 인문
난이도 | ★☆☆     문항 유형 | 논쟁 및 반론

아우구스티누스 주장의 근거가 무엇인지를 파악하고 선지가 그 근거를 비판하는지 또는 그 근거들이 주장을 뒷받침할 수 없음을 보이는지를 판단하면 된다. 이때, 논제를 벗어난 진술은 그 논증에 대한 반론이 될 수 없음에 유의하자.

전지·전능·전선한 존재인 신이 있다면 왜 세상에 악이 존재하는 것인지에 대한 문제를 해결하기 위해 아우구스티누스는 다음과 같은 진술을 한다.
(1) '신이 부여한 좋은 본성을 저버리고 나쁜 것을 선택'하는 것은 의지의 결함 때문이다. 이러한 의지의 결함은 외부의 악에 의한 것이 아니라 내재된 것이다.
(2) 그리고 신은 세상의 모든 사물을 선으로 창조하였다. 즉, 어떤 대상은 개별적으로는 추해 보일 수 있지만, 전체적으로는 전 우주의 일부분을 구성하기 때문에 선한 것이다.

① 적절하다. 아우구스티누스는 악은 외부로부터가 아니라 내재된 것이라고 한다. 그러나 다른 사람으로 인해 고통을 받는 사람들이 많은 상황, 즉 이러한 상황은 외부로부터의 악 때문이다. 따라서 의지의 결함 외에도 악이 존재한다는 것은 아우구스티누스의 주장을 비판할 수 있다.
② 적절하다. 갓 태어난 아기는 의지의 결함을 가질 기회가 없으므로 악을 발생시킬 수 없다. 그럼에도 갓 태어난 아기가 질병으로 죽는 경우가 비일비재하다는 것은 의지의 결함 외에도 악이 존재한다는 것을 보여줄 수 있으므로, 아우구스티누스의 주장을 비판할 수 있다.
③ 적절하다. 아우구스티누스는 위 [제시문 분석] (2)에서 신은 세상의 모든 사물을 선으로 창조하였으며 개별적으로 추할지라도 전체적으로는 선하다고 주장한다. 그러나 악이 세상을 조화롭고 아름답게 하기에 지나칠 정도로 많다면 이는 전체 우주의 멋진 질서와 아름다움을 깨뜨릴 수 있을 것이다. 즉 (2)의 주장에 대한 비판이 될 수 있을 것이다.
④ 적절하다. 자연재해는 누구의 의지의 문제도 아니므로, 이러한 외부로부터의 상황으로 인해 많은 사람들이 고통을 받는다는 사실은 아우구스티누스의 주장을 비판할 수 있다.
⑤ 적절하지 않다. 아우구스티누스는 악행을 저지르는 사람들이 필연적으로 벌을 받는다거나 선과 악의 대결에서 항상 선이 승리한다고 주장한 것은 아니다. 따라서 이는 아우구스티누스의 주장에 대한 비판이 될 수 없다.

# 221

| 정답 | ② | 내용 영역 | 인문 |
| 난이도 | ★☆☆ | 문항 유형 | 논쟁 및 반론 |

**접근 전략**

단일 논증에서는 결론도 하나이지만 이 문제에서와 같이 논자가 여러 명이어서 결론도 여러 개인 경우도 있다. 전제에서는 일치된 견해를 보이더라도 결론이 다를 수 있고, 또 견해가 같더라도 그 근거가 다를 수도 있다. 따라서 각 논자의 견해를 분석한 후, 쟁점별로 일치된 입장을 보이는 것과 그렇지 않은 부분을 파악해야 한다.

**제시문 분석 & 해설**

〈쟁점별 갑, 을, 병의 견해〉

○ 위조품도 예술적 가치를 가지는지의 여부

| 을 | 예술품이라면 창의적이어야 하는데, 위조품은 창의적이지 않다. 따라서 위조품은 예술품이 아니다. |
| | 또한 예술적 가치는 진품만이 가질 수 있다. |

⇨ 을은 위조품은 예술품이 아니라고 본다. 즉, 위조품은 예술적 가치를 갖지 못한다는 것이다.

| 병 | 예술적 가치는 진품만이 가지는 것이 아니다. |
| | 사람을 속이는 작품이라면 부정적으로 평가된다.<br>위조품은 사람을 속이는 작품이다.<br>따라서 위조품은 부정적으로 평가된다. |

⇨ 병은 이 대화에서 화제가 된 '메헤렌의 위조품'이 부정적으로 평가되는 것에 있어서는 을과 견해가 같다. 하지만 그 근거는 다르다. 병은 위조품이 부정적으로 평가되는 이유는 사람을 속이는 것이었기 때문이며, 진품만이 예술적 가치를 가진다고 보지 않는다.

| 갑 | 예술적 가치는 시각적으로 식별할 수 있는 특성으로 결정된다.<br>위조품과 진품의 시각적 차이는 식별 가능하다. |

⇨ 갑은 두 번째 입장에서 이 쟁점과 관련한 견해를 밝힌다. 예술적 가치는 시각적 특성으로 결정된다는 것이다. 그리고 위조품은 진품과 동일하지 않아서 시각적 차이를 식별 가능하다는 입장이다. 만약, 진품과 그 차이를 식별 가능하지 않은 위조품이 있다면 갑은 위조품의 예술적 가치를 인정할 것이다.

○ 예술적 가치는 시각적 특성으로 나타나는지의 여부

| 갑 | 예술적 가치는 시각적으로 식별할 수 있는 특성으로 결정된다. |
| 을 | 완벽하게 원작을 복제한 〈모나리자〉는 사람들의 관심을 끌지 못한다. 즉, 예술적 가치는 시각적 특성에 달려 있지 않다. |
| 병 | 사람들은 〈모나리자〉가 갖고 있는 시각적 특징에 예술적 가치를 부여한다. |

ㄱ. 적절하지 않다. 갑은 예술적 가치가 시각적 특성으로 결정된다는 입장이지만, 을은 이와 다르다. 을은 위조품이 시각적으로 진품과 구별되지 않는다고 하더라도, 위조품은 창의성과 같은 예술적 가치를 가질 수 없다고 본다. 즉 을은 창의성은 시각적 특성으로 드러나지 않을 수 있다고 본다.

ㄴ. 적절하다. 갑과 병은 예술적 가치가 시각적 특성으로 드러난다고 보는 공통점을 가진다. 이런 갑과 병의 입장에서는 어떤 두 작품의 시각적 특성이 같다면, 그 중 하나가 위조품이어도 두 작품의 예술적 가치는 같다고 볼 것이다.

ㄷ. 적절하지 않다. 을은 위조품은 예술적 가치를 가질 수 없다는 입장이다. 따라서 메헤렌의 위조품이 고가에 거래되는 이유가 예술적 가치에 있다고 보지 않을 것이다.

# 222

| 정답 | ③ | 내용 영역 | 과학기술 |
| 난이도 | ★☆☆ | 문항 유형 | 논쟁 및 반론 |

**접근 전략**

논쟁 및 반론 유형의 문제를 해결하기 위해서는 제시된 논쟁의 쟁점을 확인하는 것이 중요하다. 쟁점이 파악된다면, 각각의 입장차를 파악하기가 수월해진다. 이 문제의 경우, 토론에 참여한 각 참여자들이 A의 주장에 대해 어떤 입장을 취하는지를 정리한다면 선지의 정오를 가리는 데 도움이 될 것이다.

**제시문 분석 & 해설**

〈쟁점〉

인간의 언어습득이 선천적 요인에 의한 것인가 혹은 후천적 요인에 의한 것인가?

A : 인간의 언어습득은 경험을 통해 후천적으로 형성된다.

B : (토론의 진행을 담당하며 자신의 견해를 제시하지 않는다.)

C : A의 주장과 달리, 어린아이가 배운 적이 없는 어휘를 만들어낸다는 반례를 제시하여 A의 주장에 반대한다.

D : 늑대소녀의 사례를 제시하여 후천적 경험 없이는 언어습득이 이루어지지 않음을 보임으로써 A의 주장을 강화하고, C의 주장에 동의하지 않는 입장을 보인다.

E : 언어 환경이라는 후천적 경험이 언어습득에 필요함을 주장하는 한편, 선천적인 언어능력의 필요성도 간과할 수 없음을 지적하고 있다. 즉 A와 C 주장의 절충적인 입장을 취하고 있다.

① 적절하지 않다. A와 D 모두 언어습득이 후천적으로 이루어진다고 본다.

② 적절하지 않다. B는 쟁점 사안이 결론내리기 어려운 것임을 지적할 뿐 토론자들의 견해가 양립불가능하다고 주장하지 않는다.

③ 적절하다. C는 언어습득이 후천적인 경험으로 이루어지는 것이라면 설명할 수 없는 예(어린아이의 어휘 생성)를 제시하고 있다.

④ 적절하지 않다. D는 C의 주장에 따른다면 일어나기 어려운 늑대소녀의 예를 들고 있는데, 이는 C를 지지하는 의견이 아니다.

⑤ 적절하지 않다. D는 A의 주장을 지지하는 예를 제시하고 있으므로 A와 D는 서로 대립되는 입장을 취하지 않는다. 따라서 E는 A와 D 주장의 절충적인 입장을 취하고 있는 것이 아니다. E는 A와 C 주장의 절충적인 입장을 취하고 있다.

# 223

| 정답 | ⑤ | 내용 영역 | 사회 |
|---|---|---|---|
| 난이도 | ★☆☆ | 문항 유형 | 논쟁 및 반론 |

**접근 전략**

'가'와 '나'의 공통점과 차이점을 비교·분석하여 선지 진술의 진위 여부를 판단할 수 있다.

**제시문 분석 & 해설**

'가'와 '나'는 에너지 문제에 대한 정의를 달리 내리고 있다. 따라서 다음과 같이 에너지 문제에 대한 접근 방식 및 에너지 정책의 내용이 달라질 수 있다.

|  | '가' '공급'의 문제로 정의 | '나' '수요'의 문제로 정의 |
|---|---|---|
| 접근 방식 | 단일한 접근<br>(대체에너지 자원의 필요) | 다양한 접근(에너지 사용, 에너지원에 맞는 에너지 사용 조절, 에너지 효율, 적절한 기술 등) |
| 대안 선택의 기초 | 중립적이고 객관적인 과학적 사실 | 객관적이고 사실적인 정보 |
| 해결 방식<br>(대안의 선택) | 매장량, 기술적 이익, 효율성과 비용 추정 등을 통해 가장 합리적인 대안 모색 | 가전 제품의 효율성, 단열재, 대중교통, 태양열 등의 주제를 통해 (가)와는 다른 에너지 정책 |

① 적합하다. '가'와 '나'는 에너지 문제를 각각 공급과 수요의 관점으로, 서로 다르게 보고 있지만 에너지 문제를 해결하고자 한다는 점은 동일하다.
② 적합하다. '가'와 '나' 모두 중립적이고 객관적인 과학적 사실을 기초로 에너지 문제를 해결하고자 하지만 서로 다른 해결 방식을 도출한다.
③ 적합하다. '가'와 '나'의 비교를 통해 내릴 수 있는 결론이다.
④ 적합하다. '가'는 단일한 접근 방식으로, '나'는 다양한 접근 방식으로 에너지 문제를 해결하고자 한다.
⑤ 적합하지 않다. '가'는 에너지와 관련된 대안을 모색하고 그것을 제공하는 과정에서, 효율과 비용을 모두 중시한다고 할 수 있다. 그리고 '나'는 수요, 즉 에너지 사용, 에너지원에 맞게 에너지 사용을 조절하는 것, 에너지 효율 등 사용량의 측면에서 주로 에너지 문제를 다룬다. 따라서 '나'에 입각한 관점이 비용을 중시한다고 보기는 어렵다.

# 224

| 정답 | ⑤ | 내용 영역 | 법규범 |
|---|---|---|---|
| 난이도 | ★★☆ | 문항 유형 | 논쟁 및 반론 |

**접근 전략**

제시문의 쟁점마다 제시된 갑, 을의 주장을 먼저 파악하고, 〈보기〉에 추가로 제시된 정보를 조합하여 풀이한다.

**제시문 분석 & 해설**

ㄱ. 적절하다. 쟁점1은 제3조 제1항 해석 문제이다. 이 조항은 임차인이 주민등록을 마친 경우, 임차주택을 매수한 제삼자에게 계약 효력을 주장할 수 있다고 규정한다. 경매 절차를 통해 소유권을 취득한 자를 여기시의 매수힌 제삼자에 포함시켜 해석한다면, B는 C에게 계약 효력을 주장할 수 있으므로 갑의 주장이 옳고 을의 주장은 옳지 않다.
ㄴ. 적절하다. 쟁점2는 제3조 제2항 해석 문제이다. 이 조항은 우선 배당을 받기 위해서는 주민등록뿐 아니라 확정일자가 기재된 임대차 계약서를 요건으로 한다. 계약서에 임대인이 자필로 적은 계약일자가 곧 확정일자로 볼 수 있는지에 대해, 갑은 해당 기재를 확정일자에 해당한다고 보고, 을은 그렇지 않다고 본다면, 두 사람의 주장 차이는 이 해석의 차이에서 설명된다.
ㄷ. 적절하다. 제4조 제1항은 임대인이 정해진 기간 내에 종료 통지를 하지 않으면 계약이 갱신된다고 규정한다. 만약 이 규정의 목적을 임차인의 선택을 존중하는 것이라고 이해한다면, 임차인이 기간 만료 후 종료 의사를 표시한 이상 계약은 갱신되지 않은 것으로 보아야 한다. 이 경우 갑의 주장은 옳지 않고, 을의 주장은 옳다.

# 225

정답 | ③     내용 영역 | 인문
난이도 | ★★☆     문항 유형 | 논쟁 및 반론

**접근 전략**

제시문에서 A와 B의 핵심 주장을 파악하고, 이를 비교하며 풀이한다.

**제시문 분석 & 해설**

ㄱ. 적절하다. 1문단에 따르면 A는 X에 속하는 개체들이 어떤 속성을 공유하고 이것이 자연법칙에 의해 설명되면 X를 자연종이라 하였다. 따라서 A는 개체들이 어떤 속성을 공유하고 그것들이 그러한 속성을 공유하는 것에 대한 자연법칙적 설명이 존재하는 ○○백신을 자연종이라 볼 것이다.

ㄴ. 적절하다. 2문단에 따르면 B는 A가 제시한 조건이 자연종을 위한 충분조건이 아니라고 보며, 어떤 X가 자연종이 되기 위해서는 어떤 개체가 그 X에 속하는지 여부에 대한 선명한 구분 기준이 존재해야 한다고 본다. 따라서 B의 입장에서는 금이 자연종이라면 무엇이 금인지 아닌지에 대한 선명한 구분 기준이 존재한다고 볼 것이다.

ㄷ. 적절하지 않다. 3문단에 따르면 B는 노인을 사회종으로 보며, 65세 이상이라는 속성을 공유하고 사회적 규칙이나 관행에 의해 설명된다고 본다. 따라서 B는 40세인 한국인을 노인으로 보지 않을 것이다. 1문단에 따르면 A는 노인이 갖는 속성을 공유하고 있고 이러한 속성을 공유하는 점이 자연법칙에 의해 설명이 된다고 하면 노인이라고 볼 것임을 추론할 수 있다. 하지만 A가 '노인이 갖는 속성'이 무엇인지를 명확히 제시하지는 않으므로, A가 이 한국인을 노인으로 볼 것인지는 판단하기 어렵다.

# 226

정답 | ①     내용 영역 | 인문
난이도 | ★☆☆     문항 유형 | 논쟁 및 반론

**접근 전략**

제시문에서 갑 ~ 병의 핵심 주장을 파악하고, 이를 비교하며 풀이한다.

**제시문 분석 & 해설**

ㄱ. 적절하다. 갑은 태양 중심 체계에서는 모든 행성에서 회전 반경이 클수록 회전 주기도 커진다고 설명한다. 을은 회전 주기와 회전 반경 사이에 일관된 관계가 성립한다는 것은 분명하다고 본다. 그리고 병은 태양 중심 체계를 옹호하는 근거 중 하나인 회전 주기와 회전 반경 사이의 일관된 관계가 지닌 미적 특징을 부정할 수 없다고 주장한다. 따라서 코페르니쿠스의 태양 중심 체계에서 행성의 회전 주기와 회전 반경 사이에 일관된 관계가 성립한다는 것에 갑, 을, 병 모두 동의함을 알 수 있다.

ㄴ. 적절하지 않다. 갑은 코페르니쿠스가 조화로운 관계 특성을 갖는 태양 중심 체계가 미적으로 뛰어나다는 것을 근거로 자신의 이론을 옹호하고 있다고 주장한다. 을은 코페르니쿠스가 미적 이유만으로 자신의 이론을 옹호하지 않았을 것이라 하였는데, 이는 을이 코페르니쿠스가 미적 이유를 들어 자신의 이론을 옹호했을 것임을 암묵적으로 인정하는 표현에 가깝다. 이러한 정보만으로 코페르니쿠스가 조화로운 관계를 미적으로 뛰어나다고 평가했다는 것에 대해 을이 동의하지 않는다고 볼 수는 없다.

ㄷ. 적절하지 않다. 갑은 코페르니쿠스 이론과 예측가능성의 관계에 대해 언급하고 있지 않으므로, 코페르니쿠스가 미적 우월성보다 예측 가능성을 더 중시했다는 것에 갑이 동의하는지 알 수는 없다. 한편 병은 미적 특징과 함께 예측 가능성도 태양 중심 체계를 옹호하는 근거 중 하나로 생각해야 한다고 주장하므로, 미적 우월성보다 예측 가능성을 더 중시했다는 것에 동의한다고 보기는 어렵다.

Ⅳ

## 227

| 정답 | ⑤ | 내용 영역 | 인문 |
| --- | --- | --- | --- |
| 난이도 | ★★☆ | 문항 유형 | 논쟁 및 반론 |

**접근 전략**

갑 ~ 정의 핵심 주장을 파악하고, 이를 비교하며 풀이한다.

**제시문 분석 & 해설**

ㄱ. 옳다. 을은 오직 공통된 생활양식을 함께 했을 때에만 상호 의사소통이 가능하다고 주장한다. 이에 따르면 생활양식이 김박사(지구인)와 매우 다른 A(외계인)는 김박사와 상호 의사소통을 할 수 없어야 하나, 〈보기〉 ㄱ에 따르면 김박사는 A와 의사소통이 가능하다. 따라서 을의 입장은 약화된다.

ㄴ. 옳다. 정은 우주의 보편 원리를 포함하는 이론, 그것을 표현하는 일상 언어 및 생물학적 유사성이 충족되어야 의사소통이 가능하며, 생물학적 유사성을 위해서는 신체 구조의 유사성이 필요하다고 주장한다. 그런데 A는 지구인과 전혀 다른 신체 구조를 갖고 있음에도 불구하고 김박사와 의사소통이 가능하므로, 신체구조의 유사성을 요구하는 정의 입장은 강화되지 않는다.

ㄷ. 옳다. 갑의 입장이 약화되기 위해서는 외계인이 우주를 보편적으로 지배하는 이론을 지님에도 불구하고 김박사가 외계인 A와 의사소통이 불가능해야 하나, 외계인 A는 우주의 보편 원리를 포함하는 이론을 갖고 있지 않다. 따라서 갑의 입장은 약화되지 않는다. 또한 병의 입장이 약화되기 위해서는 어떤 외계인이 우주의 보편적 원리를 포함하는 이론을 지니고, 그런 이론을 표현하는 일상 언어를 사용함에도 불구하고 지구인과 의사소통이 불가능해야 한다. 그러나 외계인 A는 우주의 보편 원리를 포함하는 이론을 갖고 있지 않으므로 병의 입장 또한 약화되지 않는다.

## 228

| 정답 | ② | 내용 영역 | 사회 |
| --- | --- | --- | --- |
| 난이도 | ★★☆ | 문항 유형 | 논쟁 및 반론 |

**접근 전략**

증거가 가설이 참일 확률을 높이는 경우, 그 증거가 해당 가설을 입증하는지에 대해 갑과 을의 주장이 다르다. 갑과 을이 언급하고자 하는 핵심 내용을 제시문에서 파악하여야 한다.

**제시문 분석 & 해설**

제시문에 제시된 갑과 을의 논증을 정리하면 다음과 같다.

〈갑의 논증〉

○ 증거 발견 후 가설의 확률 증가분 ○ → 증거가 가설을 입증

○ 증거 발견 후 가설의 확률 증가분이 더 큼 → 증거가 가설을 입증하는 정도가 더 큼

※ 확률 증가분이 있다: 증거 발견 후 가설이 참일 확률에서 증거 발견 전 가설이 참일 확률을 뺀 값이 0보다 크다

〈을의 논증〉

○ 증거가 가설이 참일 확률을 높임 ∧ 증거가 해당 가설을 입증하지 못함

○ 증거 발견 후 가설의 확률 증가분 ○ ∧ 증거 발견 후 가설이 참일 확률이 1/2보다 큼 ↔ 증거가 가설을 입증

ㄱ. 적절하지 않다. 갑은 증거 발견 후 가설의 확률 증가분이 있는 경우 증거가 가설을 입증한다고 설명하지만, 증거 발견 후 가설의 확률 증가분이 없는 경우를 설명하지는 않는다. 즉, 갑의 논증에서 '~증거 발견 후 가설의 확률 증가분 ○ → ~증거가 가설을 입증'에 해당하는 내용이 반드시 도출되지는 않는다.

위 내용은 갑의 설명과 '이'의 관계이다. 따라서 갑의 논증에서는 '증거 발견 후 가설의 확률 증가분이 없다'고 가정하더라도 '증거가 가설을 입증하지 못한다'는 결론이 반드시 도출되지는 않는다.

ㄴ. 적절하지 않다. 을은 증거가 가설을 입증하는 경우 증거 발견 후 가설의 확률 증가분이 있고, 증거 발견 후 가설이 참일 확률이 1/2보다 크다고 설명한다. 하지만 을의 논증에서는 위의 경우 증거 획득 이전 가설이 참일 확률이 어떠한지를 설명하지 않는다. 따라서 증거가 가설을 입증한다고 가정하더라도 증거 획득 이전 가설이 참일 확률이 1/2보다 크다는 점이 반드시 도출되지는 않는다.

ㄷ. 적절하다. 갑의 입장에서 '증거가 가설을 입증하는 정도'가 작다는 것은 '확률 증가분'이 작다고 바꾸어 표현할 수 있다. 이는 증거 발견 후 가설이 참일 확률(A)에서 증거 발견 전 가설이 참일 확률(B)을 뺀 값이 작다는 것을 의미한다.

하지만 위의 조건에서도 확률 증가분이 있고, A의 값이 1/2보다 큰 경우를 가정할 수 있다. 가령 B의 확률이 49%, A의 확률이 51%인 경우를 생각할 수 있을 것이다. 이 경우는 을이 제시한 '증거 발견 후 가설의 확률 증가분 ○ ∧ 증거 발견 후 가설이 참일 확률이 1/2보다 크다'는 두 조건을 만족하므로 증거가 가설을 입증한다. 따라서 〈보기〉 ㄷ과 같은 조건이 제시되어도 을의 입장에서 증거가 가설을 입증할 수 있다.

# 229

정답 | ④　　　내용 영역 | 법규범
난이도 | ★★★　　문항 유형 | 논쟁 및 반론

**접근 전략**

제시문의 쟁점마다 제시된 갑, 을의 주장을 먼저 파악하고, 〈보기〉에 추가로 제시된 정보를 조합하여 풀이한다.

**제시문 분석 & 해설**

ㄱ. 적절하지 않다. 주거법 제○○조 제1항 제2호에 따르면 2년 이상 외국에 체재하고 있는 △△국 국민은 비거주자로 구분되며, 이 경우 일시 귀국하여 3개월 이내의 기간 동안 체재한 경우 그 기간은 외국에 체재한 기간에 포함되는 것으로 본다. A가 여름방학과 겨울방학에 2개월씩 체재한 것을 합으로 보지 않고 각각 따로 본다면, 각 기간은 '3개월 이내의 기간'에 해당하므로 이 4개월 역시 외국에 체재한 기간에 포함되는 것으로 간주되어 A는 △△국 비거주자로 구분된다. 하지만 이를 체재한 기간의 합으로 보면 4개월이 되므로 '3개월 이내의 기간'에 해당하지 않아 여름방학과 겨울방학 기간에 일시 귀국하였던 4개월은 체재한 기간에 포함되지 않는다. 이 경우 A는 외국에서 1년 9개월간 체재한 것이 되므로 비거주자로 구분되지 않는다. 따라서 일시 귀국하여 체재한 '3개월 이내의 기간'이 귀국할 때마다 체재한 기간의 합으로 확정된다면 A는 비거주자로 구분되지 않는다. 따라서 이 경우 A가 △△국 비거주자로 구분된다고 주장한 갑의 주장은 그르고 을의 주장은 옳다.

ㄴ. 적절하다. 주거법 제○○조 제1항 제1호에 따르면 외국에서 영업활동에 종사하고 있는 △△국 국민은 비거주자로 구분된다. 미국 사무소에서 1개월째 영업활동에 종사 중인 B를 △△국 국민으로 본다면 주거법 제○○조 제1항 제1호의 요건을 충족하므로 이 경우 B는 △△국 비거주자로 구분된다.

한편 주거법 제○○조 제2항에 따르면 국내에서 영업활동에 종사하였거나 6개월 이상 체재하였던 외국인으로서 출국하여 외국에서 3개월 이상 체재 중인 사람의 경우에도 비거주자로 본다. 미국 사무소에서 1개월째 영업활동에 종사 중인 B를 외국인으로 본다면 '외국에서 3개월 이상 체재 중'의 요건을 충족하지 않으므로 △△국 비거주자로 구분되지 않는다.

따라서 갑은 B를 △△국 국민이라고 생각하지만 을은 외국인이라고 생각하기 때문이라고 하면, 갑과 을 사이의 주장 불일치를 설명할 수 있다.

ㄷ. 적절하다. 주거법 제○○조 제1항 제1호에 따르면 외국에서 영업활동에 종사하고 있는 △△국 국민은 비거주자로 구분된다. D의 길거리 음악 연주를 영업활동으로 본다면 주거법 제○○조 제1항 제1호의 요건을 충족하므로 이 경우 D는 △△국 비거주자로 구분된다.

한편 주거법 제○○조 제1항 제3호에 따르면 외국인과 혼인하여 배우자의 국적국에 6개월 이상 체재하는 △△국 국민은 비거주자로 구분된다. D의 길거리 음악 연주가 영업활동이 아니라면 독일에서 5개월째 체재 중인 D는 '6개월 이상 체재'라는 조건을 충족하지 않으므로 △△국 비거주자로 구분되지 않는다.

따라서 D의 길거리 음악 연주가 영업활동이 아닌 것으로 확정된다면 D는 △△국 비거주자로 구분되지 않으므로 갑의 주장은 그르고 을의 주장은 옳다.

# 230

정답 | ③　　　내용 영역 | 인문
난이도 | ★★☆　　문항 유형 | 논쟁 및 반론

**접근 전략**

공간과 관련된 데모크리토스, 데카르트, 뉴턴, 라이프니츠의 주장을 정리하여 풀이할 수 있다.

**제시문 분석 & 해설**

각 학자의 주장을 정리하면 다음과 같다.

| | 데모크리토스 | 데카르트 | 뉴턴 | 라이프니츠 |
|---|---|---|---|---|
| 공간의 본성 | 원자들의 움직임, 배열과 조합의 변화가 이루어지는 장소 | 연장 (퍼져있음), 정신과 독립된 객관적 실재 | 정신과 독립된 객관적 실재 | 정신의 창안물 (정신과 독립된 실재가 아님) |
| 빈 공간의 존재 | 인정 | 원리적으로 불가능 | 비어 있는 구조물로서 절대공간 | 불가능 |

① 적절하지 않다. 4문단에 따르면 공간의 본성에 관해 뉴턴은 공간이 정신과 독립된 객관적 실재라고 보았다. 한편 라이프니츠는 뉴턴의 견해와 반대로 공간은 정신과 독립된 실재가 아니라고 보았다. 따라서 뉴턴과 라이프니츠의 견해는 양립할 수 없으므로, 뉴턴의 견해가 옳다면 라이프니츠의 견해는 옳지 않다.

② 적절하지 않다. 2문단에 따르면 공간의 본성에 관하여 데카르트는 물질의 연장, 퍼져있음으로 보아 빈 공간이 원리적으로 가능하지 않다고 보았다. 그러나 1문단에 따르면 데모크리토스는 원자들의 움직임, 배열과 조합의 변화가 이루어지는 빈 공간이 존재한다고 보았다. 따라서 데카르트의 견해가 옳다면 데모크리토스의 견해는 옳지 않다.

③ 적절하다. 4문단에 따르면 공간의 본성에 관하여 라이프니츠는 공간을 정신과 독립된 실재로 보지 않았고, 데카르트는 공간과 정신을 독립된 실재로 보았다. 따라서 라이프니츠의 견해가 옳다면 데카르트의 견해는 옳지 않다.

④ 적절하지 않다. 2문단에 따르면 빈 공간의 존재에 관하여 데카르트는 원리적으로 불가능하다고 보았고, 3문단에 따르면 뉴턴은 비어 있으면서 튼튼한 구조물인 절대공간이 존재한다고 보았다. 따라서 데카르트의 견해가 옳다면, 뉴턴의 견해는 옳지 않다.

⑤ 적절하지 않다. 1문단에 따르면 빈 공간의 존재에 관하여 데모크리토스는 원자들이 움직이는 장소로 보아 인정하였고, 3문단에 따르면 뉴턴은 비어 있는 구조물로서 절대공간을 인정하였다. 따라서 데모크리토스의 견해가 옳다면 뉴턴의 견해도 옳다.

## 231

| 정답 | ① | 내용 영역 | 과학기술 |
|---|---|---|---|
| 난이도 | ★★☆ | 문항 유형 | 논쟁 및 반론 |

**접근 전략**

A, B 각각이 주장하는 내용과 더불어 그 차이점을 유의해야 한다. 그리고 서로의 주장에 대해 A와 B가 대응하는 방식 및 내용에도 주목하여 분석해야 한다.

**제시문 분석 & 해설**

〈A와 B의 주장〉

| A | 현대 의학의 발전상은 괄목할 만한 것으로 긍정적으로 평가할 수 있다. |
|---|---|
| B | 현대 의학이 발전한 것은 사실이지만 현대 의학의 본질에 대해 정밀한 검토가 필요하다. |

〈A, B 두 사람의 대화〉

| $A_1$ | 현대 의학의 발전상과 의학적 성과에 대해 긍정적으로 평가함 |
|---|---|
| $B_1$ | 현대 의학의 성과를 인정하는 한편, 질병이 정복되지 않았음을 지적함 |
| $A_2$ | 현대 의학의 발전 가능성에 대해 낙관적인 기대를 함 |
| $B_2$ | 현대 의학이 과대평가된 면이 있음을 언급하고, 현대 의학의 문제점으로 항생제 내성을 지닌 세포가 지속적으로 발생한다는 사례를 제시 |
| $A_3$ | 현대 의학의 한계를 인정하는 한편, 현대 의학의 성과를 높이 평가할 수 있다고 봄. 그 근거로 평균 수명의 급속한 증가를 사례로 제시 |
| $B_3$ | 인간의 평균 수명 증가의 원인을 현대 의학의 발전이 아닌 또 다른 관점에서 볼 필요도 있다는 것을, 맥퀸, 블레인, 고르, 일리치의 의견을 통해 밝힘 |

① 알 수 있다. B는 $B_3$에서 평균 수명의 증가가 현대 의학에 의한 결과가 아니라 생활 조건의 향상(맥퀸), 노동자들의 실질 임금 증가와 노동 조건 개선(블레인)으로 인한 결과일 수 있음을 지적한다.

② 알 수 없다. B는 현대 의학의 발전으로 난치병을 정복할 것이란 낙관적 기대를 하는 $A_2$의 진술에 대해 현대 의학이 과대평가되었다는 지적을 하며, $A_2$에 동의하지 않는다.

③ 알 수 없다. A는 현대 의학의 발전상이 여러 질병들을 치료하여 인간의 복지를 향상시켰으며, 앞으로도 그러할 것이라는 낙관적인 전망을 하고 있다. 그러나 B는 인간의 평균 수명 증가의 측면도 현대 의학의 발전에 의한 것이라기보다는 다른 요인에 의한 결과일 수 있음을 지적한다. 또한 $B_3$에서 B는 현대 의학의 발전이 병을 낫게 하기보다는 병원성 질환을 초래할 가능성도 지적하고 있기 때문에, B는 현대 의학의 발전이 인간의 복지를 향상시킬 것이라는 데 동의하지 않을 것이다.

④ 알 수 없다. B는 $B_3$에서 약품 구매량이 증가하였고, 또 약의 부작용으로 인한 병원성 질환을 초래할 가능성을 언급한다. 그렇다고 하여 B가 약품 사용 증가로 인한 부작용이 평균 수명 증가에 심각한 악영향을 미칠 것이라고 주장하는 것은 아니다.

⑤ 알 수 없다. B는 현대 의학이 가진 한계를 인정하자는 것이지 현대 의학이 질병을 완전히 정복하는 수준에 도달해야 한다고 주장하는 것은 아니다.

## 232

| 정답 | ③ | 내용 영역 | 법규범 |
|---|---|---|---|
| 난이도 | ★★☆ | 문항 유형 | 논쟁 및 반론 |

**접근 전략**

규정에 제시된 용어를 어떻게 해석하는가에 따라 견해의 차이가 발생하므로, 각 선지에 제시된 내용에 따라 풀이한다.

**제시문 분석 & 해설**

쟁점 1 ~ 3에서 제시된 상황을 정리하면 다음과 같다.

| 쟁점 | 관계자 | 직위 | 연임 횟수 | 특이사항 |
|---|---|---|---|---|
| 1 | A | 위원 | 1회 | • 임기 마지막 해에 위원장으로 선출 |
| 2 | B | 위원장 | 1회 | • 활동 중 직위 해제<br>• 보선 출마 |
| 3 | C | 위원장 | 1회 | • 보선 출마 |
|   | D | 위원장 | 0회 | • 임기 만료 직전에 사퇴 |

ㄱ. 적절하다. 쟁점 1에서 갑의 생각대로 위원으로서의 임기가 종료되면 위원장으로서의 자격도 없다면, 위원을 이미 1회 연임한 A가 위원장으로 선출된 것은 규정을 어긴 것이다. 하지만 을의 생각대로 위원장이 되는 경우에는 그 임기나 연임 제한이 새롭게 산정된다면, 위원의 임기와 연임 횟수는 위원장의 그것과 별개로 계산해야 하므로 A가 위원장으로 선출된 것은 규정을 어긴 것이 아니다. 따라서 ㄱ에 제시된 진술은 갑과 을 사이의 주장 불일치를 설명할 수 있다.

ㄴ. 적절하다. 쟁점 2에서 갑의 생각대로 위원장이 부적법한 절차로 당선되었더라도 그것이 연임 횟수에 포함된다면, B가 선출될 경우 두 차례 연임되는 것이므로 규정을 어긴 것이다. 하지만 을의 생각대로 B의 경우가 연임 횟수에 포함되지 않는다면, B가 선출되면 한 차례 연임되는 것이므로 규정을 어긴 것이 아니다. 따라서 ㄴ에 제시된 진술은 갑과 을 사이의 주장 불일치를 설명할 수 있다.

ㄷ. 적절하지 않다. 쟁점 3에서 C가 위원장을 1회 연임한 후 D가 위원장으로 선출되었다. 이때 위원장 연임 제한이 '단절되는 일 없이 세 차례 연속하여 위원장이 되는 것'을 막는 조치라면, D의 사퇴 후 C가 보선에 출마하여 선출되어도 단절 없이 세 차례 연속하여 위원장이 되는 것은 아니다. 따라서 C의 선출이 규정을 어긴 것이라는 갑의 주장은 옳지 않고, 그렇지 않다는 을의 주장은 옳다.

# 233

정답 | ②　　　　내용 영역 | 인문
난이도 | ★★☆　　文항 유형 | 논쟁 및 반론

접근 전략
여러 개의 견해가 나와 있을 때는 각 견해가 어떤 쟁점에서 공통점과 차이점을 가지고 있는지 분석할 수 있어야 한다. 가장 많이 언급되는 용어를 중심으로 쟁점을 우선 파악하여 견해 차이를 구분할 필요가 있다.

### 제시문 분석 & 해설
O 쟁점 : 기술이라는 용어는 어떻게 정의될 수 있을까?
O 〈견해〉
　기술 정의의 조건에 대한 갑, 을, 병의 견해는 다음과 같다.

|  | 갑 | 을 | 병 |
|---|---|---|---|
| 물질로 구현됨 | ○ | ○ | 알 수 없음 |
| 지성이 개입해야 함 |  | ○ | ○ |
| 근대 과학혁명 이후 |  | ○ | × |

ㄱ. 적절하지 않다. 갑에 따르면 기술이라고 부를 수 있는 것은 모두 물질로 구현된다는 조건만 갖추면 된다. 그리고 을은 기술이 반드시 물질로 구현되는 것이어야 하는 것은 맞지만 물질로 구현된 것들이 모두 기술은 아니며, 지성이 개입해야 하며 또한 근대 과학혁명 이후에 등장한 과학이 개입한 것들에 한정하여 기술 용어를 적용해야 한다고 본다. 갑과 을에 있어서 기술을 적용하는 범위는 갑보다 을의 조건이 더 많으므로, 갑이 을보다 더 넓다. 한편 병은 지성이 개입해야 한다는 것에는 을에 동의하지만 근대 과학혁명 이후에 등장한 과학이 개입해야 한다는 것은 기술의 정의를 너무 협소하게 한다고 지적한다. 그러나 물질로 구현되어야 하는지에 대해서는 병의 견해를 판단할 수 없으므로 기술을 적용하는 범위에 있어서 을과 병 중 어느 쪽이 더 넓은지는 추론할 수 없다. 따라서 '기술'을 적용하는 범위가 셋 중 갑이 가장 넓고 을이 가장 좁다고 할 수 없다.

ㄴ. 적절하다. 을에 따르면 기술이란 용어의 적용은 과학이 개입한 것들로 한정하는 것이 합당하므로 기술에는 과학의 개입이 있어야 한다. 병에 따르면 기술을 만들어 내기 위해 과학의 개입이 꼭 필요한 것은 아니다. 따라서 '모든 기술에는 과학이 개입되어 있다'는 주장에 을은 동의하지만 병은 동의하지 않는다.

ㄷ. 적절하지 않다. 병에 따르면 기술은 과학과 별개로 시행착오를 거쳐 발전해 나가기도 한다. 따라서 시행착오를 거쳐 발전해온 옷감 제작법에 대해 병은 기술로 인정할 것이다. 한편 옷감 제작법은 옷감이라는 물질로 구현되고, 갑은 기술이 물질로 구현된다고 주장한 점 외에 반드시 기술이 갖추어야 할 조건을 별도로 제시하지는 않았다. 따라서 갑이 옷감 제작법을 기술로 볼 수도 있으므로 갑이 옷감 제작법을 기술로 인정하지 않는다고 할 수 없다.

# 234

정답 | ③　　　　내용 영역 | 인문
난이도 | ★★☆　　文항 유형 | 논쟁 및 반론

접근 전략
'p → q'의 반례가 되기 위해서는 'p → ~q'에 해당해야 한다는 것, 그리고 'p → ~q'의 반례 역시 'p → q'라는 것을 파악하고 있어야 문제를 해결할 수 있다.

### 제시문 분석 & 해설
〈A 원리〉
우리는 특정 자극과 특정 행동을 통해 타인의 심리 상태를 추론한다.

$$\frac{신체적인\ 위해}{특정\ 자극}\ \&\ \frac{신음\ 소리}{특정\ 행동}\ \Rightarrow\ \frac{심리\ 상태}{고통}$$

〈A 원리에 대한 반례〉

| 을 | • 로봇이 우리 인간과 유사하게 행동하더라도, 로봇은 고통을 느끼지 않는다.<br>• 특정 자극 & 특정 행동 → ~고통(심리 상태) |
|---|---|
| 병 | • 아무런 고통을 느끼지 못하는 사람의 경우, 신체적인 위해가 가해졌을 때 비명을 지르고 찡그리는 등 고통과 관련된 행동을 완벽하게 하지만, 그는 고통을 느끼지 않는다.<br>• 특정 자극 & 특정 행동 → ~고통(심리 상태) |
| 정 | • 위해가 가해졌을 때 고통과 관련한 행동을 하지 않고 참지만, 실제로는 고통을 느끼는 사람이 있다.<br>• 특정 자극 & ~특정 행동 → 고통(심리 상태) |
| 을 | • "특정 자극 & ~특정 행동 → 고통"의 경우(정의 견해)는 A 원리의 반박 사례가 아니다. |

⇨ 이때, 마지막 을에 따르면 정이 든 반례는 A 원리의 반례가 아니다. 따라서 을, 병의 사례만 A 원리의 반례이다.
　을, 병이 A 원리를 반박하기 위해 제시한 반례는 '특정 자극 & 특정 행동 → ~고통'이다. 따라서 A 원리는 '특정 자극 & 특정 행동 → 고통'임을 알 수 있다. 이를 만족하는 것은 ③이다.

# 235

| 정답 | ① | 내용 영역 | 인문 |
| --- | --- | --- | --- |
| 난이도 | ★★☆ | 문항 유형 | 논쟁 및 반론 |

**접근 전략**

제시된 A~D가 정격연주 가능성에 대해 어떠한 관점을 취하는지 구분할 수 있어야 한다. 문제해결을 위해서는 A~D를 기호화하는 것이 선지의 정오 판단에 도움이 된다.

**제시문 분석 & 해설**

O 정격연주 : 음악을 연주할 때 그것이 작곡된 시대에 연주된 느낌을 정확하게 구현하는 것을 목표로 하는 연주

〈정격연주 가능성에 대한 A~D의 분석〉

| A | 옛 음악을 작곡 당시에 공연된 것과 똑같이 재연하면 정격연주가 가능하다. |
| --- | --- |
| B | 과거와 현재의 연주 관습상 차이 때문에 옛 음악을 똑같이 재연하는 것은 불가능하다. |
| C | • 똑같이 재연하지 못한다고 해서 정격연주가 불가능한 것은 아니다.<br>• 작곡가의 의도를 파악한다면 정격연주는 가능하다. |
| D | • 작곡된 시대에 연주된 느낌을 정확하게 구현하려면 작곡자의 의도뿐만 아니라 당시의 연주 관습도 고려해야 한다.<br>• 작곡가의 의도와 당시 연주 관습을 모두 고려하지 않는다면 정격연주를 실현할 수 없다. |

⇨ 이를 간단히 기호화하면 다음과 같다.

| A | 재연 → 정격연주 |
| --- | --- |
| B | ~재연 |
| C | • ~재연 → 정격연주<br>• 의도 → 정격연주 |
| D | • 정격연주 → 의도 & 관습<br>• ~(의도 & 관습) → ~정격연주 |

ㄱ. 적절하다. 옛 음악을 과거와 똑같이 재연한다면 과거의 연주 느낌이 구현될 수 있다는 것을 기호화하면 '재연 → 정격연주'이다. 이를 부정하려면, '재연 → ~정격연주'여야 한다. A를 기호화하면 '재연 → 정격연주'이므로, A는 옛 음악을 과거와 똑같이 재연한다면 과거의 연주 느낌이 구현될 수 있다는 것을 인정한다. C를 기호화하면 '~재연 → 정격연주'이다. 이는 '재연 → ~정격연주'가 아니므로, C는 옛 음악을 과거와 똑같이 재연한다면 과거의 연주 느낌이 구현될 수 있다는 것을 부정하지 않는다.

ㄴ. 적절하지 않다. 어떤 과거 연주 관습은 현대에 똑같이 재연될 수 없다는 것을 기호화하면 '~재연'이다. B를 기호화하면 '~재연'이므로, B는 어떤 과거 연주 관습은 현대에 똑같이 재연될 수 없다는 것을 인정한다. 한편, D를 기호화하면 '정격연주 → 의도 & 관습'과 '~(의도 & 관습) → ~정격연주'이다. D는 재연이 가능한지에 대해 제시하지 않았으므로, D가 어떤 과거 연주 관습이 현대에 똑같이 재연될 수 없다는 것을 인정하는지 판단할 수 없다.

ㄷ. 적절하지 않다. 작곡가의 의도를 파악한다면 정격연주가 가능하다는 것을 기호화하면 '의도 → 정격연주'이다. C를 기호화하면 '의도 → 정격연주'이다. 따라서 C는 작곡가의 의도를 파악한다면 정격연주가 가능하다는 것에 동의한다. D를 기호화하면 '정격연주 → 의도 & 관습'과 '~(의도 & 관습) → ~정격연주'이다. 이를 통해 D가 작곡자의 의도를 파악한다면 정격연주가 가능하다는 것에 동의하는지 판단할 수 없다.

# 236

| 정답 | ② | 내용 영역 | 사회 |
| --- | --- | --- | --- |
| 난이도 | ★★☆ | 문항 유형 | 논쟁 및 반론 |

**접근 전략**

A와 B가 논쟁을 하는 경우, 각자의 주장을 분석하기 위해서는 양자의 견해가 나뉘는 논쟁지점이 무엇인지를 파악하는 것이 선행되어야 한다. 그리고 이를 토대로 선지 각각이 양자의 진술 중 어느 부분을 분석하고 있고 또 해당 분석이 적절한지를 살펴야 한다. 특히, 상대의 진술에 대해 어느 한 쪽이 반박하고, 그것을 상대가 재반박하는 대화형 논쟁 유형에서는 서로가 상대 주장에 대응하는 방식에 대해서도 주목할 필요가 있다.

**제시문 분석 & 해설**

〈A, B 두 사람의 논쟁〉

| A | B |
| --- | --- |
| (A1) 최근의 정보통신기술은 세상을 근본적으로 바꿔놓아서 국경을 넘나드는 자본, 노동, 상품 규제가 철폐될 수밖에 없는 사회가 되었다.<br>따라서 개인, 기업, 국가는 유연해야 하며 이를 위해 강력한 시장자유화가 필요하다. | (B1) 가장 최근의 것이 가장 혁신적인 것은 아니다. 가령, 인터넷 혁명은 세탁기와 같은 가전제품의 혁명만큼 크지 않았다.<br>옛것을 과소평가하고 새것을 과대평가할 경우, 국가나 기업은 잘못된 결정을 내리게 된다. |
| (A2) 최근 정보통신기술의 영향력은 전 지구적이고 동시적이라는 점에서 과거 가전제품의 영향력과 비교할 수 없다. | (B2) 최근의 기술 변화는 과거만큼 혁명적이지 않다. 최근 1960~1980년에는 정부의 규제로 세계화의 정도가 과거보다 높지 않았다. 이처럼 세계화의 정도를 결정하는 것은 정치이지 기술력이 아니다. |

A1은 최근 기술의 영향력을 근거로 우리 사회의 강력한 시장자유화가 필요하다고 주장한다. 이에 대해 B1은 A1이 근거로 삼은 최근 기술의 영향력을 세탁기의 예를 들어 반박하고, 이어 A1이 주장한 강력한 시장자유화에 대해서도 잘못된 결정일 수 있다고 지적한다.

B1이 세탁기를 근거로 A1을 반박하자, 이에 A2는 최근의 기술 영향력은 전 지구적이고 동시적이므로 과거보다 더 크다고 재반박한다. 이에 대해 B2는 전 지구적이고 동시적인 세계화는 오히려 과거가 더 진전되었었다고 반박하며, 세계화의 정도는 기술이 아니라 정치가 결정한다고 주장한다.

〈A와 B의 주장〉

| A | 최근의 정보통신기술 혁명이 국경 없는 세계를 가져왔다. |
| --- | --- |
| B | 기술이 세계화의 정도를 결정하는 것이 아니다. |

① 적절하지 않다. 〈A와 B의 주장〉에서 보듯이 두 사람은 최근의 기술 혁명이 현재의 세계화를 가져온 것인지, 즉 최근의 정보통신기술 혁명의 영향력에 대해 이견을 보이고 있다. A는 최근 기술 혁명이 세계화를 가져올 정도의 주요 요인으로 보아 그 영향력을 크게 보고 있으며, B는 과거 기술 혁명보다는 그 영향력이 크지 않다고 본다. 따라서 이 논쟁의 핵심 쟁점은 최근의 기술 혁명과 과거의 기술 혁명의 영향력 비교이다.

② 적절하다. 〈A, B 두 사람의 논쟁〉에서 A1은 최근 정보통신기술로 인해 국경을 넘나드는 자본, 노동, 상품 규제가 철폐될 수밖에 없는 사회가 되었다는 것을 근거로 정보통신기술의 영향력이 그 어느 때보다 크다고 주장한다.

③ 적절하지 않다. A1은 최근 기술의 영향력을 근거로 우리 사회의 강력한 시장자유화가 필요하다고 주장한다. 이에 대해 B1은 A1이 근거로 삼은 최근 기술의 영향력을 세탁기의 예를 들어 반박한다. A1이 제시한 근거가 다 옳다고 받아들이면서 그 주장을 반박한 것이 아니라, A1의 근거를 반박하여 A1 주장의 설득력을 떨어뜨리고 있다.

④ 적절하지 않다. 〈A와 B의 주장〉에서 알 수 있듯이 두 사람은 인터넷의 영향력에 대해서는 이견을 보인다. 그리고 B1은 가전제품이 여성들의 경제활동을 촉진해 가족 내 전통적인 역학관계를 바꾸었다고 하여 가전제품의 영향력을 인터넷보다 더 높이 평가하지만, A2는 가전제품과 달리 인터넷은 전 지구적이고 동시적이라고 하여 가전제품의 영향력을 인터넷보다 더 낮게 평가한다. 따라서 B1과 A2는 가전제품의 영향력에 대한 평가에도 의견이 일치하지 않는다.

⑤ 적절하지 않다. A2는 최근 기술혁명의 영향력이 과거보다 크다는 것을 주장한다. 이에 대해 B2는 세계화와 같은 결과는 최근 기술혁명이 아니라, 정치가 그 주요 요인이라고 주장한다. 세계화와 같은 어떤 현상에 대한 원인으로 A2는 인터넷을 꼽지만 B2는 새로운 원인을 제시하고 있다. 따라서 B2는 원인과 결과를 뒤바꾸어 해석한 것을 지적한 것이 아니라, 새로운 원인을 제시하여 A2를 비판하고 있다.

# 237

www.megals.co.kr

| 정답 | ⑤ | 내용 영역 | 법규범 |
|---|---|---|---|
| 난이도 | ★★☆ | 문항 유형 | 논쟁 및 반론 |

**접근 전략**

먼저 두 사람의 대화가 다루고 있는 쟁점이 무엇인지 분석한 뒤, 쟁점에 대해 각자가 취하는 입장의 차이점을 파악해야 한다. 특히 두 입장이 모두 동의하는 부분을 놓치지 않아야 한다.

**제시문 분석 & 해설**

○ 쟁점 : 아래 논증에서 가영과 나정은 전제2와 전제3이 참이라면 결론이 논리적으로 타당하게 도출된다는 데 이견이 없지만, 전제1에서 전제2로의 추론 과정에 대해서는 이견을 보이고 있다.

| 전제1 | 갑, 을 두 사람 중 적어도 한 사람에게 사고의 책임이 있을 개연성이 무척 높다. |
|---|---|
| 전제2 | 사고의 책임은 '갑 아니면 을이다.'를 참이라고 수용해야 한다. |
| 전제3 | 갑이 아니다. |
| 결론 | 따라서 을이다. |

○ 가영의 입장 : 전제1에서 '갑 아니면 을이다'가 개연성이 높더라도 참이라고 수용할 수 없다. 왜냐하면 차후 을에게 책임이 없음을 보이는 증거가 나타날 수 있기 때문이다.

○ 나정의 입장 : 전제1에서 '갑 아니면 을이다'가 개연성이 높을 경우 참이라고 수용해야 한다. 왜냐하면 차후의 증거를 기다리며 언제까지 판단을 미룰 수는 없기 때문이다.

① 적절하다. 가영은 확보된 증거에 의해 두 사람 중 한 사람에게 책임이 있을 개연성이 높아질 수 있다고 보며, 다만 차후 다른 증거에 의해 이러한 개연성이 흔들릴 수 있는 것처럼 개연성이 높다고 해서 반드시 참인 것은 아니라고 주장한다. 나정은 확보된 증거에 의해 두 사람 중 한 사람에게 책임이 있을 개연성이 높을 경우 이를 참이라고 받아들일 수 있다고 주장한다. 따라서 가영과 나정은 모두 책임 소재의 규명에서 증거의 역할을 인정하고 있다.

② 적절하다. 가영은 지금까지 확보된 증거에 따라 개연성이 높은 전제도 차후의 새로운 증거로 인해 개연성이 흔들릴 수 있다고 본다. 따라서 가영은 책임 소재를 규명하는 과정에서 사용되는 전제의 개연성이 달라질 수 있다고 주장한다.

③ 적절하다. 가영은 개연성이 높다고 해서 확실히 참이라고 수용할 수 없다고 주장한다. 반면 나정은 개연성이 충분히 높다면 참이라고 수용해야 한다고 주장한다.

④ 적절하다. 가영은 개연성이 높다고 해서 확실히 참이라고 수용할 수 없다고 주장한다. 반면 나정은 개연성이 충분히 높을 경우 '갑 아니면 을이다'를 참이라고 수용해야 한다고 주장한다. 확보된 증거로부터 추론할 수 있는 개연성이 무척 높은 전제를 받아들이지 않고 가영과 같이 차후의 증거를 기다리며 언제까지 판단을 미룰 수는 없다는 것이다. 따라서 나정은 가영의 견해에 따를 경우 책임 소재에 관한 판단이 계속 미결 상태로 표류할 수도 있다고 주장한다.

⑤ 적절하지 않다. 가영과 나정 모두 참인 전제2와 전제3으로부터 참인 결론이 도출된다는 데에는 동의한다.

# 238

| 정답 | ③ | 내용 영역 | 사회 |
|---|---|---|---|
| 난이도 | ★★☆ | 문항 유형 | 논쟁 및 반론 |

**접근 전략**

로빈후드 각본에 대한 두 비판을 재반박할 것을 요구하는 반론 구성 유형의 문제이다. 선지로 제시된 새로운 정보가 두 비판에 어떤 영향을 미치는지 판단하기 위해서는 먼저 두 비판의 내용이 무엇인지 파악할 필요가 있다.

**제시문 분석 & 해설**

〈로빈후드 각본〉

| 전제 | 자산가들에게 많은 세금을 부과해 부를 재분배하면 사회 전체의 공리가 상승하여 최대화된다. |
|---|---|
| 결론 | 따라서 자산가들에게 많은 세금을 부과해 부를 재분배하면 경제 불평등이 해결될 수 있다. |

〈로빈후드 각본에 대한 비판〉
ⅰ) 첫 번째 비판
  자산가들에게 많은 세금을 부과해 재분배하는 방식은 자산가의 의욕을 꺾어 생산성이 감소되므로 사회 전체 공리도 감소한다.
ⅱ) 두 번째 비판
  자산가들에게 많은 세금을 부과하는 것은 자산가의 자유를 침해하는 강압 행위로 자산가의 기본권을 침해한다.

ㄱ. 적절하다. 세금을 통한 재분배 방식이 생산성을 감소시키고 빈부격차를 심화시킨다면, 세금을 통한 재분배로 사회 전체 공리는 감소될 것이다. 이는 첫 번째 비판을 뒷받침하는 진술이 추가된 것으로 첫 번째 비판은 강화된다.

ㄴ. 적절하지 않다. 두 번째 비판은 자산가의 기본권 침해를 이유로 자산가들에게 많은 세금을 부과해 재분배하는 방식을 비판하고 있다. ㄴ과 같이 부의 재분배가 기본권의 침해보다 투자 의욕 감소에 더 큰 영향을 준다고 하더라도 여전히 기본권 침해는 부정되지 않는다. 따라서 ㄴ은 두 번째 비판을 약화한다고 할 수 없다.

ㄷ. 적절하다. 부의 재분배가 사회 갈등을 해소시켜 생산성이 증가한다면 부의 재분배로 생산성이 감소된다는 첫 번째 비판의 전제를 부정하므로, 부의 재분배로 인한 생산성 증가는 첫 번째 비판을 약화한다. 그리고 생산성 증가와 자산가의 자유 침해 여부는 서로 관련이 없으므로, 부의 재분배로 인한 생산성 증가는 두 번째 비판을 약화하지도 않으며 강화하지도 않는다.

# 239

| 정답 | ① | 내용 영역 | 과학기술 |
|---|---|---|---|
| 난이도 | ★★☆ | 문항 유형 | 논쟁 및 반론 |

**접근 전략**

논증을 적절히 비판하기 위해서는 논증을 재구성해보는 작업이 필요하다. 주어진 선지가 논증의 전제들 중 어떤 전제에 관련된 것인지가 명확해야 그 전제를 강화하는지 약화하는지 여부를 알 수 있고, 결과적으로 그 선지가 논증에 대한 적절한 비판인지 여부를 판단하는 데 효율적이기 때문이다. 이 문제와 같이 두 개의 논증이 제시되어 한편의 입장에서 다른 한편의 입장을 비판할 수 있는 진술을 찾는 경우, 전자의 입장과 일관성을 유지하면서 후자를 비판할 수 있는 진술을 찾아야 한다.

**제시문 분석 & 해설**

〈물리학자 A〉

| 전제1 | 외계 지적 생물체가 지구 바깥에 아주 많이 있다면, 그들 일부는 우리보다 앞선 기술을 가지고 있을 것이며 우주여행을 할 수 있었을 것이다. |
|---|---|
| 전제2 | 외계 지적 생물체가 우주여행을 할 수 있었다면, 우리는 오래 전에 그들의 증거를 발견했어야 한다. |
| 전제3 | 외계 지적 생물체의 증거는 발견된 적이 없다. |
| 결론 | 외계 지적 생물체는 존재하지 않는다. |

〈천문학자 B〉

| 전제1 | 우리의 지구환경과 비슷한 행성이 많이 있을 것이다. |
|---|---|
| 전제2 | 그 행성들도 우리와 마찬가지로 탄소에 기반을 두고 진화한 생물이 있을 것이다. |
| 전제3 | 은하계의 많은 행성에는 우리와 다르지 않은 존재들이 있을 것이다. |
| 결론 | 외계 지적 생물체는 존재한다. |

① 적절하지 않다. 천문학자 B는 생물학의 법칙이 전 우주에서 동일하게 적용된다는 데 동의할 것이다. 그렇지만 생물학의 법칙이 전 우주에서 동일하게 적용되는지의 여부는 A의 전제2, 전제3에 영향을 주지 않는다. 따라서 ①과 무관하게 A의 주장은 성립하므로 ①은 적절한 비판이 될 수 없다.

② 적절하다. 외계 생명체와 접촉하기 어려울 정도로 행성 간의 거리가 멀다면, 외계 지적 생물체가 존재한다고 해도 그들의 증거를 발견하지 못할 가능성이 있으므로 외계 지적 생물체가 없다는 물리학자 A의 주장이 옳지 않음을 비판할 수 있다.

③ 적절하다. 외계 생물체가 존재하지만 그들의 증거를 포착할 만한 기술이 우리에게 없다면 이는 외계 생물체의 증거를 발견하지 못한 이유가 될 수 있다.

④ 적절하다. 외계 지적 생명체가 기술이 충분하지 않아 우주여행을 할 수 없다면 이는 외계 지적 생명체가 존재했더라도 그 존재를 발견할 수 없었던 이유가 될 수 있다.

⑤ 적절하다. 물리학자 A의 논증은 외계 지적 생명체의 존재를 입증하지 못했다는 점을 근거로 하여 외계 지적 생명체가 없다는 결론을 도출하고 있다. 입증할 수 있는 증거가 발견되지 않았다고 하여 외계 지적 생명체가 존재하지 않는다고 단정할 수 없으므로 ⑤는 물리학자 A의 주장이 옳지 않음을 비판할 수 있다.

# 240

| 정답 | ④ | 내용 영역 | 인문 |
| 난이도 | ★★★ | 문항 유형 | 논쟁 및 반론 |

**접근 전략**

(가)와 (나)의 견해 차이와, 견해차를 보이게 된 근거를 비교 및 분석하여 선지의 진술을 판단하는 문제이다.

**제시문 분석 & 해설**

(가), (나)에서 영희와 철수에게 귀속되는 항목 내용

| | (가) | (나) |
| --- | --- | --- |
| 영희 | 믿음 A, 욕구 B | 믿음 A, 욕구 B |
| 철수 | ~믿음 A, 욕구 B, 믿음 C, 신뢰 D | 믿음 A, 욕구 B |

이때 (나)는 철수가 영희와 마찬가지로 믿음 A를 갖고 있음을 밝히기 위해 다음의 논증을 펼치고 있다.

〈견해 (가)〉 철수는 믿음 A가 없다.

〈견해 (나)〉 철수는 믿음 A가 있다.
  (1) 철수와 영희의 차이는 믿음 내용의 소재 차이뿐이다.
  (2) 미술관의 위치정보를 저장해둔 칩이 머릿속에 있는가 그렇지 않은가는 철수가 믿음 A를 가지고 있는지를 판별하는 기준이 될 수 없다.

① 적절하다. 견해 (가)와 (나) 모두 철수와 영희의 행위를 욕구와 믿음을 통해 설명한다. 하지만 (가)는 철수에게는 믿음 A를 귀속시킬 수 없는 반면 믿음 C를 귀속시킬 수 있다고 보고, (나)는 철수에게 믿음 A를 귀속시킬 수 있다고 본다.

② 적절하다. (나)는 철수에게 칩을 이식하는 상황을 가정하여 믿음 내용이 머릿속에 있는가 그렇지 않은가가 믿음 A를 가지고 있는지를 판별하는 기준이 될 수 없음을 보이고 있다. 즉 미술관의 위치정보가 두뇌와 스마트폰에 저장되어 있다는 것은 본질적인 차이에 해당하지 않는다는 것이다.

③ 적절하다. (가)는 '믿음을 갖고 있느냐의 여부는 그 믿음의 내용을 계속 의식하고 있느냐에 달려있지는 않다.'고 전제하고 있다. 따라서 믿음 A에 대한 의식의 연속성이 부재하다는 이유로 (나)를 비판한다면, (가) 또한 기억을 되살려 미술관의 위치를 생각해내기 전에는 믿음 내용을 의식하고 있지 않았던 것이므로 마찬가지로 비판받을 것이다.

④ 적절하지 않다. 영희의 행위에 대해 (가)와 (나) 모두 믿음 A와 욕구 B를 통해 설명한다. 철수의 행위에 대해 (가)는 욕구 B, 믿음 C, 신뢰 D를 통해 설명하는 반면, (나)는 믿음 A, 욕구 B를 통해 설명한다. 즉 경제성의 원리를 받아들인다면, (가)에 비해 (나)가 우월하다.

⑤ 적절하다. (나)는 영희와 철수의 행위에 본질적인 차이가 없다고 보아 철수도 영희와 마찬가지로 믿음 A를 갖고 있다고 보고 있다. 즉 영희와 철수의 행위에서 본질적인 차이가 있다고 한다면 철수도 영희와 마찬가지로 믿음 A를 가지고 있다는 (나)는 약화될 것이다.

# 241

| 정답 | ② | 내용 영역 | 인문 |
| 난이도 | ★★★ | 문항 유형 | 논쟁 및 반론 |

**접근 전략**

견해 차이를 보이는 논쟁이 있다고 해서 모든 쟁점에서 대립을 하고 있는 것은 아니라는 점을 염두에 두어야 한다. 논쟁은 서로의 주장을 부정하고 있는 것이 아니라, 사안이나 쟁점별로 공통적으로 수용하고 있는 것도 있으며 어떤 쟁점에 대해서는 견해를 피력하지 않음으로써 추론할 수 없는 것도 있다.

**제시문 분석 & 해설**

○ 쟁점 : 여타의 동물에게도 인간과 같이 어떤 형태의 의식이 있는가?
○ 〈견해〉

| 갑 | 동물에게는 어떤 형태의 의식도 없다. 동물이 통증 행동을 보인다고 해서 실제로 통증을 느끼는 것은 아니고, 반사작용일 뿐이다. |
| --- | --- |
| 을 | 동물은 통증을 느낄 수 있는 의식은 있지만, 그 통증이 나의 것인지 느낄 수 있는 자의식은 없다. 그리고 자의식이 없어 기억도 불가능하다. (1) 자의식 → 의식 (성립) (2) 의식 → 자의식 (성립×) (3) 기억 → 자의식 (성립) |
| 병 | 어느 이웃에게 한 번 발로 차인 개는 그를 만날 때마다 그 사실을 기억하고 두려움을 느끼며 몸을 피한다. 따라서 기억은 자의식이 없어도 가능하다. |

ㄱ. 적절하지 않다. 갑은 동물에게 어떤 형태의 의식도 없다고 주장하므로 동물에게 자의식이 없다고 여길 것이다. 그리고 병은 이웃에게 발로 차인 개의 예를 통해 무엇인가를 기억하기 위해 자의식이 반드시 필요한 것이 아니라고 지적한다. 인간조차도 자의식 없이 기억하여 행동할 때가 있다고 본다. 이처럼 병은 인간이든 동물이든 기억행위에 있어 자의식이 반드시 필요한 것인지에 대한 지적을 하고 있다. 따라서 동물에게 자의식이 있는지 없는지에 대해서는 견해를 보이고 있지 않으므로 병이 동물에게 자의식이 없다고 여기는지 단정할 수 없다.

ㄴ. 적절하지 않다. 갑은 동물에게 어떤 형태의 의식도 없다고 주장하므로 동물은 의식 없이 행동할 수 있다고 여길 것이다. 을은 동물에게는 의식이 있으나, 자의식은 없다고 본다. 따라서 을에 의하면 동물은 의식이 있는 상태에서 행동할 수 있고 자의식 없이 행동할 수 있을 것이다. 그러나 동물이 의식 없이도 행동할 수 있는지에 대해 을이 어떤 견해를 보이는지는 추론할 수 없다.

ㄷ. 적절하다 [제시문 분석] 을에 의하면 '(3) 기억 → 자의식'이고 '(1) 자의식 → 의식'이 성립한다. 을에 따르면 '기억 → 의식'이므로, 기억은 의식의 충분조건이다. 그리고 병은 동물이 아무것도 기억할 수 없다는 주장을 인정하고 나면, 동물이 무언가를 학습할 수 있다는 주장도 성립할 수 없다고 본다. 병에 따르면 '~기억 → ~학습'(학습 → 기억)이므로, 병에 의하면 기억은 학습의 필요조건이다.

IV

# 242

| 정답 | ② | 내용 영역 | 인문 |
|---|---|---|---|
| 난이도 | ★☆☆ | 문항 유형 | 논쟁 및 반론 |

**접근 전략**

교수의 결정이 최대의 유용성을 산출할 수 있는 원칙에 위배되는 것임을 보여줄 수 있는 진술을 찾는 문제이다.

**제시문 분석 & 해설**

교수는 영수에게 10점을 더 주기로 한 자신의 결정을 정당화하기 위해 다음의 원칙을 제시하고 있다.

〈원칙〉
개별 행위가 결과적으로 최대의 유용성 또는 다른 행위보다 더 많은 유용성을 산출해야 한다.

① 적절하지 않다. 영수가 연민에 호소한다는 사실은 교수가 적용한 원칙과 무관하다.
② 적절하다. 영수에게 10점을 줌으로써 영수가 얻는 이익에 비해, 나머지 학생이 얻게 될 불이익이 더 많다면 이는 최대의 유용성 원칙에 위배될 수 있으므로 이를 간과한 교수의 결정을 비판할 수 있다.
③ 적절하지 않다. 공정성은 교수가 적용한 원칙과 무관하다.
④ 적절하지 않다. 교수가 영수에게 10점을 준다는 결정을 내리는 데 드는 정신적 비용이 영수의 이익에 비해 미미하다면, 교수가 영수에게 10점을 준 행동은 그렇지 않았을 경우보다 더 많은 유용성을 산출한 것이다. 즉 교수의 결정을 비판하는 진술이 될 수 없다.
⑤ 적절하지 않다. 교수의 판단에 따르면 자신의 이익이 증대되지 않더라도, 영수에게 10점을 더 주는 행위로도 최대의 유용성이 산출될 수 있다. 따라서 교수 자신의 이익이 증대되지 않는다는 것은 교수의 결정을 비판하는 진술이 될 수 없다.

# 243

| 정답 | ⑤ | 내용 영역 | 사회 |
|---|---|---|---|
| 난이도 | ★☆☆ | 문항 유형 | 논쟁 및 반론 |

**접근 전략**

A사가 종량제 채택을 주장하는 데 제시한 근거가 무엇인지 파악하고, 그 근거의 설득력을 낮출 수 있는 진술을 찾는 문제이다. 각 진술을 참이라고 가정하고 해당 진술이 A사가 제시한 근거의 설득력을 낮출 수 있는지를 판단한다.

**제시문 분석 & 해설**

A사가 인터넷 종량제의 필요성을 주장하는 데 제시한 근거는 다음과 같다.

(1) 제2의 디지털 디바이드를 방지할 수 있다.
(2) 인터넷 중독 현상의 확산과 과다 사용자로 인한 인터넷 저속화 현상 문제를 해결할 수 있다.
　⇨ 사용량과 관계없이 일정 요금을 부과하는 정액제에 비해 사용량에 따라 요금을 부담시키는 종량제를 채택하는 경우, 인터넷 사용량에 따라 요금이 상승
　⇨ 요금 상승의 부담으로 인해 인터넷 중독 현상과 이로 인한 인터넷 저속화 현상 방지
(3) (A사의 경영연구소의 논문에 따르면) 현재와 같이 비교적 경쟁이 덜한 시장에서는 종량제를 채택하는 것이 유리하다.

ㄱ. 적절하지 않다. 제시문에 따르면, 현재와 같이 비교적 경쟁이 덜한 상황에서는 A사의 종량제를 채택하자는 주장이 사업자로서 당연한 선택이라고 보고 있다. 즉 종량제의 채택이 결과적으로 정액제로의 회귀를 불러 올지는 모르지만 현재의 상황에서는 적절한 선택이므로 A사의 주장에 대한 반론으로 적합하지 않다.
ㄴ. 적절하다. A사는 종량제 채택을 주장하면서 제시문 분석의 (2)를 그 근거로 들고 있다. 즉 종량제를 채택해도 인터넷 중독의 위험을 경감시킬 수 있는지가 의심스럽다면 이는 A사가 제시한 근거에 대한 반론이 된다.
ㄷ. 적절하다. 종량제를 채택하지 않아도 인터넷 저속화 문제가 해결될 수 있다면 인터넷 저속화 해결이라는 근거는 설득력을 잃게 된다.
ㄹ. 적절하다. 디지털 디바이드를 판단하는 기준으로 A사가 제시한 자료의 부적절성을 지적하는 내용이다. 즉 단순히 인터넷 사용량만으로 정보의 격차를 판단할 수 없다면 이는 인터넷 종량제를 통해 디지털 디바이드를 방지한다는 근거는 설득력을 잃게 된다.

# 244

| 정답 | ⑤ | 내용 영역 | 사회 |
|---|---|---|---|
| 난이도 | ★☆☆ | 문항 유형 | 논쟁 및 반론 |

접근 전략
제시문의 논지를 파악하고 이에 대한 반론으로 적절한 것을 고르는 문제이다. 논지를 파악하는 것이 어렵지 않으므로 그 논지의 근거를 찾아 비판하거나 근거들이 논지를 뒷받침하지 않음을 보이면 된다.

**제시문 분석 & 해설**

제시문은 공화정 체제가 군주제보다 전쟁 결정에 있어 더 신중할 것이라고 보고 있으며, 그 이유를 전쟁 결정 절차가 다르다는 점에서 찾고 있다. 군주제의 경우 국가의 소유자인 군주 한 사람에 의해 전쟁 발생 여부가 결정되는 반면, 공화정 체제는 전쟁 발생 여부 결정에 있어 국민들의 동의가 필요하며 국민들은 전쟁에 드는 비용이나 전쟁으로 인한 피해를 부담하기 때문에 전쟁 발생의 여부를 결정하는 데 신중할 수밖에 없다고 설명한다.
이를 정리하면 아래와 같다.

| 전제1 | 공화정 체제에서 전쟁 결정은 국민 동의가 필요한데, 전쟁은 국민에게 손해를 끼치므로 국민은 전쟁의 결정에 신중할 수밖에 없다. |
|---|---|
| 전제2 | 군주제 하에서 전쟁 결정은 군주가 하는데, 군주는 전쟁으로 손해를 보지 않으므로 전쟁을 쉽게 결정한다. |
| 결론 | 공화정 체제가 군주제보다 영원한 평화에 대한 바람직한 전망을 제시한다. |

① 적절하지 않다. 외교적 격식 없이도 전쟁을 감행할 수 있다면 전제2가 뒷받침되므로 글의 반론으로 적합하지 않다.
② 적절하지 않다. 제시문은 공화제가 군주제에 비해 전쟁 결정에 있어 신중한 이유를 설명하는 것이지 전쟁 방지를 위해 필요한 것이 무엇인지에 대해서는 고려하고 있지 않다.
③ 적절하지 않다. 제시문은 장기적인 평화의 상황에 대해서는 고려하고 있지 않다.
④ 적절하지 않다. 제시문은 공화제가 군주제에 비해 전쟁 결정에 있어 신중한 이유를 설명하는 것이지 전쟁 가능성을 높이는 다른 요소에 대해서는 고려하고 있지 않다. 즉 방지를 위해 필요한 것이 무엇인지에 대해서는 고려하고 있지 않다. 즉 ②, ③과 마찬가지로 논의 주제를 벗어난 진술이다.
⑤ 적절하다. 공화제 하의 국민들이 전쟁에 대해 동의하는 경우가 적지 않다는 사실은 이는 공화제가 전쟁 결정에 있어 신중할 것이라는 전제1을 비판한다. 따라서 제시문의 논지는 반박될 것이다.

# 245

| 정답 | ① | 내용 영역 | 사회 |
|---|---|---|---|
| 난이도 | ★☆☆ | 문항 유형 | 논쟁 및 반론 |

접근 전략
제시문의 논지를 파악하고, 선지의 내용이 제시문의 논지에 대한 비판을 다루는지 판단한다.

**제시문 분석 & 해설**

① 적절하지 않다. 제시문의 논증은 사이버공간과 인간 공동체의 유사성을 '네트워크'라는 개념을 활용하여 유비추리 논증을 하고 있다. 그러나 사이버공간의 익명성이 인간 공동체에 미칠 수 있는 위협을 언급하는 것은 사이버공간과 인간 공동체의 유사성에 대해 비판하는 것과는 관계가 없기 때문에 적절한 비판 방안이라 할 수 없다.
② 적절하다. 사이버공간과 인간 공동체의 유사성에 대해 양자의 차이가 커 유의미한 비교가 어려움을 언급하는 것은 적절한 비판이 될 수 있다.
③ 적절하다. 사이버공간과 인간 공동체의 유사성을 '네트워크'라는 개념을 활용하여 논증하고 있는데, 공통된 개념의 모호성을 지적함으로써 유비 관계를 공격하는 것은 적절한 비판이 될 수 있다.
④ 적절하다. 사이버공간과 인간 공동체의 유사성을 유비추리 논증하는 제시문에 대해 유사성이 실제로 없음을 보인다면 적절한 비판이 될 수 있다.
⑤ 적절하다. 사이버공간과 인간 공동체의 유사성을 보여주는 근거로 활용되는 '네트워크'라는 속성이 유비추리를 가능하게 하는 근거로서 부적합성을 보인다면 적절한 비판이 될 수 있다.

# 246

| 정답 | ③ | 내용 영역 | 사회 |
|---|---|---|---|
| 난이도 | ★☆☆ | 문항 유형 | 논쟁 및 반론 |

**접근 전략**

제시된 논증은 두 개의 조건 판단으로 이루어진 전제와 하나의 선언 판단으로 이루어진 전제로 구성된 딜레마 논법이다. 이러한 논증 형식을 반박하기 위해서는 전제의 두 조건 판단이 모든 경우를 포괄하고 있지 않음을 지적하거나, 전제의 두 조건 판단 중의 하나가 잘못된 것임을 지적하는 등의 방법이 있다.

**제시문 분석 & 해설**

제시문의 논증을 간단히 표현하면 다음과 같다.

| 전제1 | 국제 평화 유지 → UN은 불필요 |
|---|---|
| | 국가 간 전쟁 발생 → UN은 (전쟁 방지 목적을 성취하지 못했으므로) 불필요 |
| 전제2 | 국제 평화 유지 ∨ 국가 간 전쟁 발생 |
| 결론 | UN 불필요 |

ㄱ. 적절하다. UN의 존재 이유가 국제 평화 유지와 국가 간 전쟁의 방지 외에 다른 것에도 있음을 보여주고 있다.

ㄴ. 적절하지 않다. 제시문의 논증은 전제가 참이라면 결론도 참인 연역 논증이다. 즉, 두 전제로부터 UN이 불필요하다는 결론은 타당하게 도출된다.

ㄷ. 적절하다. 전제2가 잘못되었음을 지적하고 있다. 국제 평화 유지와 국가 간 전쟁이 방생하는 경우 외에 다른 상황이 가능하다면 UN이 불필요하다는 결론만을 도출하지는 않을 것이다.

# 247

| 정답 | ④ | 내용 영역 | 법규범 |
|---|---|---|---|
| 난이도 | ★☆☆ | 문항 유형 | 논쟁 및 반론 |

**접근 전략**

주장에 대한 직접적인 반론을 찾는 문제이다. S전자 특허팀 관계자의 주장은 특허청의 규정이 현실성이 없는 것이라 보고 있으므로 이에 대한 반론으로 적합한 진술의 찾는 것이 문제 해결의 핵심이다.

**제시문 분석 & 해설**

S전자 특허팀 관계자는 특허청의 규정에 따라 발명종업원에게 보상금을 지급하는 것은 현실성이 없다고 반대하고 있으며, 그 근거로 다음 같은 사실을 제시하고 있다.

• 근거 1 : 대기업은 1년에 보통 수천 건의 종업원 발명을 접수하지만, 이 중 5~10%만을 상품에 응용한다.

• 근거 2 : 대부분의 대기업은 종업원에게 발명 기술에 관한 모든 권리를 회사에 양도하도록 한다.

① 적절하지 않다. 기업에 속한 연구원의 연구 성과에 대한 지적 재산권이 회사에 속한다는 사실은 '근거 2'와 같은 맥락의 내용을 담고 있으므로 S전자 특허팀 관계자의 주장에 대한 반론으로 적절하지 않다.

② 적절하지 않다. 획기적인 발명품에 대해 기업이 높은 보상금을 지급한 예를 발견하기 힘들다는 사실은 특허청의 규정대로 발명종업원에게 보상금을 지급하는 것을 반대하는 S전자 특허팀 관계자의 주장을 지지하는 진술이다.

③ 적절하지 않다. 직무 발명에 대한 충분한 보상금 지급 기준을 위한 법을 정하는 것이 기업 경영과 연구 개발에 나쁜 영향을 끼칠 수 있다는 점은 S전자 특허팀 관계자의 주장을 지지하는 내용이다.

④ 적절하다. S전자 특허팀 관계자는 연구 개발자에게 충분한 보상금을 지급하는 것이 현실성이 없다는 이유로 반대하고 있으므로 충분한 보상금 지급을 통해 신기술 개발에 성과를 보이게 된다면 이는 S전자 특허팀 관계자의 주장에 대한 반론으로 적절하다.

⑤ 적절하지 않다. 높은 성과금을 지급하는 경우가 연구 개발자가 아닌 보험 영업 사원에 한정된다는 사실은 연구 개발에 대한 보상금 지급을 반대하는 S전자 특허팀 관계자의 주장을 지지하는 내용이다.

# 248

정답 | ④  내용 영역 | 과학기술
난이도 | ★☆☆  문항 유형 | 논쟁 및 반론

사례연구의 비판과 그에 대한 대응(반박)을 적절하게 연결하는 문제로, 사례연구의 비판으로 지적한 문제들이 이미 다른 방식의 보완으로 해소되었거나 사례연구만의 문제가 아님을 보일 수 있는 내용의 글을 찾는 것이 문제해결의 핵심이다.

**제시문 분석 & 해설**

㈎ : 증거가 편의에 따라 사용되기 쉬워 자의적인 결론이 도출될 우려가 있음을 이유로 사례연구를 비판하고 있으므로 이에 대한 대응으로 적절한 것은 B이다. B는 현장조사 결과와 자료들 간의 연결을 끊임없이 시도하는 한편 연구대상자들과 전문가들로부터의 검증 등을 통해 사례연구에서 나타날 수 있는 엄밀성 부족의 문제에 대한 해결책을 제시하고 있다.

㈏ : 귀납적 일반화의 오류 가능성을 시사하고 있으므로 이에 대한 대응으로는 C가 적절하다. C는 귀납적 일반화의 오류 가능성을 하나의 사례가 아닌 복수의 사례를 연구함으로써 극복할 수 있다고 반론을 펼치고 있다.

㈐ : 자료를 수집, 분류, 분석하는 데 많은 인력과 시간이 소용된다는 문제점을 지적하고 있으므로 이에 대한 대응으로 적절한 것은 A이다. A는 현지 조사 자료에만 의존하지 않고 전화, 인터넷 등 연구의 효율성을 증대시킬 수 있는 방법이 활용되기 때문에 이러한 비판은 적절하지 않다고 대응하고 있다.

따라서 정답은 ④이다.

# 249

정답 | ⑤  내용 영역 | 법규범
난이도 | ★☆☆  문항 유형 | 논쟁 및 반론

**접근 전략**
주장에 대한 비판으로 적절한 진술을 찾는 문제이다. 먼저 제시문에 제시된 자치경찰제의 개념을 파악한 후, 글쓴이가 자치경찰제의 도입으로 어떤 효과를 거둘 수 있다고 주장하는지를 이해해야 한다.

**제시문 분석 & 해설**
자치경찰제 도입을 주장하기 위해 글쓴이가 제시한 자치경찰제 도입으로 예측할 수 있는 효과는 다음과 같다.

| 자치경찰제의<br>내용과<br>자치경찰제<br>도입으로<br>예상할 수<br>있는 효과 | • 지방자치단체 예산으로 운영, 지역 특성에 적합한 치안 서비스 → 주민의 복리 증진<br>• 주민선거로 선출된 자치단체장이 자치경찰에 대한 인사권 행사, 지방의회에 의한 통제와 감시 용이 → 경찰조직 운영의 민주화 촉진<br>• 해당 지역 주민들과의 친밀도 상승, 지역주민의 경찰이라는 의식 → 치안 서비스의 질적 향상 |
|---|---|

① 적절하다. 자치경찰제의 개념에 따르면 자치경찰에 대한 인사권은 자치단체장이 가지고 있다. 이는 자치경찰이 자치단체장으로부터 독립적이지 않을 가능성을 시사한다. 따라서, 자치단체장이 자신의 권한을 이용하여 자치경찰을 자신의 선거에 임의로 이용하는 악용 사례가 발생할 가능성이 높아질 수 있다.

② 적절하다. 자치경찰은 지방자치단체의 예산으로 운영된다. 지방재정이 부족하다면 자치경찰의 재원이 부족해질 것이며, 이는 치안 서비스의 질이 저하되는 원인이 될 수 있다.

③ 적절하다. 지역주민들과 친밀도가 높아져 철저하고 공정한 단속이 어려워질 수 있을 것이다.

④ 적절하다. 자치경찰이 지방의회의 통제하에 있게 된다는 것은 경찰로서의 권한이 통제될 수 있으므로, 경찰의 실질적인 권한이 약해질 수 있다. 또한 자치경찰제하에서 자치경찰은 범죄 수사를 하지 않고, 질서 유지를 위한 단속만을 담당한다. 이때 범죄 수사는 국가경찰이 담당하기 때문에, 사회의 질서 유지에 있어 단속만을 담당하는 자치경찰은 수사권이 없어 경찰로서 실질적인 권한이 없는 상태로 전락할 우려가 발생할 수 있다.

⑤ 적절하지 않다. 지역마다 차별화된 치안 서비스를 제공하는 것이 자치경찰제의 특징이므로, 자치경찰이 획일적인 치안 서비스를 제공한다는 것은 자치경찰제에 대한 비판이 될 수 없다.

# 250

정답 │ ①          내용 영역 │ 인문
난이도 │ ★★☆       문항 유형 │ 논쟁 및 반론

**접근 전략**
검사와 변호사의 주장과 각 주장을 뒷받침하는 사례를 선지에 제시된 사례와의 관련성에 유의하여 풀이해야 한다.

**제시문 분석 & 해설**
① 적절하다. 변호사의 주장을 정리하면, 어떤 사람을 기준으로 하였을 때, 그 사람의 몸이나 성격의 변화가 곧 본질적인 사람 자체의 변화(다른 사람으로의 변화)를 의미한다는 것이다. 변호사는 화가의 작품에 새로 찍은 점 몇 개가 그림을 완전히 다른 작품으로 만든다는 예시를 통해 이를 뒷받침하고 있다. 생수를 기준으로 보았을 때, 여기에 독극물이라는 새로운 변화요소를 첨가하면 독약이라는 전혀 다른 새로운 속성의 것으로 변화한다. 이러한 점에서 변호사가 반론을 위해 추가로 사용할 수 있는 사례가 될 수 있다.
② 적절하지 않다. 구겨진 지폐를 펴더라도 지폐는 여전히 구겨진 지폐가 가졌던 속성을 유지한다.
③ 적절하지 않다. 첫째 아이의 이름을 잘못 지은 경우에도 첫째 아이는 다른 사람의 속성을 가진 것이 아니다.
④ 적절하지 않다. 유명 화가의 작품에 관람 온 아이가 자기 이름을 쓰더라도 작품의 속성은 여전히 유지된다.
⑤ 적절하지 않다. 관절염 환자가 인공관절을 수술 받아 잘 걸을 수 있게 되더라도 그 환자가 다른 사람의 속성을 가지게 된 것은 아니다.

# 251

정답 │ ④          내용 영역 │ 인문
난이도 │ ★★☆       문항 유형 │ 논쟁 및 반론

**접근 전략**
갑과 을의 대화를 통해 갑의 마지막 진술을 반박할 수 있는 진술을 추론하는 문제이다. 갑의 마지막 진술에 대한 반론으로 적합할 뿐만 아니라 을이 앞에 했던 진술과 양립가능한 진술을 찾아야 한다. 여기서 갑은 잘못된 이름도 있을 수 있음을 지적하는 것이지 올바른 이름이 없다고 주장하는 것이 아니므로 이에 주의해서 ⑤의 적절성을 판단해야 한다.

**제시문 분석 & 해설**
갑의 진술을 정리하면 다음과 같다.

| (1) | 인간의 행위에는 항상 목적이 있고 이러한 목적을 달성하기 위해서는 자연의 법칙을 따라야 한다. |
|---|---|
| (2) | 자연의 법칙을 따르지 않는 행위는 목적을 달성할 수 없으며 목적을 달성할 수 없는 행위는 잘못된 행위이다. |
| (3) | 이름을 붙이는 것은 인간의 행위이다. |
| (4) | 따라서 올바른 이름을 붙일 수 있고 잘못된 이름을 붙일 수 있다. |

갑의 진술에 대한 을의 동의 여부는 다음과 같다.
⇨ 을이 동의한 진술 : (1), (2), (3)
⇨ 을이 동의하지 않은 진술 : (4)

① 적절하지 않다. 을은 (3)과 (1)에 동의하였으므로 사물에 이름을 붙이는 것이 어떤 목적을 위한 행위가 아니라는 주장은 을이 펼칠 수 있는 주장이 아니다.
② 적절하지 않다. 을은 (2)에 동의하므로 법칙을 따르지 않고 이름을 짓는다면 그 이름은 잘못된 이름이다. 즉 잘못된 이름은 없다는 주장은 을이 펼칠 수 있는 주장이 아니다.
③ 적절하지 않다. 을은 (3)과 (1)에 동의하여 이름과 대상의 관계가 자연의 법칙을 따라야 한다고 보고 있으며 아무리 많은 사람의 동의가 있다고 해도 이러한 법칙과 무관하게 대상의 이름을 짓는다면 잘못된 이름이 붙이는 것이다.
④ 적절하다. 어떤 이름을 붙이건 자연 법칙을 위배하지 않으면서 목적을 달성할 수 있다면 이는 잘못된 이름을 붙일 가능성은 없어지므로 이는 갑에 대한 반론이 될 수 있다.
⑤ 적절하지 않다. 나무를 베기 위해 종이를 이용하는 것이 비효율적이라는 비유는 자연법칙을 따르지 않아 잘못 붙여진 이름이 있을 수 있음을 의미하는 것이다. 즉 이는 갑에 대한 반론이라기보다는 갑의 주장에 동의하는 것으로 볼 수 있다.

# 252

| 정답 | ④ | 내용 영역 | 인문 |
|---|---|---|---|
| 난이도 | ★★☆ | 문항 유형 | 논쟁 및 반론 |

접근 전략
'환대'를 통해 극복하고자 했던 문제가 무엇인지를 분명히 파악해야 하는 데 유의해야 한다.

제시문 분석 & 해설
데리다와 레비나스의 '환대' 개념이 자유주의 사상의 자기중심성과 닫혀 있음을 벗어나게 할 수 있는 개념이라 보고 있다.

〈칸트의 '환대'〉
(1) 개념 : 이방인을 자기 땅에 맞아들이는 자의 의무인 동시에 누구든 낯선 땅에서 적대적으로 대우받지 않을 권리
(2) 자기중심성과 닫혀 있음의 극복에 있어서 한계성을 갖는 이유 : 내가 손님이 될 때를 염두에 둔 개념이므로 타자와 공동체 내부의 차별성을 전제하면서 배척되지 않을 소극적 권리만을 부여

〈데리다와 레비나스의 '환대'〉
(1) 개념 : 무조건적이고 유보 없는 환대
(2) 자기중심성과 닫혀 있음을 극복할 수 있는 이유 : 상호적 방식의 제약도 부과하지 않는 비대칭성을 기반으로 하고 있음
(3) '환대' 개념의 활용으로 예측할 수 있는 결과 : 자본주의적 교환 관계와 자유주의적 이념의 문제를 해결할 수 있거나 최소한 비판할 수 있는 새로운 유토피아 원리의 토대를 제공할 수 있음

ㄱ. 적절하다. 제시문에 따르면, 칸트의 환대 개념은 대칭성에 근거한 자기중심성을 가지고 있기 때문에 그 개념을 활용한다고 해도 자유주의 사상의 자기중심성과 닫혀 있음으로부터 벗어날 수 없다. 즉 데리다와 레비나스의 환대 개념 역시 자기중심성을 가질 수 있다는 점에서 칸트의 개념과 큰 차이가 없음을 밝힌다면 제시문의 논지를 반박하는 데 유효한 방법이 될 것이다.
ㄴ. 적절하다. 제시문에 따르면, 데리다와 레비나스의 환대 개념은 상호적 방식의 제약이 완전히 제거된 비대칭성을 통해 자유주의의 문제의 극복을 가능하게 만드는 것이다. 즉 이러한 데리다와 레비나스의 환대 개념의 기반이 되는 논리가 실현 불가능한 것임이 밝혀진다면 제시문의 주장은 반박될 수 있다.
ㄷ. 적절하지 않다. '주인과 종의 변증법'은 데리다와 레비나스의 환대 개념에서 '봉사자'와 '도움수요자'가 어떤 관계에 있는지를 보여주기 위해 헤겔로부터 빌려온 표현일 뿐 환대 개념을 설명하기 위한 것이 아니다. 즉 헤겔이 주장한 '주인과 종의 변증법' 개념이 레비나스와 데리다의 환대 개념과 직접적 관계가 없음을 밝힌다고 해도 제시문의 주장을 반박할 수는 없을 것이다.
ㄹ. 적절하다. 제시문은 데리다와 레비나스의 환대 개념이 진정한 사회봉사의 이념이 될 수 있음을 보임으로써 데리다와 레비나스의 환대 개념의 필요성을 주장하고 있다. 즉 진정한 사회봉사 이념에 반드시 비대칭성을 요구하는 것이 아니라면 데리다와 레비나스의 환대 개념이 필요하다는 주장은 반박될 수 있을 것이다.
ㅁ. 적절하지 않다. 대칭적 상호성 원리에 기반을 둔 환대 개념은 칸트의 주장이며, 제시문에서 환대 개념을 통해 해결하려고 했던 자유주의의 문제는 자기중심성과 닫혀 있음으로부터의 극복이지 적극적 자유의 보장이 아니다.

# 253

| 정답 | ② | 내용 영역 | 법규범 |
|---|---|---|---|
| 난이도 | ★★☆ | 문항 유형 | 논쟁 및 반론 |

접근 전략
대법원 판례 중 의견제출통지서의 거절이유를 반박하는 데 근거가 될 수 있는 부분이 어디인지 찾는 문제이다. 일견 타당할지라도 대법원 판례를 근거로 하지 않는 진술은 문제가 요구하는 내용이 아님에 유의해야 한다.

제시문 분석 & 해설
〈특허청 견해〉
해당 발명이 속하는 기술분야에서 통상의 지식을 가진 자가 용이하게 발명할 수 있음

〈대법원 판례〉
○ 진보성이 결여된 경우, 특허를 받을 수 없음
○ 진보성 판단 기준
 (1) 구성에 있어 공지된 선행기술과 차이 有
 (2) 작용효과에 있어 선행기술에 비하여 현저하게 향상, 진보된 것
 ⇨ (1)과 (2)가 충족되면, 해당 발명이 속하는 기술분야에서 통상의 지식을 가진 자가 용이하게 발명할 수 없는 것으로서 진보성이 있다고 판단

(ㄱ) 타당하다. 의견제출통지서는 해당 캔디 발명이 속하는 기술분야를 음료와 같은 것으로 전제하여 용이하게 발명할 수 있어 진보성이 없다고 본다. 따라서 음료와 캔디는 기술분야가 다르기 때문에 해당 발명을 용이하게 발명할 수 없다는 것은 의견제출통지서의 거절이유를 반박하는 근거가 된다.
(ㄴ) 타당하지 않다. 동의보감을 통해 목 건강에 효과가 있음을 보여주는 것만으로는 작용효과에 있어 선행기술에 비해 현저하게 향상된 진보된 발명임을 나타내는 근거가 되기 어렵다. 따라서 의견제출통지서의 거절이유를 반박하는 근거로 보기 어렵다.
(ㄷ) 타당하다. 구성에 있어 인용 발명인 음료와 차이를 보인다는 것은 진보성 판단 기준 (1)의 조건을 충족시키는 것으로 진보성 존재의 근거가 된다. [제시문 분석 참고]
(ㄹ) 타당하지 않다. 수출계약을 통한 우수성 입증은, 선행기술과 구성의 차이가 있거나 선행기술에 비해 현저하게 향상된 작용효과가 있다는 점을 보이지 못하므로, 진보성 존재의 근거가 될 수 없다.
(ㅁ) 타당하다. 작용효과에 있어 향상은 진보성 존재의 근거가 된다. [제시문 분석 참고]

IV

## 254

정답 | ①      내용 영역 | 과학기술
난이도 | ★★☆      문항 유형 | 논쟁 및 반론

**접근 전략**

제시된 베이즈주의 과학 방법론과 이 방법론에 대한 비판, 그리고 글쓴이의 재반론을 정확히 파악해야 한다. 글쓴이가 전제하고 있는 내용이나 결론을 부정할 경우 글쓴이의 주장은 약화되지만, 글쓴이의 주장을 지지하거나 그 주장과 무관한 경우 약화한다고 볼 수 없다.

**제시문 분석 & 해설**

〈베이즈주의 과학 방법론〉
새로운 정보가 유입되기 전의 '사전확률'과 새로운 정보로부터의 '사후확률'을 결정하여 과학적 가설을 평가

〈베이즈주의 과학 방법론에 대한 비판〉
동일한 가설에 부여하는 사전확률이 주관적이고 임의적일 수 있다는 점에서 과학의 객관성을 확보할 수 없음

〈베이즈주의 과학 방법론에 비판에 대한 재반론 – 글쓴이의 주장〉
베이즈주의 비판자들이 문제 삼는 주관적인 사전확률이란 가설을 제시한 사람에 대한 느낌과 같은 요소만 고려한 것이다. 그러나 과학 공동체가 공유하고 있는 배경지식이 사전확률을 결정하는 데 있어 결정적인 역할을 한다. 동시대 과학자들이 완전히 다른 배경지식을 가지고 있는 경우는 거의 없으므로 과학자들은 동일한 가설에 대해서 비슷한 사전확률을 부여하게 될 것이다. 따라서 베이즈주의 과학 방법론이 객관성을 확보할 수 없다는 주장은 성급하다.

ㄱ. 약화한다. 글쓴이는 사전확률이 가설을 제시한 사람에 대한 느낌과 같은 요소에 좌우되기보다 과학 공동체가 공유하고 있는 배경지식에 의해 결정된다고 전제하고 있다. 그런데 동일한 배경지식을 가졌다는 것보다는 느낌과 같은 요소가 사전확률 결정에 더 중요한 영향을 미친다면, 이러한 사실은 글쓴이의 전제를 부정하는 것으로 이 글의 주장을 약화한다.

ㄴ. 약화하지 않는다. 글쓴이는 사전확률을 결정하는 데 있어 결정적인 것은 과학적 배경지식이라고 전제한다. 특정 가설에 대해 동일한 사전확률을 부여한 사람들이 다른 느낌을 가지는 경우가 있더라도 그들이 완전히 다른 배경지식을 가지고 있는 경우는 거의 없으므로 동일한 가설에 대해서 비슷한 사전확률을 부여하게 될 것이라는 결론에는 영향을 미치지 않는다. 따라서 ㄴ은 이 글의 주장을 약화하거나 강화한다고 볼 수 없다.

ㄷ. 약화하지 않는다. 베이즈주의에 따르면, 가설에 대한 사전확률을 결정하는 것은 과학적 배경지식이므로 동일한 배경지식을 가진 과학자들이라면 특정 가설에 대해 비슷한 사전확률을 부여할 것이다. 비슷한 사전확률을 새롭게 얻은 동일한 확률 정보를 고려하여 수정해 가면, 과학자들이 가설에 부여하는 확률들은 점차 일치하게 될 것이다. 이는 베이즈주의 과학 방법론이 객관성을 확보할 수 있음을 보여주는 것으로, 이 글의 주장을 강화할 수는 있어도 약화하지는 않는다.

## 255

정답 | ①      내용 영역 | 인문
난이도 | ★★☆      문항 유형 | 논쟁 및 반론

**접근 전략**

비판을 구성하기 위해서는 먼저 비판하려는 글의 전제와 결론을 정확하게 분석해야 한다. 이때 비판하려는 글의 전제 또는 결론이 옳지 않음을 보이거나 전제로부터 결론이 도출되지 않음을 보여야 한다.

**제시문 분석 & 해설**

〈글의 주장〉

| 전제1 | 유클리드 기하학에서 공리들은 직관적으로 자명하여 증명을 필요로 하지 않는다. |
|---|---|
| 전제2 | 공리들로부터 연역적으로 증명된 정리는 감각 경험의 지지를 필요로 하지 않는다. |
| 결론 | 따라서 유클리드 기하학은 선험적이다. |

ㄱ. 적절하지 않다. 기하학이 실재 세계를 반영할 이유가 없다는 것은, 기하학적 진리에 관한 지식은 감각 경험으로부터 얻은 증거에 근거하지 않을 수 있다는 의미이다. 이는 전제1과 전제2를 뒷받침하는 것이므로 이 글에 대한 비판으로 적절하지 않다.

ㄴ. 적절하다. 직관이 경험에 영향을 받는다는 것은 유클리드 기하학이 경험에 의지하고 있다는 것이다. 즉, 기하학은 감각 경험의 지지를 필요로 한다는 의미가 된다. 따라서 ㄴ은 전제2가 옳지 않음을 보이므로 이 글에 대한 비판으로 적절하다.

ㄷ. 적절하지 않다. 감각 경험과 무관한 지식이지만 실재 세계에 적용되는 '1 + 1 = 2'라는 지식은 기하학은 감각 경험의 지지를 필요로 하지 않는다는 전제2를 뒷받침하는 사례이다. 따라서 이 글에 대한 비판으로 적절하지 않다.

# 256

정답 | ③  　　내용 영역 | 인문
난이도 | ★★☆  　　문항 유형 | 논쟁 및 반론

**접근 전략**

제시문의 논증에 대한 반박으로 적합하지 않은 진술을 고르는 문제이다. 제시된 주장의 근거나 결론을 비판하거나 근거로부터 결론을 이끌어내는 방식이 부당함을 보이면 반박이 될 수 있다. 따라서 일단 논증의 결론을 파악하고 이 결론을 지지하는 근거를 찾아야 한다. 그런 다음 각 선지가 이 근거들을 비판하는지 혹은 논증의 부당함을 지적하는지를 살펴야 한다.

**제시문 분석 & 해설**

글쓴이는 윤리적 상대주의가 참이라는 결론을 내리기 위해 다음의 논증을 펼치고 있다.

| 전제1 | 사람들의 판단은 시간과 장소, 그들이 살고 있는 상황에 따라 달라질 수 있다. |
|---|---|
| 전제2 | 같은 문화권이나 시대 안에서도 동일한 행위에 대한 사람들의 윤리적 판단이 다를 수 있다. |
| 중간결론 | 따라서 사람들의 윤리기준은 시간과 장소, 그리고 상황에 따라 달라진다. |
| 결론 | 올바른 윤리적 기준은 그것을 적용하는 사람에 따라 상대적이다. |

전제들 중 어느 하나를 비판하거나, 전제1과 2가 중간결론을 뒷받침하지 않는다던지, 중간결론이 최종결론을 뒷받침하지 않음을 보인다면 논증을 반박할 수 있다.

① 적절하다. 지역에 따라 윤리적 판단이 크게 다르지 않다면 전제1의 근거가 부정되므로 윤리적 상대주의의 핵심 내용인 결론은 반박될 것이다.

② 적절하다. 윤리적 판단이 다르다고 해서 윤리적 기준도 반드시 달라지는 것이 아니라는 것은 전제2로부터 중간결론을 도출할 수 없음을 의미하며 윤리적 상대주의의 핵심인 결론을 반박할 수 있는 근거가 된다.

③ 적절하지 않다. 이 진술이 제시문의 논증을 반박할 수 있으려면 먼저 윤리적 상대주의가 사람들의 윤리적 판단이 항상 서로 다르다는 사실은 전제하고 있어야 한다. 하지만 윤리적 상대주의는 사람들의 윤리적 판단이 서로 다를 수 있음을 말하고 있을 뿐 항상 서로 다르다고 말하는 것은 아니다.

④ 적절하다. 문화적 판단의 차이에도 불구하고 윤리적 기준이 보편적이라는 진술은 전제1과 2로부터 중간결론을 이끌어낼 수 없음을 지적하는 것이다. 따라서 적절한 반박이다.

⑤ 적절하다. 윤리적 판단이 서로 다르다고 해도 올바른 판단이 하나뿐이며, 이러한 판단이 객관적 기준에 의해 이루어진다면 전제와 중간결론이 모두 참이라고 해도 결론의 주장이 참이 아닐 수 있는 이유를 제시하는 것이다. 즉 윤리적 상대주의의 핵심인 결론은 반박될 것이다.

# 257

정답 | ④  　　내용 영역 | 과학기술
난이도 | ★★★  　　문항 유형 | 논쟁 및 반론

**접근 전략**

논증에 대한 비판을 요하는 문항을 해결하기 위해서는 먼저 제시된 논증의 결론을 파악하고 이를 뒷받침하는 전제를 찾아 논증을 재구성할 수 있어야 한다. 재구성된 논증의 전제가 참이 아님을 보이거나 전제가 참이라고 하더라도 결론이 논리적으로 도출될 수 없음을 보이면 적절한 비판이 될 수 있다.

**제시문 분석 & 해설**

〈글의 논증〉

1. 5억 년 전 캄브리아기 생명폭발 이후 다양한 생물종이 출현했다.
2. 멸종된 것을 포함해서 5억 년 전 이후 지구상에 출현한 생물종은 1억 종에 이른다.

3. 따라서 새로운 생물종이 평균적으로 100년 단위마다 약 20종이 출현한 것이다.
4. (진화론이 참이라면 새로운 생물종이 평균적으로 100년 단위마다 약 20종이 출현하였을 것이다.)
5. 그런데 지난 100년간 생물학자들은 지구상에서 새롭게 출현한 종을 찾아내지 못했다.

6. 따라서 한 종에서 분화를 통해 다른 종이 발생한다는 진화론은 거짓이다.

① 적절하다. 100년마다 20종이 출현한다는 것이 평균적인 수치이므로 현재 신생 종의 출현이 거의 없더라도 다른 시기에 그 출현이 많다면 신생 종이 평균적으로 100년 단위마다 약 20종이 출현할 것이라는 전제4의 예측이 거짓이 아닐 수 있다. 전제4에서의 예측이 거짓이 아니면 결론6이 도출되지 않으므로 ①은 이 글에 대한 비판으로 적절하다.

② 적절하다. 만약 5억 년 전 이후부터 지구상에 출현한 생물종이 1,000만 종 이하일 수 있고 그에 따라 100년 내에 새로 출현하는 종의 수는 2종 정도라는 사실은 전제2와 3을 부정하는 진술이다. 전제2와 3이 부정되면 진화론이 거짓이라는 결론이 도출되지 않을 수 있으므로 ②는 글에 대한 비판으로 적절하다.

③ 적절하다. 전제2에서 멸종된 종과 신생 종을 구별하여 그 수를 제시하고 있으므로, 이 글의 논증은 멸종된 종, 신생 종, 그리고 기존에 존재하던 종을 구별할 수 있음을 암묵적으로 전제하고 있는 것이다. 따라서 ③은 신생 종과 기존에 존재했던 종인지 판단하기 어렵다고 하여 암묵적 전제를 부정하고 있으므로 이 글에 대한 비판으로 적절하다.

④ 적절하지 않다. 이 글은 지난 100년간 지구상에서 새롭게 출현한 종을 찾아내지 못했다(전제5)는 점을 들어 진화론이 거짓임을 논증하고 있다. 그런데 21세기 현재 알려진 종 중 사라지는 수가 크게 늘고 있다는 사실은 전제5를 뒷받침해준다. 따라서 ④는 이 글에 대한 적절한 비판이 될 수 없다.

⑤ 적절하다. 만약 생물학자들이 발견한 몇몇 종은 지난 100년 내에 출현한 종이라고 판단된다면, 지난 100년 내에 신생 종을 발견할 수 있다는 것이므로 전제5가 부정될 수 있다. 따라서 ⑤는 전제5를 참이라고 전제한 논증의 결론을 받아들일 수 없게 되므로 이 글에 대한 비판으로 적절하다.

# 258

| 정답 | ③ | 내용 영역 | 인문 |
|---|---|---|---|
| 난이도 | ★★★ | 문항 유형 | 논쟁 및 반론 |

**접근 전략**

X의 입장과 Y의 입장을 구별한 후, 갑, 을, 병이 제시한 견해가 Y의 입장과 양립이 불가능한지를 파악하여 풀이한다.

**제시문 분석 & 해설**

갑 ~ 병의 입장과 제시문에 나타난 Y의 입장을 비교하여 정리하면 다음과 같다.

○ Y의 입장 : 유용성이란 행복의 양에서 고통의 양을 뺀 결과를 말하며, 다른 모든 행위보다 유용성이 큰 선지를 택하는 것이 올바르다.

○ 갑 : 행위 선지가 다음과 같다면 Y의 입장은 적절하지 않다.

| 행위 선지 | 행복의 양 | 고통의 양 | 유용성 |
|---|---|---|---|
| A1 | 90 | 50 | 40 |
| A2 | 50 | 10 | 40 |
| A3 | 70 | 30 | 40 |

○ 을 : 언제나 미처 생각하지 못한 선지가 가장 큰 유용성을 지니므로 우리가 이미 선택한 행위는 올바르지 않다. 결국 우리는 올바른 행위를 한 번도 할 수 없다는 불합리한 결론에 도달하므로 Y의 입장은 적절하지 않다.

○ 병 : 행복의 양에서 고통의 양을 뺀 유용성이 음수로 나오는 경우 어떤 선지가 올바른 것인지 판단할 수 없으므로 Y의 입장은 적절하지 않다.

갑 : X의 입장을 따를 때 가장 많은 행복을 산출하는 동시에 가장 적은 고통을 산출하는 선지를 택하면 도덕적으로 올바른 행위이다. 그러나 가장 많은 행복은 산출하는 선지와 가장 적은 고통을 산출하는 선지가 다를 때 어느 선지가 도덕적으로 올바른지 결정할 수 없다는 비판이 존재한다. Y의 입장은 이러한 문제를 해결하기 위해 행복의 양에서 고통의 양을 뺀 결과를 바탕으로 어느 선지가 도덕적으로 올바른지 결정할 수 있다고 주장한다.

그러나 갑이 제시한 선지 정보에 따르면 세 행위 선지 모두 유용성이 같으므로 X의 입장과 마찬가지로 어떤 선지가 올바른지 이야기할 수 없는 경우가 존재한다. 여기서 Y의 입장은 X의 입장과 비슷한 문제에 부딪히므로, 갑의 진술은 Y의 입장에 대한 반박에 해당한다.

을 : Y의 입장이 참이라고 가정하고, 선택하지 못한 선지가 언제나 가장 큰 유용성을 지닌다는 전제를 받아들이면 '우리가 선택한 행위는 올바르지 않으며, 우리는 도덕적으로 올바른 행위를 한 번도 할 수 없다'는 불합리한 결론에 도달한다. 이에 따르면 Y의 입장이 참이라는 최초의 가정은 옳지 않다. 따라서 을의 진술은 Y의 입장에 대한 반박으로 적절하다.

병 : 세 번째 문단에 따르면 유용성은 행복의 양에서 고통의 양을 뺀 결과를 나타낸다. 그러나 Y의 입장에서 이러한 유용성은 반드시 양수여야 할 필요가 없으며, 결괏값을 비교할 수 있다면 도덕적으로 올바른 행위를 선택할 수 있다. 따라서 병의 진술은 Y의 입장에 대한 반박으로 적절하다고 보기 어렵다.

# 259

| 정답 | ① | 내용 영역 | 과학기술 |
|---|---|---|---|
| 난이도 | ★★★ | 문항 유형 | 논쟁 및 반론 |

**접근 전략**

주어진 논증이나 이론, 가설, 자료 등을 하나의 주장으로 보고, 상대편의 입장에서 그 주장을 반박할 수 있는 사례, 즉 반례를 구성할 수 있는지를 평가하고자 하는 문제이다. 이론 또는 가설 등을 참이라고 가정할 때 결코 일어날 수 없는 사례가 있다면 이것이 그 주장에 대한 반례가 된다.

**제시문 분석 & 해설**

〈질병 D 발병 메커니즘〉

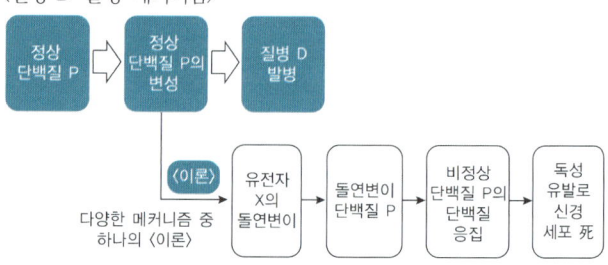

ㄱ. 해당한다. 〈이론〉이 참이라면 비정상 단백질 P의 단백질 응집이 일어나면 독성이 유발되어 질병 D가 초래되어야 한다. 단백질 응집이 일어났는데도 독성이 유발되지 않는 연구 결과는 〈이론〉으로는 일어날 수 없는 사례이다. 따라서 ㄱ은 〈이론〉에 대한 반례에 해당한다.

ㄴ. 해당하지 않는다. 질병 D는 정상적인 단백질의 변성과 연관이 있고 〈이론〉은 그 변성이 일어나는 다양한 메커니즘 중의 하나에 해당하므로 질병 D가 발병하더라도 〈이론〉과 다른 메커니즘으로 정상 단백질의 변성이 일어날 수 있다. 즉 질병 D가 발병하더라도 비정상 단백질 P의 단백질 응집이 나타나지 않을 수 있다. 따라서 ㄴ의 연구 결과는 〈이론〉에 아무런 영향을 미치지 못하므로 〈이론〉에 대한 반례에 해당하지 않는다.

ㄷ. 해당하지 않는다. 〈이론〉은 정상 단백질 P의 변성과 관련된 여러 메커니즘 중의 하나로 제시되었다. 따라서 ㄷ과 같이 유전자 X의 돌연변이가 아닌 다른 원인으로 돌연변이 단백질 P가 나타나더라도 〈이론〉에 아무런 영향을 미치지 못한다. 따라서 ㄷ은 〈이론〉에 대한 반례에 해당하지 않는다.

# 260

| | |
|---|---|
| 정답 | ⑤ |
| 난이도 | ★★★ |
| 내용 영역 | 인문 |
| 문항 유형 | 논쟁 및 반론 |

## 접근 전략

군 당국이 어떤 점을 근거로 하여 주장을 펼치고 있는지를 분석한 뒤, 그 근거를 비판할 수 있는 방법을 제시문을 통해 찾아야 한다. 군 당국의 주장에서 나타나는 논리적 모순을 지적하는 진술을 찾아야 하므로 이를 위해 먼저 군 당국이 김 일병의 행동을 어떻게 규정하고 있는지를 제시문의 기준에 따라 판단할 필요가 있다.

## 제시문 분석 & 해설

○ '의무 이상의 행동'과 '의무적으로 해야 하는 일'에 대한 정리

| | 의무 이상의 행동 | 의무적으로 해야 하는 일 |
|---|---|---|
| 의미 | 도덕이 요구하는 범위를 넘어 특별히 선한 행위를 하는 것 | 도덕이 요구하는 범위 내의 행동 |
| 예 | 누군가를 구하기 위해 자신의 목숨을 걸고 폭풍우 치는 바닥에 뛰어드는 것 | 연못에 빠진 아이를 어렵지 않게 구하는 일 |
| 행하지 않았을 때의 도덕적 비난 여부 | × | ○ |

○ 〈편지〉를 통해 분석한 군 당국의 주장은 다음과 같다.

| | |
|---|---|
| 전제1 | 김 일병의 행동은 '의무적으로 해야 하는 일'이다. |
| 전제2 | 김 일병에게 훈장을 수여하면 김 일병의 행동은 '의무적으로 해야 하는 일'이 아니게 된다. (의무 이상의 행동으로 판정하는 것이다.) |
| 전제3 | 김 일병의 행동이 '의무적으로 해야 하는 일'이 아니라고 판정하면 다른 병사들에게 경우에 따라 부대 전체의 이익을 위해 행동하지 않아도 된다고 암시하게 된다. |
| 결론 | 김 일병에게 훈장을 수여할 수 없다. |

① 적절하지 않다. 전제2~4를 보면 군 당국은 '의무적으로 해야 하는 행동은 칭찬해서는 안 된다'는 입장임을 알 수 있다. 그런데 제시문 역시 의무적으로 해야 하는 행동에 대해 반드시 칭찬해야 한다는 입장은 아니다. 따라서 이 진술은 제시문을 토대로 한 반박이 될 수 없다.

② 적절하지 않다. '의무 이상의 행동'인지 여부를 판단해야 할 행위에 해당하는 것은 김 일병의 행위이지 군 당국의 행위가 아니다.

③ 적절하지 않다. 병사가 부대의 이익을 위해 도덕적 의무를 다해야 한다는 것은 군 당국의 주장이지 군 당국의 주장에 대한 반박이 될 수 없다.

④ 적절하지 않다. 부대 전체의 이익을 위해 헌신하지 않는 병사 모두가 도덕적으로 비난받아야 한다는 것은, '부대 전체의 이익을 위해 헌신하는 일'은 의무적으로 해야 하는 일이라는 것이다. 이는 군 당국이 주장하고 있는 내용이므로 군 당국의 주장을 반박할 수 없다.

⑤ 적절하다. 제시문에 따르면 '의무적으로 해야 하는 일'은 하지 않았을 때 비난을 받지만 '의무 이상의 행동'은 하지 않았을 때 비난을 받지 않는다. 김 일병과 동일한 행동을 할 수 있었지만 하지 않았던 동료 중 누구도 도덕적으로 비난을 받지 않았다는 사실은 김 일병의 행위가 '의무적으로 해야 하는 일'이 아님을 입증한다. 즉 군 당국의 전제1이 옳지 않음이 입증되고 결과적으로 군 당국의 주장은 논박된다.

IV

# 261

| 정답 | ① | 내용 영역 | 사회 |
|---|---|---|---|
| 난이도 | ★☆☆ | 문항 유형 | 논증 평가 및 문제 해결 |

### 접근 전략
제시문의 두 견해를 파악하고, 선지의 내용이 각 견해의 설득력에 어떤 영향을 주는지 판단한다.

### 제시문 분석 & 해설

ㄱ. 적절하다. A는 '심각한 피해, 회사의 미조치, 증거 가짐, 고발의 충분한 이유'라는 4가지 조건을 모두 만족할 경우 그리고 오직 그 경우에만 내부자 고발의 도덕적 정당성이 확보된다고 본다. 회사가 대중이나 사회에 입히고 있는 피해가 심각하지 않다는 것은 위의 조건 중 하나가 충족되지 못했음을 의미한다. 이에도 불구하고 내부자 고발이 도덕적으로 정당하다고 인정되는 사례는 A가 제시한 조건에 부합하지 않는다는 점에서 A의 주장을 약화한다.

ㄴ. 적절하지 않다. B는 '고발자 소속 부서의 업무, 심각하게 잘못된 것이라 믿음, 적절한 증거 가짐, 폭로의 충분한 이유'라는 4가지 조건을 모두 만족할 경우 그리고 오직 그 경우에만 내부자 고발의 도덕적 정당성이 확보된다고 본다. 따라서 한 가지 조건이라도 충족하지 못하는 경우 도덕적 정당성이 없는데, 잘못하고 있다는 것에 대한 적절한 증거가 없어 도덕적으로 정당하다고 인정되지 않은 사례는 조건에 부합하지 않아 도덕적 정당성이 인정되지 않은 사례에 해당한다. 따라서 이러한 사례는 B의 주장을 약화하지 않는다.

ㄷ. 적절하지 않다. A의 경우 직속 상관이나 회사 내 다른 구성원에게 보고했으나 어떤 조치도 취해지지 않았음이 조건으로 제시되는데, 주어진 사례는 회사의 잘못을 다른 구성원에게 알릴 기회가 있음에도 하지 않은 것으로 조건을 충족하지 못하였다. 이러한 내부자 고발이 정당하다고 인정되는 사례는 A의 주장을 강화하지 않는다. B의 경우 이와 관련된 조건이 없으므로 해당 사례는 B의 주장을 강화하거나 약화하지 않는다.

# 262

| 정답 | ② | 내용 영역 | 과학기술 |
|---|---|---|---|
| 난이도 | ★☆☆ | 문항 유형 | 논증 평가 및 문제 해결 |

### 접근 전략
제시문의 두 견해를 파악하고, 선지의 내용이 각 견해의 설득력에 어떤 영향을 주는지 판단한다.

### 제시문 분석 & 해설

ㄱ. 적절하지 않다. 갑은 유성생식이 예상하지 못한 환경 변화에 마주했을 때 생존에 유리하다고 본다. 따라서 종 A의 경우 변화가 미미한 환경에서 생존해 온 집단보다 변화가 큰 환경에서 생존해 온 집단에서 유성생식을 하는 비율이 높다면 갑의 견해와 일치하는 결과이다. 따라서 갑의 견해는 약화되지 않는다.

ㄴ. 적절하지 않다. 을은 유전적으로 동일한 생물들은 살아가는 방식과 필요한 자원이 동일해 이에 대한 경쟁이 심하며, 살아가는 방식과 필요한 자원이 동일할 가능성은 무성생식이 유성생식보다 더 높다고 본다. 종 B의 경우 유성생식만 하는 집단보다 무성생식만 하는 집단에서 생존 경쟁이 더 치열하다는 결과는 을의 견해와 일치하는 결과이다. 따라서 을의 견해는 약화되지 않는다.

ㄷ. 적절하다. 갑은 유성생식이 무성생식보다 더 많은 유전적 다양성을 확보하게 한다고 보며, 을 또한 유성생식이 무성생식보다 유전적으로 달라질 가능성이 더 높다고 본다. 그런데 종 C의 경우 유성생식으로 나타난 자손보다 무성생식으로 나타난 자손에서 유전적 다양성이 더 크다면, 갑/을의 견해와는 상반되는 결과이므로 갑과 을의 견해 모두 약화된다.

# 263

정답 | ③
난이도 | ★☆☆
내용 영역 | 과학기술
문항 유형 | 논증 평가 및 문제 해결

**접근 전략**

제시문의 두 가설과 〈실험〉의 모형을 파악하고, 선지의 내용이 각 가설의 설득력에 어떤 영향을 주는지 판단한다.

**제시문 분석 & 해설**

〈가설〉 A. B와 〈실험〉에 제시된 정보를 정리하면 다음과 같다.
A : 초식 동물이 없는 생태계의 종 다양성
　⇒ 토양이 비옥하지 않은 경우 > 비옥한 경우
B : 토양이 비옥한 생태계의 종 다양성
　⇒ 초식 동물이 없는 경우 < 있는 경우

|  | 모형 1 | 모형 2 | 모형 3 | 모형 4 |
|---|---|---|---|---|
| 토양 비옥 | ○ | ○ | × | × |
| 초식 동물 | × | ○ | × | ○ |

① 적절하지 않다. 모형 1과 2는 토양이 비옥하다는 점에서 동일하며, 초식 동물 여부에서 차이를 보인다. B에 따르면 초식 동물이 있는 모형 2의 종 다양성이 더 커야 하는데, 종 다양성 수치가 모형 1보다 모형 2에서 더 높다면 B와 일치하는 결과이므로 B는 약화되지 않을 것이다.

② 적절하지 않다. 모형 1과 2는 토양이 비옥하다는 점에서 동일하며, 초식 동물 여부에서 차이를 보인다. A를 검증하려면 '초식 동물이 없는 생태계'에서 토양 비옥 여부에 따른 다양성 수치를 비교해야 한다. 하지만 모형 1과 모형 2는 초식 동물 여부에서 차이를 보인다는 점에서 위와 같은 비교가 불가능하다. 따라서 선지와 같은 조건에서 A가 강화된다고 보기 어렵다.

③ 적절하다. 모형 1과 3은 초식 동물이 없다는 점에서 동일하며, 토양 비옥 여부에서 차이를 보인다. A에 따르면 토양이 비옥한 모형 1의 종 다양성이 더 작아야 하는데, 종 다양성 수치가 모형 3보다 모형 1에서 더 높다면 A는 약화될 것이다.

④ 적절하지 않다. 모형 3과 4는 토양이 비옥하지 않다는 점에서 동일하며, 초식 동물 여부에서 차이를 보인다. B를 검증하려면 '토양이 비옥한 생태계'에서 초식 동물 여부에 따른 다양성 수치를 비교해야 한다. 하지만 모형 3과 모형 4는 모두 토양이 비옥하지 않다는 점에서 위와 같은 비교가 불가능하다. 따라서 선지와 같은 조건에서 B가 강화된다고 보기 어렵다.

⑤ 적절하지 않다. 모형 2와 4는 초식 동물이 있다는 점에서 동일하며, 토양 비옥 여부에서 차이를 보인다. A를 검증하려면 '초식 동물이 없는 생태계'에서 토양 비옥 여부에 따른 다양성 수치를 비교해야 한다. 하지만 모형 2와 모형 4는 모두 초식 동물이 있다는 점에서 위와 같은 비교가 불가능하다. 따라서 선지와 같은 조건에서 A가 약화된다고 보기 어렵다.

# 264

정답 | ③
난이도 | ★☆☆
내용 영역 | 과학기술
문항 유형 | 논증 평가 및 문제 해결

**접근 전략**

감정과 생리적 반응의 관계에 대한 가설들의 차이점을 파악하여, 선지에 제시된 각 사실들이 해당 가설을 강화 또는 약화시키는지를 판단한다.

**제시문 분석 & 해설**

○ 가설 A : 감정 유발 자극 → 특정한 생리적 반응이 나타남 → 반응이 대뇌에 전달 → 감정을 체험
- 특정한 생리적 반응에 의해 특정한 감정이 발생함을 전제
○ 가설 B : 감정 유발 자극 → 감각 신경을 통해 시상하부에 들어옴 → 대뇌피질 자극 & 자율신경계에 전달 → 대뇌피질에 전달된 신경 흥분은 감정체험을 일으킴 & 자율신경계의 일종인 교감신경계에 전달된 신경 흥분은 생리적 변화를 유발
○ 가설 C : 감정은 생리적 반응과 무관하며 인지적 해석에 따라 결정
- 외부 자극에 대한 개인의 해석 및 평가에 따라 감정의 강도와 질이 결정(동일한 자극에 대한 해석 및 평가 방법에 따라 서로 다른 감정을 체험)

ㄱ. 적절하다. 어떠한 자극(감정 유발 자극) → 얼굴이 붉어지는 반응(특정한 생리적 반응이 나타남) → 분노 발생(반응이 대뇌에 전달되어 감정을 체험)의 과정이고, 이는 A의 내용과 부합하는 사실이다. 따라서 A는 강화된다.

ㄴ. 적절하지 않다. A는 생리적 반응에 의해 특정한 감정이 발생함을 전제한다. 따라서 달려오는 자동차라는 자극에 대해 생리적 반응 없이 두려움을 느꼈다면 A는 약화된다.
B는 자극이 들어오면 감정체험과 생리적 변화 유발이 같이 나타난다고 본다. 그런데 달려오는 자동차라는 자극에 대해 두려움이라는 감정체험은 일어났으나 생리적 반응이 나타나지 않았다면 B는 약화된다.

ㄷ. 적절하다. A는 특정한 생리적 반응에 의해 특정한 감정이 발생함을 전제한다. 즉, 자극이 동일하면 감정도 동일하게 나타나야 한다. 따라서 동일한 자극인 개가 짖는 소리에 두려움을 느낀 사람도 있고 기쁨을 느낀 사람도 있다면, 감정이 동일하지 않기 때문에 A는 약화된다. C는 동일한 자극에 대해 해석하고 평가하는 방법에 따라 서로 다른 감정을 체험하게 된다고 본다. 따라서 개가 짖는 소리라는 자극에 대해 개가 공격할 것이라고 믿어서 두려움을 느낀 사람과, 동일한 개가 짖는 소리라는 자극에 대해 반가움의 표현이라고 믿어서 기쁨을 느낀 사람이 있다면, 해석하고 평가하는 방법에 따라 서로 다른 감정을 체험한 것이므로 C는 강화된다.

# V 논증 평가 및 문제 해결

## 265

정답 | ④     내용 영역 | 사회
난이도 | ★☆☆     문항 유형 | 논증 평가 및 문제 해결

**접근 전략**

논자의 중심 주장을 찾은 후 이를 강화하는 진술을 찾는 문제로, 특히 ⑤와 같은 경우 주어진 사례가 논자의 주장의 근거가 되는지 아니면 논자가 반박하고 있는 주장의 근거가 되는지를 구분하는 데 유의해야 한다.

**제시문 분석 & 해설**

논자는 스티븐 와이즈의 주장을 반박하면서 동물이 법적 권리를 가질 수 없다는 주장을 펼치고 있다. 두 주장의 쟁점을 정리하면 다음과 같다.

|  | 스티븐 와이즈 | 논자 |
|---|---|---|
| 중심 주장 | 사람들의 권리를 인정하면서 동물의 권리를 인정하지 않는 법은 지지될 수 없다. | 동물은 법적 권리를 가질 수 없다. |
| 논거 | 법철학(권리와 의무와 같은 법적 관계)에 의존하지 않고 자연과학에 의존<br><br>1. 인간과 유인원이 생물학적으로 비슷하다.<br>2. 따라서 인간의 권리가 인정되면 동물의 권리도 인정되어야 한다. | 인격체는 생물학이 아니라 법철학에서 다루어야 함<br><br>1. 권리 의무의 주체가 될 수 있는 인격체는 공동체의 일원이 될 수 있는 개체를 의미한다.<br>2. 공동체의 일원이 되려면 협상, 타협, 동의의 능력이 필요하다.<br>3. 동물은 협상, 타협, 동의의 능력이 없다.(생략된 전제) |

① 중심 주장을 강화하는 진술이 아니다. 애완견에게 유산을 상속하는 것이 법적 효력을 갖는다는 진술은 동물은 법적 권리를 가질 수 없다는 글의 중심 주장과 양립불가능하다.

② 중심 주장을 강화하는 진술이 아니다. 동물사냥 반대의 결과 인간 공동체가 피해를 입었다는 진술은 동물은 법적 권리를 가질 수 없다는 글의 중심 주장과 무관하다.

③ 중심 주장을 강화하는 진술이 아니다. 지적 능력이 없는 사람은 협상, 타협, 동의의 능력을 소유하고 있다고 보기 힘들고, 따라서 이 글의 입장에 따르면 공동체의 일원이 된다고 보기 힘들며 결과적으로 인격체로 보기 어렵게 된다. 그렇다면 이 글의 중심 주장에 따라 이러한 사람은 법적 권리를 가질 수 없게 되는데, 이는 이 글의 중심 주장을 오히려 약화하는 진술이 될 수 있다.

④ 중심 주장을 강화하는 진술이다. 이 글에 따르면, 책임을 부여하기 위해서는 협상, 타협, 동의의 능력이 필요하고, 그러한 능력을 가지고 있으면 공동체의 일원이 될 수 있으며, 공동체의 일원이라면 인격체로서 법적 권리를 가진다. 그런데 인간에게 해를 입히거나 인간을 공격하는 동물에게 법적 책임을 묻지 않는다는 진술은 동물에게 책임을 부여할 수 없다는 것이고, 이는 결과적으로 동물은 법적 권리를 가질 수 없다는 결론에 이르게 되므로 이 글의 중심 주장을 강화하는 진술이 된다.

⑤ 중심 주장을 강화하는 진술이 아니다. 일부 인간들이 동물을 지적이고 사회적인 존재라고 생각했다면, 이는 오히려 동물도 공동체의 일원이 될 수 있어 인격체라고 볼 수 있다는 주장의 근거가 될 수 있기 때문에 이 글의 중심 주장을 오히려 약화하는 진술이 될 수 있다.

## 266

정답 | ②     내용 영역 | 법규범
난이도 | ★☆☆     문항 유형 | 논증 평가 및 문제 해결

**접근 전략**

글쓴이의 주장을 지지하는 진술을 찾는 문제이다. 이를 위해서 선행되어야 할 것은 글쓴이의 주장과 근거를 찾아 논증을 재구성해 보는 것이다.

**제시문 분석 & 해설**

〈변호사의 주장〉

소액사건의 경우에 법무사도 소송을 대리할 수 있도록 하는 법안에 대해 반대한다.

〈근거〉

1. 소송가액이 적다고 하여 간단한 소송이 아니다.
2. 국민들이 진정으로 원하는 것은 소송에서의 충실한 주장과 증명인데, 제대로 된 법률교육을 이수하지 않은 유사직역 종사자에게 소송대리권을 부여하게 되면 국민들의 바람을 충족시킬 수 없다.
3. 변호사의 수임료는 사건의 난이도 등을 기준으로 변호사와 의뢰인이 적당한 선에서 결정하기 때문에 과다하지 않다.
4. 변호사가 비약적으로 많아졌다는 사실을 고려한다면 법률수요가 있는 곳에 변호사가 당연히 찾아갈 것이기 때문에 변호사 접근권이 막혀 있다는 주장은 사실과 다르다.

ㄱ. 지지한다. 변호사가 많지 않은 지역은 법률수요가 많지 않은 지역이라고 한다면 변호사의 접근권이 막혀 있다는 주장의 설득력은 약해질 것이다. 따라서 〈근거 4〉를 지지함으로써 변호사의 입장도 지지해 준다.

ㄴ. 지지한다. 사건의 난이도가 낮으면 수임료가 적게 책정되고 사건의 난이도가 높으면 수임료는 높게 책정될 것이라는 사실은 변호사의 수임료가 이유 없이 과다하다는 주장에 대한 반박이 된다. 이는 〈근거 3〉을 지지해 줌으로써 변호사의 입장도 지지해 준다.

ㄷ. 지지하지 않는다. 법무사가 변호사보다 더 넓은 지역에 분포되어 있다는 사실은 변호사가 도시에 편중되어 있어 국민의 변호사 접근권이 막혀 있다는 주장을 뒷받침한다. 이는 〈근거 4〉를 반박하는 사실이므로 변호사의 입장을 지지해 주지 않는다.

ㄹ. 지지한다. 〈근거 2〉는 소송에서의 충실한 주장과 증명을 국민이 원하고 있고 이러한 바람은 법률교육을 제대로 이수한 변호사가 맡아야 한다고 한다. 따라서 법무사가 제대로 된 법률교육을 받지 않았다는 사실은 〈근거 2〉를 지지해 줌으로써 변호사의 입장을 지지해 준다.

ㅁ. 지지하지 않는다. 〈근거 1〉에서 소액사건이라도 간단한 소송이 아니고 〈근거 2〉에서 소송에서 국민들은 양질의 법률서비스를 원한다고 하였으므로 저렴한 수임료의 법률서비스를 원한다는 사실은 〈근거 1〉과 〈근거 2〉를 반박한다. 따라서 변호사의 입장을 지지해 주지 않는다.

# 267

정답 | ⑤          내용 영역 | 과학기술
난이도 | ★☆☆      문항 유형 | 논증 평가 및 문제 해결

**접근 전략**

연구팀은 흡연량과 폐암 발병률 간에 용량 - 반응 관계가 존재한다는 점을 근거로 흡연을 폐암의 주요한 인과적 원인으로 결론 내린다. 이러한 인과추론은 다음과 같은 경우에 강화된다.

(1) 발병률을 일으킬 수 있는 원인이 제거되면 그 비율이 함께 감소한다.
(2) 원인이 질병에 선행해야 한다.
(3) 원인과 질병 간의 인과 관계가 그럴듯해야 한다.

**제시문 분석 & 해설**

〈연구 내용〉
○ 표본 구성
  하루에 담배 반 갑을 피우는 사람 100명
  하루에 담배 한 갑을 피우는 사람 100명
  하루에 담배 두 갑을 피우는 사람 100명
○ 조사 내용
  10년 동안 폐암 발병률 조사

〈연구 결과〉
담배를 많이 피우는 사람들로 구성된 표본일수록 폐암 발병률이 더 증가한다.

〈결론〉
흡연이 폐암의 주요한 인과적 원인이다.

ㄱ. 적절하다. 연구팀의 표본 구성은 흡연자들로만 구성되어 있다. 그러나 만약 비흡연자를 대상으로 연구한 결과 비흡연자들의 폐암 발병률이 높게 나왔다면 흡연을 하지 않더라도 폐암이 발병할 수 있다는 의미이므로 흡연이 폐암의 원인이라는 주장은 약화될 것이다. 이와 달리 비흡연자들의 폐암 발병률이 낮다는 연구 결과가 나왔다면 흡연이 폐암의 원인이라는 주장은 강화될 것이다.
ㄴ. 적절하지 않다. 흡연이 폐암 이외에도 다른 부정적인 효과를 낳는다는 것이 드러나더라도, 여전히 흡연이 폐암이라는 부정적인 효과를 낳는다는 필자의 결론이 부정되지는 않는다. 따라서 ㄴ은 흡연이 건강에 좋지 않다는 의미를 부가할 뿐 흡연과 폐암 발병률의 인과 관계를 약화하지는 않는다.
ㄷ. 적절하다. 흡연 의존성과 폐암을 모두 야기하는 공통 원인이 존재한다는 것은 폐암 발병의 원인이 흡연이 아니라 다른 원인에 있나는 것을 의미한다. 따라서 제시문의 〈결론〉은 오히려 약화될 것이다.
ㄹ. 적절하다. 동일한 실험 방식을 이용하여 동일한 결과나 나왔다면 결론을 뒷받침할 수 있는 사례가 추가된 것이므로 논증의 설득력이 약화시시 않을 것이다. 따라서 쥐를 대상으로 실험한 결과 담배연기에 더 많이 노출될수록 폐암 발병률이 증가하였다면 흡연이 폐암의 원인이 된다는 사례의 수가 늘어난 것이므로 제시문의 〈결론〉이 약화된다고 할 수 없다.
ㅁ. 적절하지 않다. 공해 물질이나 유해한 먼지와 같이 흡연 외에 다른 요인들이 폐암과 상관된다는 것이 드러난다면 폐암의 원인이 꼭 흡연 때문이라는 결론을 내리기 어렵다. 따라서 제시문의 〈결론〉이 강화된다고 할 수 없다.

# 268

정답 | ③          내용 영역 | 사회
난이도 | ★☆☆      문항 유형 | 논증 평가 및 문제 해결

**접근 전략**

제시문의 주장을 찾아 이를 뒷받침하는 사실이나 사례를 찾는 문제이다. 주장을 뒷받침하는 사실이나 사례는 주장을 하기 위해 내세운 〈근거〉에 부합하거나 그 〈근거〉를 지지하는 것이므로, 이러한 사실이나 사례를 고르면 된다.

**제시문 분석 & 해설**

〈희수의 주장〉
소형서점이 살아남으려면 분야를 특화하거나 고객에게 밀착하여 더 나은 서비스를 제공해야 한다.

〈근거〉
(1) 소형서점이 대형서점에 비해 불리한 점은 보유한 책의 종류가 적고 가격 경쟁에서 밀리기 때문이다.
(2) 소형서점이 분야를 특화하거나 고객에게 밀착하여 더 나은 서비스를 제공하면 살아남을 수 있다.
(3) 특화는 특정 장르를 취급하는 전문서점 외에 고객에게 인상을 남기는 서점, 서비스가 아주 좋은 서점 같이 여러 가지 다양한 방식으로 자기 특색을 만드는 것이다.
(4) (유사 사례) 좁은 식당을 운영하는 주인도 변화하는 손님들의 입맛을 만족시키기 위해 끊임없이 새로운 아이디어를 찾고 특이한 메뉴를 개발하는 등 남과 다른, 특색 있는 요소를 만들고 있다.

ㄱ. 뒷받침한다. 근거(2)~(4)에서 변화하는 고객의 욕구에 맞는 서비스와 특정 분야의 특화를 꾀하여야 소형서점도 살아남을 수 있다고 한다. 따라서 이러한 고객의 욕구를 충족시키지 못했기 때문에 시장에서 도태되었다는 사실은 근거(2)~(4)를 지지하고 있으므로 희수의 주장이 뒷받침된다.
ㄴ. 뒷받침하지 않는다. 근거(1)에서 소형서점이 대형서점에 때문에 몰락하는 이유는 소형서점은 가격 경쟁에서 불리하기 때문이다. 그런데 고객의 입장에서 가격이 서점 선택에 있어서 가장 중요한 요소가 된다면 소형서점은 대형서점과의 경쟁에서 살아남기가 더 힘들 것이다. 따라서 희수의 주장을 뒷받침할 수 없다.
ㄷ. 뒷받침하지 않는다. ㄷ은 사람들의 요구가 특정 분야의 베스트셀러에 집중되고 있다는 사실을 제시하고 있다. 이러한 사실은 고객이 특정 분야에 몰리는 현상을 말해주는 것이므로, 이 현상은 오히려 소형서점이 고객의 다양한 욕구에 부응하는 방식으로 자기만의 특색을 만들어 내야 한다는 근거(3)과 배치되는 것이다. 따라서 희수의 주장을 뒷받침한다고 할 수 없다.
ㄹ. 뒷받침한다. 근거(4)에서 좁은 식당을 운영하는 주인의 사례에 부합하는 서점의 모습이므로 희수의 주장을 뒷받침한다.

# 269

| 정답 | ① | 내용 영역 | 사회 |
|---|---|---|---|
| 난이도 | ★☆☆ | 문항 유형 | 논증 평가 및 문제 해결 |

### 접근 전략
실험 결과가 복잡하기 때문에 이를 명확하게 정리해야 선지를 판단할 수 있다. 선지 판단이 전반적으로 난해하기 때문에 선지 판단 과정에서도 제시문을 반복해서 보아야 한다.

### 제시문 분석 & 해설
실험 과정 및 주요 결과를 정리하면 다음과 같다. 이때 최초의 입장이 반대인 경우까지 고려할 필요는 없다. 중요한 것은 감정 조성, 반대 논증의 강약, 논증 검토시간이라는 세 가지 변수가 '입장의 변화 정도에 영향을 주는가'이다. 최초의 입장이 찬성이었는지, 반대였는지 여부는 입장의 변화 정도에 영향을 주지 않았다.

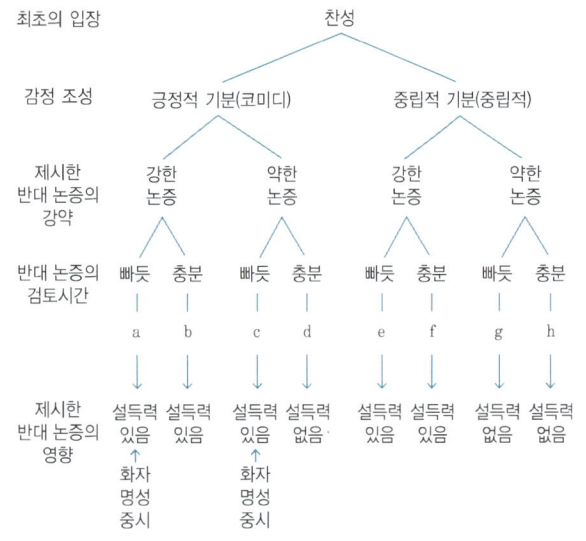

※ 시간이 충분했던 b, d, f, h 비교 = 기분이 좋은 b, d가 그렇지 않은 f, h보다 논증 검토에 더 많은 시간 할애

① 적절하지 않다. 시간이 충분했던 b, d, f, h의 실험 결과를 보면 기분이 좋은 b, d가 그렇지 않은 f, h보다 논증의 검토에 더 많은 시간을 할애했다는 진술 때문에 이 선지가 옳은 것처럼 보일 수 있다. 그러나 평가 결과는 감정 상태에 따라 달라진 것이 아니라 주어진 논증이 강한가 약한가에 따라 다르게 나타났다. 따라서 이 선지는 옳지 않다.

② 적절하다. 기분이 좋고 생각할 시간이 적은 a, c는 화자의 명성에 큰 비중을 두었다.

③ 적절하다. 기분이 좋지 않은 경우 시간 요소가 논증 평가에 영향을 미친다고 판단하려면 e, g의 판단이 같고 f, h의 판단이 같아야 한다. 그런데 달랐다. 따라서 시간 요소는 평가에 영향을 미치지 않는다고 할 수 있다.

④ 적절하다. 사람들이 중립적인 기분에 있을 때 약한 논증은 설득력이 없었다.(g, h) 또한 시간이 많을 때에도 약한 논증은 설득력을 갖지 못했다.(d, h)

⑤ 적절하다. 기분이 좋고 생각할 시간이 적은데 약한 논증을 접한 사람(c)은 그렇지 않은 상황에서 약한 논증을 접한 사람(d, g, h)과 달리 논증이 설득력이 있다고 판단했다.

# 270

| 정답 | ② | 내용 영역 | 사회 |
|---|---|---|---|
| 난이도 | ★☆☆ | 문항 유형 | 논증 평가 및 문제 해결 |

### 접근 전략
제시문에 주어진 견해를 정리하고 그 견해를 약화시키는 진술을 찾는 문제이다. 이 문제는 '구체적이고 개별적인 차원'과 이와 대비되는 '추상적인 규칙과 원리의 차원'을 구분할 수 있어야 한다. 개개인의 경험이 나오면 구체적이고 개별적인 차원으로 분류하고, 개인의 신념이나 본성이 나오면 추상적인 규칙과 원리의 차원으로 분류하면 될 것이다.

### 제시문 분석 & 해설
남 교수의 견해는 두 가지이다.
O 제1견해 : 여성이 남성과 달리 구체적이고 개별적인 관계의 관점에서 도덕적인 문제를 바라본다.
O 제2견해 : 사람들 간의 구체적이고 개인적인 관계라는 맥락에서 판단하는 은아가 쉽게 결론을 내리지 못했던 것은 도덕감의 발달 수준과 무관하다.

① 약화시키지 않는다. 여성의 월경과 임신, 출산 그리고 자녀 양육 등의 경험은 구체적이고 개별적인 관계의 차원에 해당하고 이러한 차원에서 인명이 손실이라는 도덕적인 문제에 대해 남성보다 더 구체적인 감정을 가진다는 것이다. 따라서 남 교수의 〈제1견해〉를 지지한다.

② 약화시킨다. '신념'이 구체적이고 개별적인 관계 차원의 범주에 포섭된다고 할 수는 없다. 따라서 수많은 여성들이 환경 운동이라는 도덕적 문제를 생태계 보전이 인류의 최대 의무 가운데 하나라는 신념에서 비롯된 것으로 본다면 남 교수의 〈제1견해〉는 부정된다. 따라서 남 교수의 견해는 약화된다.

③ 약화시키지 않는다. ③은 여성이 아닌 남성이 자신의 규범을 남에게 강요하기 좋아하는 본성이라는 맥락에서 도덕적인 문제를 바라본다는 것이므로 남 교수의 견해와는 무관한 진술이다. 따라서 남 교수의 견해를 강화하거나 약화하지 못한다.

④ 약화시키지 않는다. 최근 운동 경기의 열광적인 팬 가운데 여성이 많고 자비로 해외 원정 응원까지 떠나는 여성이 흔히 보인다는 내용에는 여성이 어떠한 차원에서 도덕적인 문제를 바라보는지, 여성이 어떤 맥락에서 도덕적인 문제를 판단하는지가 나와 있지 않다. 따라서 남 교수의 견해를 강화하거나 약화하지 않는다.

⑤ 약화시키지 않는다. 가정 내 또는 친구 관계에서 반복되는 윤리적 경험은 구체적이고 개별적인 차원에 해당하고 이러한 경험으로부터 여성의 윤리적 판단이 형성된다는 것은 남 교수의 〈제1견해〉를 지지한다.

# 271

| 정답 | ④ | 내용 영역 | 과학기술 |
| 난이도 | ★☆☆ | 문항 유형 | 논증 평가 및 문제 해결 |

**접근 전략**

㉠은 "요소 분석으로는 설명에 도달할 수 없으므로, 단위 분석을 선택해야 한다"는 결론이다. 따라서 정답을 찾기 위해서는 단위 분석의 필요성과 타당성을 흔드는 선지를 찾아야 한다.

**제시문 분석 & 해설**

○ 요소 분석: 대상 전체를 요소로 나누어 설명하려 하지만, 전체의 속성이 사라지거나 당혹스러운 결론에 머무를 수 있다.

○ 단위 분석: 전체의 속성을 그대로 지닌 더 이상 나눌 수 없는 단위를 대상으로 분석하는 방식. 이를 통해 요소 분석의 한계를 극복하고 설명의 목적을 달성할 수 있다고 주장한다.

○ ㉠의 주장: 따라서 우리는 요소 분석이 아닌 단위 분석을 선택해야 한다.

① 적절하지 않다. 분석 대상을 시간 요소로 나누어 살피더라도 인과관계는 드러나지 않는다는 내용은 요소 분석의 또 다른 한계를 보강하는 진술이다. 단위 분석 필요성을 더 뒷받침할 뿐, 약화하지 않는다.

② 적절하지 않다. 요소들의 결합과 전체의 속성 설명은 다르다는 지적도 요소 분석의 한계를 재확인해 ㉠을 강화한다.

③ 적절하지 않다. 요소 분석에서 전체 설명을 위해 요소들 간의 관계까지 해명해야 한다는 지적은 요소 분석이 번거롭고 비효율적이라는 문제를 드러낼 뿐이다. 이는 곧 단위 분석의 필요성을 강화하는 논거가 된다.

④ 적절하다. 단위가 전체의 속성을 그대로 지닌다면 단위는 사실상 전체와 동일하게 되며, 분석을 통해 새로운 설명적 이익을 얻을 수 없게 된다. 이는 단위 분석이 설명에 기여할 수 없음을 지적하므로, 단위 분석을 선택해야 한다는 ㉠의 결론을 약화한다.

⑤ 적절하지 않다. 설명 방식이 문제 상황에 따라 달라질 수 있다는 점은 단위 분석의 다양성을 인정하는 주장에 불과하다. 이는 단위 분석 자체의 필요성과 정당성을 흔드는 것이 아니라, 오히려 단위 분석을 여러 상황에서 활용할 수 있다는 가능성을 열어주므로 ㉠을 약화하지 않는다.

# 272

| 정답 | ① | 내용 영역 | 과학기술 |
| 난이도 | ★☆☆ | 문항 유형 | 논증 평가 및 문제 해결 |

**접근 전략**

강화와 약화는 결론에 해당하는 가설, 주장, 논지의 참을 확증하는가 혹은 거짓을 확증하는가의 여부로 판단할 수 있다. 직관에 의존하여 강화 또는 약화를 판단하기보다는 아래와 같은 기준을 이해할 필요가 있다.

| 가설<br>(결론, 주장,<br>논지) | 가설이 참이라면 예견되는 현상 | 강화<br>(가설의 참을 확증) |
|---|---|---|
| | 가설이 거짓이라면 예견되는 현상 | 약화<br>(가설의 거짓을 확증) |

**제시문 분석 & 해설**

〈제시문의 주장〉

○ 우리의 거리 판단은 경험을 통한 추론에 의해서 이루어진다.

○ 주장에 따른 거리 판단 방식

| 먼 거리 판단 | 가까운 거리 판단 |
|---|---|
| ⅰ. 친숙한 대상들(건물, 나무)로부터 물체가 어느 정도 거리에 위치해 있는지를 우선 지각<br>ⅱ. 다음으로 그 친숙한 물체를 기준으로 보다 작고 희미하게 보이는 대상일 경우, 그 물체보다 더 멀리 떨어져 있다고 판단 | 우리의 양 눈과 대상이 위치한 한 점을 연결하는 두 직선이 이루는 각의 크기를 감지함으로써 거리를 판단 |

ㄱ. 적절하다. 100미터 떨어진 대상과의 거리를 판단하는 것이므로 먼 거리를 판단하는 경우이다. 주장에 따르면 먼 거리를 판단할 때, 우리는 친숙한 대상을 우선 지각해야 거리를 추론할 수 있고, 친숙한 대상을 우선 지각하지 못할 경우 거리를 추론할 수 없다. 이 경우 민수에게는 한 번도 본 적이 없는 대상만 있고 다른 사물은 없으므로 민수는 친숙한 대상을 우선 지각할 수 없다. 따라서 민수는 대상과의 거리를 추론할 수 없어야 하는데, 실제로도 민수는 거리를 판단하지 못하였다. 이는 주장이 참일 때 예견되는 현상이므로 주장을 강화한다.

ㄴ. 적절하지 않다. 앞쪽 멀리 떨어진 대상과의 거리를 판단하는 것이므로 먼 거리를 판단하는 경우이다. 주장에 따르면 우리는 친숙한 대상을 우선 지각하지 못할 경우 거리를 추론할 수 없다. 이 경우 태훈이는 아무것도 보이지 않는 환경에 있으므로 친숙한 대상을 우선 지각할 수 없다. 따라서 태훈이는 대상과의 거리를 추론할 수 없어야 하는데, 실제로 태훈이가 불빛이 있는 곳까지의 거리를 어렵잖게 짐작하였다. 이는 주장이 참일 때 예견되는 현상이 아니므로 주장을 강화하지 않는다.

ㄷ. 적절하지 않다. 30센티미터 거리에 있는 대상과의 거리를 판단하는 것이므로 가까운 거리를 판단하는 경우이다. 주장에 따르면 가까운 거리를 판단할 때 우리는 양 눈과 대상이 위치한 점을 연결한 각도로 물체와의 거리를 판단한다. 이 경우 영호는 한쪽 눈이 실명이므로 양 눈과 대상이 위치한 점을 연결할 수 없다. 따라서 영호는 대상과의 거리를 추론할 수 없어야 하는데, 실제로 영호는 물체까지의 거리를 판단하였다. 이는 주장이 참일 때 예견되는 현상이 아니므로 주장을 강화하지 않는다.

# 273

정답 | ④          내용 영역 | 과학기술
난이도 | ★★☆      문항 유형 | 논증 평가 및 문제 해결

**접근 전략**

제시문의 가설 내용을 파악하고, 선지의 실험 결과가 각 가설의 설득력에 어떤 영향을 주는지 판단한다.

**제시문 분석 & 해설**

곤충 X는 유충 → 변태 → 성충.
유충 시기 : $\alpha$, $\beta$ 각각 일정. 단, $\alpha < \beta$.
성충 시기 : $\alpha$, $\beta$ 각각 일정.
변태 시기 : $\alpha$ ↑, $\beta$ ↓.
과학자 A의 가설(㉠) :
"X의 유충 시기보다 성충 시기에 $\alpha$와 $\beta$의 혈중 농도 차이가 더 작다."

ㄱ. 적절하지 않다. 유충 시기에는 $\alpha$가 $\beta$보다 낮았는데 성충 시기에 $\alpha$가 오히려 $\beta$보다 높아진다면, 두 호르몬 간의 차이가 줄었다고 보기 어렵다. 오히려 차이가 커질 가능성이 있어 ㉠의 가설을 뒷받침하지 않는다.

ㄴ. 적절하다. 유충 시기에도 $\alpha$가 $\beta$보다 낮았지만, 변태 과정에서 $\alpha$는 증가하고 $\beta$는 감소하였다. 따라서 성충 시기에도 $\beta$가 $\alpha$보다 높게 유지된다면 두 호르몬의 차이는 이전보다 줄었을 가능성이 크다. 이는 ㉠의 가설을 지지하는 결과가 된다.

ㄷ. 적절하다. 유충 시기에는 $\alpha$가 $\beta$보다 낮아 두 호르몬의 차이가 존재했지만, 성충 시기에 두 호르몬의 수치가 같아진다면 그 차이는 0이 되므로 ㉠의 가설을 강화한다.

# 274

정답 | ③          내용 영역 | 과학기술
난이도 | ★★☆      문항 유형 | 논증 평가 및 문제 해결

**접근 전략**

제시문의 가설, 〈실험〉 및 〈실험 결과〉가 뒷받침하는 핵심 주장이 무엇인지 판단한다.

**제시문 분석 & 해설**

제시문의 정보를 정리하면 아래와 같다.

○ 그렐린 ⇒ AMPK 인산화 ⇒ ROS 생성 저해 ⇒ $\alpha$ 뉴런 활성화 ⇒ 식욕 촉진
○ 과학자의 가설 : 식욕을 일으키는 메커니즘에 뇌 속에 있는 단백질 X와 Y가 관여함
○ M : 정상 쥐(단백질 X와 Y를 모두 보유) / MX : X를 만드는 유전자를 제거한 돌연변이 쥐(Y만 보유) / MY : Y를 만드는 유전자를 제거한 돌연변이 쥐 (X만 보유)

모든 선지가 "그렐린이 AMPK를 인산화할 때 □가 필요하고, 인산화된 AMPK가 ROS의 생성을 저해할 때 □가 필요하다."의 형태를 갖추고 있으므로, 'AMPK 인산화'와 'ROS 생성 저해'에 필요한 것이 무엇인지를 중심으로 파악한다.

먼저 〈실험 결과〉의 'AMPK 인산화 여부' 표에 따르면 S1(생리식염수+ 그렐린)을 주입한 결과 M과 MX의 경우 AMPK가 인산화되었지만, MY의 경우만 AMPK가 인산화되지 않았다. 따라서 Y가 없는 경우 AMPK 인산화가 이루어지지 않음, 즉 그렐린이 AMPK를 인산화할 때 Y가 필요함을 알 수 있다.

그리고 '쥐의 먹이 섭취 여부' 표에 따르면 M의 경우 S1을 주입했을 때 먹이를 먹었지만, MX와 MY의 경우 S1을 주입했을 때는 먹이를 먹지 않았다. MX의 경우 AMPK가 인산화되었음에도 먹이를 먹지 않았는데, M과 MX의 차이는 X의 보유 여부이므로 인산화된 AMPK가 ROS 생성을 저해할 때 X가 필요함을 알 수 있다.

MX와 MY 모두 S2(생리식염수 + 그렐린 + P 억제제)를 주입했을 때는 먹이를 먹었다. 뇌에서 ROS의 생성을 저해하는 P 억제제의 역할을 고려하면, MX의 경우 X가 없음에도, MY의 경우 AMPK가 인산화되지 않았음에도 P 억제제가 MX, MY의 뇌에서 ROS의 생성을 저해함으로써 식욕이 촉진되었음을 알 수 있다. S2를 주입한 쥐들의 먹이 섭취 여부는 모두 동일하다는 점에서 이를 정오 판단에 유의미한 정보로 보기는 어렵다.

이를 통해 ③ "그렐린이 AMPK를 인산화할 때 Y가 필요하고, 인산화된 AMPK가 ROS의 생성을 저해할 때 X가 필요하다."가 실험 결과를 가장 잘 설명함을 알 수 있다.

# 275

정답 | ④   내용 영역 | 과학기술
난이도 | ★★☆   문항 유형 | 논증 평가 및 문제 해결

**접근 전략**

제시문의 두 주장을 파악하고, 개념 설명을 바탕으로 선지의 내용이 각 주장의 설득력에 어떤 영향을 주는지 판단한다.

**제시문 분석 & 해설**

제시문에 제시된 개념과 주장 ㉠, ㉡을 정리하면 다음과 같다.

O 전기 전도도 : 저항값에 반비례(전기 전도도 최댓값 = 저항 최솟값)

O 감도 : $\dfrac{|노출\ 전\ 저항값 - 노출\ 후\ 저항\ 최솟값|}{노출\ 전\ 저항값}$

O 반응시간 : 에탄올에 노출된 후 저항의 최솟값에 도달하는 데 걸린 시간

O 선택도 : 날숨에 에탄올 이외의 다른 기체가 섞이더라도 에탄올 농도 측정 시 에탄올에 의한 저항값의 감소가 유지되는 정도

|  | 감도 | 반응시간 | 선택도 |
|---|---|---|---|
| ㉠ | MA = MB | MA < MB |  |
| ㉡ |  | MA = MB | MA < MB |

ㄱ. 적절하다. MA의 노출 전 저항값을 2x라 하면 MB의 노출 전 저항값은 x가 된다. S에 노출된 후 도달한 저항의 최솟값을 y라 하면, 다음과 같이 정리할 수 있다.

MA의 감도) $\dfrac{2x - y}{2x} = 1 - \dfrac{y}{2x}$

MB의 감도) $\dfrac{x - y}{x} = 1 - \dfrac{y}{x}$

이 경우 MA와 MB의 감도가 동일할 수 없으므로, MA와 MB의 감도가 같다고 주장한 ㉠은 약화된다.

ㄴ. 적절하지 않다. S1과 S2의 차이는 에탄올 기체의 일부가 메테인 기체로 대체되었는지 여부이다. S1과 S2의 에탄올 농도 측정 시 전기 전도도 증가량을 비교한 결과 MA에서는 차이가 나지만 MB에서는 차이가 나지 않았다는 점은 에탄올에 의한 저항값의 감소가 유지되는 정도가 MA보다는 MB에서 더 높았음을 의미한다. 3문단에 따르면 날숨에 에탄올 이외의 다른 기체가 섞이더라도 에탄올 농도 측정 시 에탄올에 의한 저항값의 감소가 유지되는 정도가 선택도이다. 따라서 해당 실험 결과는 MB가 MA에 비해 선택도가 더 크다는 ㉡의 주장과 부합하며 ㉡을 약화하지 않는다.

ㄷ. 적절하다. 전기 전도도는 저항값과 반비례 관계라 하였다. 이때 전기 전도도가 최댓값에 도달하는 데 걸린 시간이 MA와 MB에서 같다는 것은 반응시간이 같음을 의미하므로, 반응시간이 다르다고 본 ㉠은 약화되고, 같다고 본 ㉡은 강화된다.

# 276

정답 | ③   내용 영역 | 과학기술
난이도 | ★★☆   문항 유형 | 논증 평가 및 문제 해결

**접근 전략**

제시문의 주장을 파악하고, 개념 설명을 바탕으로 선지의 내용이 주장의 설득력에 어떤 영향을 주는지 판단한다.

**제시문 분석 & 해설**

3문단에는 과학자의 흡수 분광법 실행에 따라 각 물질이 어떤 진동수의 빛을 흡수했는지 제시되어 있다. 이를 정리하면 다음과 같다. (○는 빛을 흡수했음을 의미함)

|  | I | II | III |
|---|---|---|---|
| 화합물 X | ○ | ○ | ○ |
| 화합물 Y | ○ | ○ |  |
| A | ○ | ○ |  |
| B |  |  | ○ |
| C |  | ○ |  |

㉠: X는 A와 B로 구성되어 있고, Y는 A와 C로 구성되어 있다.

ㄱ. 적절하다. A가 진동수 I의 빛을 흡수하지 않고 C는 진동수 I의 빛을 추가로 흡수한다는 사실이 밝혀진다면, X가 A와 B로 구성된 화합물이라고 설명할 수 없다. 이는 ㉠과 일치하지 않는 결과이므로, ㉠은 약화된다.

ㄴ. 적절하지 않다. A와 B의 혼합물은 상호작용에 의해 진동수 III의 빛을 추가로 흡수한다는 사실이 밝혀진다고 하더라도, X는 A와 B, Y는 A와 C로 구성된다고 설명할 수 있다. 이는 ㉠과 일치하는 결과이므로, ㉠은 약화되지 않는다.

ㄷ. 적절하다. A와 C의 혼합물이 상호작용에 의해 진동수 III의 빛을 추가로 흡수하고 B는 진동수 III의 빛을 흡수하지 않는다는 사실이 밝혀진다면, X는 A와 C로, Y는 A와 B로 구성되어 있다고 설명해야 한다. 이는 ㉠과 일치하지 않는 결과이므로, ㉠은 약화된다.

# 277

| 정답 | ② | 내용 영역 | 과학기술 |
| 난이도 | ★★☆ | 문항 유형 | 논증 평가 및 문제 해결 |

**접근 전략**

제시문의 두 가설을 파악하고, 〈실험〉의 설명을 바탕으로 선지의 내용이 각 가설의 설득력에 어떤 영향을 주는지 판단한다.

**제시문 분석 & 해설**

제시문에 제시된 실험과 가설의 주요 내용을 정리하면 다음과 같다.

〈실험〉

| | 영역 I | 영역 II |
|---|---|---|
| 그룹 1 | 정상 | 정상 |
| 그룹 2 | 물질 α 생성 촉진<br>⇒ 물질 α 증가 | 정상 |
| 그룹 3 | 정상 | 물질 α 분해 촉진<br>⇒ 물질 α 감소 |

〈가설〉

A : 영역 I에서 물질 α의 양이 증가하거나, 영역 II에서 물질 α의 양이 감소 ⇒ 쥐가 행동 K를 할 가능성이 커짐

B : 영역 I과 영역 II에서 물질 α의 양 차이가 커짐 ⇒ 쥐가 행동 K를 할 가능성이 커짐

ㄱ. 적절하지 않다. A에 따르면 영역 I에서 물질 α의 양이 증가하거나, 영역 II에서 물질 α의 양이 감소할 경우 쥐가 행동 K를 할 가능성이 커진다. 이를 고려하면 행동 K를 하는 쥐의 비율은 그룹 2와 그룹 3 모두 그룹 1보다 높았어야 한다. 하지만 그룹 2, 그룹 3 모두 측정된 비율이 그룹 1과 차이가 없었으므로 A는 강화되지 않는다.

ㄴ. 적절하다. A에 따르면 영역 I에서 물질 α의 양이 증가하거나, 영역 II에서 물질 α의 양이 감소할 경우 쥐가 행동 K를 할 가능성이 커진다. 이를 고려하면 행동 K를 하는 쥐의 비율은 그룹 2, 그룹 3 모두 그룹 1보다 높았어야 한다. 하지만 그룹 2, 그룹 3 모두 측정된 비율이 그룹 1보다 낮았으므로 A는 약화된다.

ㄷ. 적절하지 않다. B에 따르면 영역 I과 영역 II에서 물질 α의 양 차이가 커질수록 쥐가 행동 K를 할 가능성이 커진다. 이를 고려하면 행동 K를 하는 쥐의 비율은 그룹 2와 그룹 3 모두 영역 I과 영역 II에서 물질 α의 양 차이가 커지는 경우에 해당하므로 그룹 1보다 측정된 비율이 높았어야 한다. 그룹 2, 그룹 3 모두 측정된 비율이 그룹 1보다 높았다면, 해당 결과는 B와 일치하므로 B는 약화되지 않는다.

# 278

| 정답 | ④ | 내용 영역 | 과학기술 |
| 난이도 | ★★☆ | 문항 유형 | 논증 평가 및 문제 해결 |

**접근 전략**

실험에서 어떤 반응이 나왔을 때 논증의 설명을 뒷받침하는지, 혹은 반박하는지를 따지는 것이 핵심 전략이다.

**제시문 분석 & 해설**

① 적절하지 않다. 신호음이 세 번 울릴 때는 신호음이 두 번 울릴 때에 가까우므로 쥐가 첫째 지렛대를 누른다면, 논증은 약화되지 않고 강화된다.

② 적절하지 않다. 신호음이 세 번 울릴 때 쥐가 어느 쪽을 누를지 망설이는 모습을 보인다면, 이는 신호음이 두 번 울릴 때와 가까움에도 불구하고 망설인 것이므로, 논증은 약화된다.

③ 적절하지 않다. 신호음이 네 번 울릴 때 쥐는 첫째 지렛대를 누를 수 있고 둘째 지렛대를 누를 수도 있으므로 논증이 반드시 강화된다고 볼 순 없다.

④ 적절하다. 더하기 관점에 따르면 신호음이 다섯 번 울릴 때가 중간이 된다. 반면, 곱하기 관점에 따르면 신호음이 네 번 울릴 때가 중간이 된다. 따라서 신호음이 네 번 울릴 때 쥐는 첫째 지렛대를 누를 수 있고 둘째 지렛대를 누를 수도 있으므로, 쥐가 어느 쪽을 누를지 망설이는 모습을 보인다면, 논증은 강화된다.

⑤ 적절하지 않다. 신호음이 다섯 번 울릴 때 이는 신호음이 여덟 번 울릴 때와 가까우므로 두 번째 지렛대를 누를 가능성이 크다. 그런데 쥐가 신호음이 다섯 번 울릴 때 어느 쪽을 누를지 망설이는 모습을 보인다면, 논증은 약화된다.

# 279

정답 | ④   내용 영역 | 인문
난이도 | ★★☆   문항 유형 | 논증 평가 및 문제 해결

접근 전략

어떤 가설이 있고, 새롭게 추가되는 진술이 그 '가설의 거짓'을 뒷받침하면, 이 진술은 가설을 약화하는 진술이다. 이 문제에서는 해석을 가설이라 할 수 있으므로, ㉠을 약화하는 진술이란 '오랑우탄 20마리가 A의 입장에서 생각하지 않았음'을 뒷받침하는 진술이다. 이때, 선지의 진술이 해석의 참과 거짓에 영향을 미치지 않는 경우는 강화나 약화로 판단할 수 없다는 점에도 유의해야 한다.

제시문 분석 & 해설

〈연구 내용〉
① 피험자(오랑우탄 40마리)에게 [장면] 제시
   [장면] : A와 싸우던 B가 건초더미로 도망친 후, A가 나간 사이 상자 뒤에 숨음. A 다시 등장
② A가 다시 등장하는 장면에서 피험자들의 시선이 향하는 방향 분석

〈연구 결과〉
오랑우탄 40마리 중 20마리가 건초더미를 주목

〈해석〉
유인원에게도 다른 개체의 입장에서 생각을 미루어 짐작해 보는 능력이 있다.(오랑우탄 20마리는 A의 입장에서 생각)

① 적절하지 않다. 상자를 주목한 오랑우탄들이 A보다 B와 외모가 유사한 개체들이라는 사실은 오랑우탄 20마리가 A의 입장에서 생각하고 있다는 사실과 무관하다. 따라서 해석을 강화시키거나 약화시키지 않는다.
② 적절하지 않다. 사람의 경우 40명 중 30명이 건초더미를 주목했다는 것은 인간이 유인원보다 다른 개체의 입장에서 생각을 미루어 짐작해 보는 능력이 크다는 것을 보여주는 근거로 삼을 수 있다. 즉, 이러한 사실은 인간과 오랑우탄의 공감능력을 비교하는 주장에 대한 근거로 삼을 수 있는 것이지, 이를 통해 오랑우탄이 A의 입장에서 생각했다는 것을 부정할 수 없다.
③ 적절하지 않다. 기존의 실험에서 20마리의 오랑우탄이 건초더미를 주목한 것에서 한 마리가 추가된 것이기 때문에 이는 '오랑우탄이 A의 입장에서 생각하여 건초더미를 주목했다.'는 해석을 약화하는 것이 아니라 오히려 뒷받침할 수 있다.
④ 적절하다. 해석의 경우 오랑우탄 20마리가 건초더미를 주목한 것이 그들이 A의 입장에서 생각했기 때문이라고 주장한다. 그런데 선지와 같이 그 이유가 단지 건초더미가 오랑우탄과 가깝기 때문으로 밝혀졌다면 이는 오랑우탄 20마리가 A의 입장에서 생각했다는 것을 부정하게 된다. 따라서 해석을 약화하는 진술이다.
⑤ 적절하지 않다. 나머지 오랑우탄 10마리가 영상 속의 유인원이 가짜라는 것을 알고 있었다는 사실은 오랑우탄 20마리가 A의 입장에서 생각하고 있다는 사실과 무관하다. 따라서 해석을 강화시키거나 약화시키지 않는다.

# 280

정답 | ①   내용 영역 | 사회
난이도 | ★★☆   문항 유형 | 논증 평가 및 문제 해결

접근 전략

병원체에 의한 질병이 동반하는 위험을 미리 줄이는 방향으로 인류가 진화해 왔다는 전제하에 인간의 혐오 정서나, 외지인 배척 기제를 설명하고 있는 글이다. 외지인 배척 기제에 대한 논지를 정리한 뒤 선지가 논지의 전제와 결론을 뒷받침한다면 강화하는 것이고, 그렇지 않으면 약화하는 것이다.

제시문 분석 & 해설

〈논증 재구성〉

| | |
|---|---|
| 전제1 | 지역의 토착 병원균들을 다스리는 면역 능력을 비슷하게 가진 사람들이 한 곳에 모여 살게 되었다. |
| 전제2 | 인류의 진화 과정은 개체군의 번영을 훼방하는 비용을 치러야 할 상황을 미리 제거하거나 줄이는 방향으로 진행되었다. |
| 전제3 | 면역 능력을 비슷하게 가진 사람들은 문화나 가치관도 비슷하다. (생략된 전제) |
| 전제4 | 다른 지역의 토착 병원균에 적응하여 살아온 외지인과 접촉하면 낯선 병원균에 노출된다. |
| 중간결론 | 따라서 외지인과 접촉해 낯선 병원균에 노출되는 위험은 미리 제거, 즉 피하는 게 상책이다. |
| 결론 | 따라서 다른 문화나 가치관을 가졌다고 보이는 경우 그 사람을 배척하거나 꺼리는 기제가 작동한다. |

ㄱ. 강화한다. 문화와 가치체계의 동질성을 기준으로 한 지역 간 경계와 토착성 전염성 병원균의 지리적 분포의 경계가 일치한다면, 면역 능력을 비슷하게 가진 사람들은 문화나 가치관도 비슷하다는 전제3을 뒷받침한다. 만약 병원균의 지리적 분포와 문화나 가치체계의 동질성의 지리적 분포가 일치하지 않는다면 타 문화권의 사람을 배척하더라도 병원균에 노출될 위험을 낮출 수 없기 때문이다. 따라서 ㄱ은 글의 논지를 강화한다.

ㄴ. 강화하지 않는다. 결론은 우리가 낯선 병원균에 노출되는 위험을 미리 줄이기 위해 다른 문화나 가치관을 가지는 사람들을 배척한다고 한다. 그렇다면 감염의 위험이 클수록 다른 문화나 가치관을 가지는 사람을 더욱 배척하는 현상이 나타나야 할 것이다. 그런데 위험이 미미할수록 더 외지인을 꺼리는 집단주의 성향이 더 강하게 나타난다는 것은 결론에 따를 때 관찰되기 어려운 현상이다. 따라서 ㄴ은 글의 논지를 약화한다.

ㄷ. 강화하지 않는다. 지역에 따라 상이한 병원체들이 분포하기 때문에 외지인을 배척하는 성향은 낯선 병원균에 대한 위험을 미리 줄이기 위해서이다. 이는 한 지역에 모여 사는 거주민들은 타 지역의 낯선 병원체를 일반적으로 위험하다고 생각한다는 것을 뜻한다. 그런데 특정 지역의 거주민들이 병원균과 무관한 원전사고와 같은 위험에는 보편적으로 민감하게 반응했지만, 병원균과 관련한 전염병 감염에는 뚜렷한 개인차를 보였다는 것은 병원균의 위험이 지역 단위로 평가되지 않는다는 것이다. 따라서 ㄷ은 지역 단위로 타 지역의 외지인이 가져올 병원균을 피하려고 한다는 글의 논지를 약화한다.

## 281

| 정답 | ⑤ | 내용 영역 | 과학기술 |
|---|---|---|---|
| 난이도 | ★★☆ | 문항 유형 | 논증 평가 및 문제 해결 |

논증을 평가하는 문항을 해결할 때는 우선 제시된 논증을 전제와 결론으로 재구성해보는 것이 효율적이다. 그래서 선지로 관련한 사실이 제시될 경우, 그러한 사실이 논증의 전제를 참이 되도록 뒷받침하는지 그렇지 않은지 판단해야 한다. 전제가 참임을 보이거나 뒷받침하는 증거는 논증을 강화할 수 있으며 반대로 전제가 거짓임을 보이거나 부정하는 증거는 논증을 비판 또는 약화할 수 있다.

### 제시문 분석 & 해설
〈허버드의 주장(다이어네틱스)〉

| 전제1 | 정신 질환의 원인은 엔그램이다. |
|---|---|
| 전제2 | 엔그램을 분석 정신 앞으로 끌어내면 엔그램은 완전히 삭제된다. |
| 결론 | 따라서 (다이어네틱스는) 정신 질환을 치료할 수 있다. |

〈다이어네틱스의 이론적 전제〉
(1) 정신은 반응정신과 분석정신으로 구성
(2) 반응정신은 무의식적으로 작용하여 엔그램을 기록
(3) 엔그램은 태아 상태부터 축적

〈㉠의 내용〉
㉠ : 다이어네틱스는 신뢰할 만하지 않다.

① 적절하지 않다. 허버드는 엔그램을 삭제할 수 있고, 엔그램이 삭제되면 정신 질환을 치료할 수 있다고 주장한다. 엔그램이 영구적인 것이 아니며 삭제되기도 한다는 것은 허버드가 사용한 전제2가 암묵적으로 전제하고 있는 바이다. 그러므로 이러한 사실이 밝혀지면 다이어네틱스는 더 신뢰할 만한 것이 된다. 따라서 엔그램이 영구적인 것이 아니며 삭제되기도 한다는 사실은 ㉠을 지지하지 않는다.

② 적절하지 않다. 엔그램이 태아 시절부터 시작되며 바로 그러한 엔그램이 정신 질환의 원인이라는 것은 다이어네틱스의 설명이다. 따라서 상당수의 정신 질환이 태아 시절의 경험에서 비롯되었다는 사실은 다이어네틱스를 더 신뢰할 만한 것으로 만든다. 따라서 이러한 사실은 ㉠을 지지하지 않는다.

③ 적절하지 않다. 다이어네틱스에 따르면, 엔그램은 분석정신이 작동하지 않을 때 자신도 모르게 반응정신에 의해 기록된다. 그러므로 엔그램의 기억에는 의식하지 못한 상태에서 기록된 것이 많이 있다는 사실은 다이어네틱스에 의해 설명될 수 있다. 따라서 이러한 사실은 ㉠을 지지하지 않는다.

④ 적절하지 않다. 다이어네틱스 치료 센터의 환자 신상 정보 공개 여부는 다이어네틱스의 주장을 지지하거나 반박하는 사실이 아니다. 따라서 ㉠을 지지하지 않는다.

⑤ 적절하다. 다이어네틱스는 정신이 분석정신과 반응정신으로 나뉘며, 반응정신은 감각에 입력된 내용을 뇌의 특정 부위에 효과적으로 기록한다고 주장한다. 만약 뇌기능 검사를 통해 반응정신의 작동 결과를 기록하는 뇌 부위가 없다는 결과를 얻었다면, 이러한 사실은 다이어네틱스의 전제가 신뢰할 만하지 않다는 것을 드러낸다. 따라서 ㉠을 지지하는 것으로 적절하다.

## 282

| 정답 | ② | 내용 영역 | 사회 |
|---|---|---|---|
| 난이도 | ★★☆ | 문항 유형 | 논증 평가 및 문제 해결 |

제시문에 드러난 세 가지 관점을 파악하고 이들을 비교하는 평가로 적절한 것을 찾는 문제이다. 위험에 대해 사람들이 취하는 태도에 대한 세 가지 관점을 정확히 파악하여 이에 대한 평가가 적절한지 판단해야 한다.

### 제시문 분석 & 해설
〈사람들이 위험에 대해 취하는 태도에 대한 세 가지 관점〉

| 위험에 대한 태도 | 관점 A | 관점 B | 관점 C |
|---|---|---|---|
| 결정 요인 | 객관적인 정보 | 객관적인 정보, 개인의 심리적 과정 | 개인의 심리적 과정, 집단의 문화적 배경 |
| 대상 | 개인 및 집단 | 개인 | 개인 및 집단 |

ㄱ. 적절하지 않다. 관점 A는 위험에 대한 사람들의 태도가 객관적인 정보에 따라 달라진다고 보며, 관점 B는 객관적인 정보뿐만 아니라 개인의 심리가 영향을 미친다고 본다. 따라서 관점 A와 관점 B는 모두 위험에 대한 사람들의 태도가 객관적인 요소에 영향을 받는다고 주장한다.

ㄴ. 적절하다. 관점 B는 동일한 위험에 대해서도 개인의 심리과정에 따라 다른 태도를 취할 수 있다고 본다. 이에 따르면 동일한 위험이라도 개인마다 다른 태도를 보일 수 있다. 관점 C는 개인의 심리과정뿐만 아니라 개인이 속한 집단의 문화적 배경에 따라 집단마다 위험에 대한 태도가 다를 수 있다고 본다. 즉 개인의 심리과정에 따라 위험에 대한 태도가 다를 수 있다고 보는 면에서는 관점 B와 유사점을 가진다. 따라서 관점 B와 C는 모두 사람들이 동일한 위험에 대해서 다른 태도를 보이는 사례를 설명할 수 있다.

ㄷ. 적절하지 않다. 관점 A는 위험에 대한 사람들의 태도가 객관적인 정보에 따라 달라진다고 주장한다. 관점 A에 따르면, 동일한 위험에 대한 태도는 어느 사회든 유사할 것이다. 따라서 기후변화에 정도가 객관적으로 유사하다면, 민주화 수준이 높거나 낮은 것과 무관하게 어느 사회 구성원이든 이에 대해 유사한 태도를 보일 것이다. 이와 달리 관점 C는 집단의 문화적 배경에 따라 사람들이 위험에 대해 보이는 태도가 다를 수 있다고 본다. 따라서 민주화 수준이 높은 사회일수록 사회 구성원들이 기후변화에 더 민감한 태도를 보인다는 것은 관점 A가 아니라, 관점 C에 따라 설명될 수 있다.

# 283

| 정답 | ④ | 내용 영역 | 법규범 |
|---|---|---|---|
| 난이도 | ★★☆ | 문항 유형 | 논증 평가 및 문제 해결 |

접근 전략

청구인 A가 어떤 주장을 하며, 이에 대한 판단이 무엇인지를 먼저 확인하여 판단 논지를 정리하면 문제를 조금 더 빠르게 해결할 수 있다.

**제시문 분석 & 해설**

〈청구인 A의 주장〉
M이 내린 인가처분으로 법학전문대학원 진학 기회가 줄어들어 직업선택의 자유가 침해됨

〈글의 논지〉
A의 직업선택이 자유가 침해되지 않는다는 논지는 다음과 같이 정리할 수 있다.

| 전제1 | 두 기본권이 충돌하는 경우, 상충하는 기본권이 모두 최대한 그 기능과 효력을 발휘할 수 있도록 하는 조화로운 방법(적정한 비례를 유지하는 방법)이 모색되어야 한다. |
|---|---|
| 전제2 | M이 내린 인가처분은 청구인 A의 직업선택의 자유와 B대학교의 대학의 자율성 사이에서 적정한 비례 관계를 유지하고 있다. |
| 결론 | 따라서 M이 내린 인가처분은 청구인 A의 직업선택의 자유를 침해하지 않으므로 헌법에 위반되지 않는다. |

ㄱ. 약화하지 않는다. A는 M이 내린 인가처분으로 법학전문대학원 진학 기회가 줄어들어 불이익을 받고 있음을 근거로 헌법상의 기본권인 직업선택의 자유가 침해되었다고 주장한다. 그런데 이러한 A의 불이익이 기본권의 침해에 해당하지 않는다면 A의 직업선택의 자유가 침해될 여지가 없게 된다. 따라서 ㄱ은 글의 논지를 강화하는 것이다.

ㄴ. 약화한다. 이 글은 전제1에서와 같이 상충하는 기본권이 모두 최대한 그 기능과 효력을 발휘할 수 있도록 하는 조화로운 방법(적정한 비례를 유지하는 방법)으로 판단해야 한다고 한다. 이를 전제로 A(자연인)의 직업선택의 자유와 M 사립대학(법인)의 대학의 자율성 사이에서 적정한 비례 관계가 유지되고 있다고 판단하였다. 그런데 자연인의 기본권을 법인의 기본권보다 우선하여 고려해야 한다면 A의 직업선택의 자유를 M 사립대학(법인)의 대학의 자율성보다 우선하여 판단할 것이므로 A의 직업선택의 자유가 침해된다는 결론이 나올 수 있다. 따라서 ㄴ은 글의 논지를 약화한다.

ㄷ. 약화한다. 이 글은 직업선택의 자유의 제한과 대학의 자율성 제한이 어느 정도인지, 즉 A의 직업선택의 자유 제한과 M 사립대학의 자율성의 제한이 적정한 비례 관계가 유지되고 있는지를 평가하고 있다. 이때 "청구인이 받는 불이익이 과도하게 크다고 보기 어렵다."고 하여 A가 받는 직업선택의 자유 제한이 어느 정도인지만을 평가할 뿐, M 사립대학의 자율성 제한은 평가하고 있지 않다. 그리고 이때에도 제한을 평가한 기준은 따로 제시되고 있지 않다. 기준이 제시되어 있지 않을 경우 비례 관계가 유지된다는 판단이 뒷받침되지 않는다. 따라서 ㄷ은 글의 논지를 약화한다.

# 284

| 정답 | ③ | 내용 영역 | 과학기술 |
|---|---|---|---|
| 난이도 | ★★☆ | 문항 유형 | 논증 평가 및 문제 해결 |

접근 전략

유비 논증의 경우, 유비되는 두 속성의 유사성이 높아질수록 논증은 강화되고 그 유사성이 낮아질수록 논증은 약화된다. 유사성이 높아지는 경우는 관찰된 사례 수나 유사한 속성 수가 증가할 때이고, 유사성이 낮아지는 경우는 유사한 속성이 없다거나 그 정도가 낮음을 보일 때이다.

**제시문 분석 & 해설**

이 글은 플로지스톤이 과학에서 사라진 사실에 유비하여 '믿음', '욕구'와 같은 통속 심리이론의 개념이 과학에서 사라질 것이라는 논증을 펼치고 있다.

| 전제1 | 과거 실제로 존재한다고 믿었던 '플로지스톤'보다 현대 화학이론이 연소 현상을 잘 설명하였듯이, '믿음', '욕구' 등의 개념들을 사용하는 통속 심리이론보다 최근 신경과학이론이 (우리의 행동 현상을 더 잘 설명한다.) |
|---|---|
| 전제2 | 플로지스톤 이론은 현대 과학에서 사라졌다. |
| 결론 | 따라서 '믿음', '욕구'와 같은 통속 심리이론의 개념들은 과학에서 사라질 것이다. |

ㄱ. 옳다. 이 글의 흐름은 유비 논증에 따른 것이므로, 전제1에서 현대에는 '플로지스톤'의 개념을 사용하지 않고서도 연소 현상을 더 잘 설명한다는 것과 유비되는 것이 통속 심리이론의 개념에도 전제되어야 한다. 따라서 위 논증은 통속 심리이론보다 신경과학이론이 우리의 행동 현상을 더 잘 설명할 수 있게 될 것을 전제하고 있는 것이다.

ㄴ. 옳지 않다. 위 논증은 전제1에서 '플로지스톤'의 개념의 속성과 '믿음', '욕구'와 같은 통속 심리이론의 개념의 속성이 유사하다는 점을 결론을 이끌어내고 있다. 그런데 '플로지스톤'의 개념이 다루는 자연 현상과 통속 심리이론의 개념이 다루는 행동 현상의 근본적인 차이가 밝혀진다면 두 개념의 속성 간의 유사성이 깨지므로 위 논증은 약화될 것이다.

ㄷ. 옳다. 위 논증은 신경과학이론이 통속 심리이론보다 행동 현상을 더 잘 설명한다는 것을 전제하고 있다. 이는 신경과학이론은 통속 심리이론이 설명할 수 있는 현상은 물론, 그보다 훨씬 많은 행동 현상을 설명해낸다는 의미이다. 그런데 통속 심리이론에 의해 설명되는 행동 현상 중 신경과학이론에 의해서는 설명될 수 없는 행동 현상이 많이 있다면, 신경과학이론이 통속 심리이론보다 행동 현상을 더 잘 설명한다고 할 수 없다. 따라서 위 논증은 약화된다.

# 285

정답 | ③                 내용 영역 | 인문
난이도 | ★★☆         문항 유형 | 논증 평가 및 문제 해결

**접근 전략**

강화란 각 자료가 가설을 뒷받침해서 가설의 개연성을 높이는 것이며, 약화는 그 반대이다. 그리고 자료가 가설과 무관하면 중립이다. 이 문제의 경우는 특히 '약화하는 근거가 발견되지 않으면 가설을 수용한다'는 조건을 제시하였으므로, 이 점에 유의해야 한다.

**제시문 분석 & 해설**

〈영희의 가설과 자료 조사〉

| 〈가설〉 | 〈자료 조사 근거〉 |
|---|---|
| A : 시신을 넣는 용기는 목관, 옹관뿐이다. | a. 신라 황남대총은 왕릉이다. |
| B : 삼국 모두 묘-분-총의 발전 단계를 보이며 성토가 높은 것은 신분의 높음을 상징한다. | b. 백제는 총에 해당하는 분이 없다. |
| | c. 부여 가증리에서 석관이 있는 초기 백제 유적이 발견되었다. |
| C : 관리 의관 관련 부장품은 신분표상품이다. | d. 삼국 체제 정립 이전 원삼국 시대 유물인 세발토기가 부장품으로 발견되었다. |

① 적절하다. (가)에 따르면 묘는 성토하지 않은 무덤, 분은 지상에 성토한 무덤, 총은 성토를 높게 한 대형 분구이다. 가설 B에 따르면 '총'은 신분이 높은 사람의 무덤인데, 근거 a는 황남대총이 왕의 무덤이라고 조사된 자료이다. 따라서 근거 a는 가설 B가 참일 때 발견될 수 있는 자료이므로 가설 B를 강화한다.

② 적절하다. 근거 c는 백제 유적 중, 석관이 있는 무덤이 발견되었다는 것이다. 그렇다면 이는 시신을 넣는 용기가 목관과 옹관뿐이라는 가설 A가 거짓일 때 발견될 수 있는 자료이다. 따라서 근거 c는 가설 A를 부정할 수 있는 자료가 되므로 가설 A를 약화한다.

③ 적절하지 않다. (가)에 따르면 신분표상품은 관등이 체계화된 6세기 중엽 이후 사용된 물품이다. 근거 d는 삼국이 체제를 정비하기 전, 즉 6세기 중엽 이전에 생활도구의 일종인 세발토기가 부장품으로 발견되었다는 것이다. 따라서 6세기 중엽 이전의 생활도구인 일상품이 발견되었다는 근거 d는, 6세기 중엽 이후 관리 의관 관련 부장품이 신분표상품이라는 가설 C와 무관하다. 따라서 근거 d는 가설 C를 약화하지도 않고 강화하지도 않는다.

④ 적절하다. 백제에는 '총'에 해당하는 무덤이 없다는 근거 b는 삼국이 모두 '묘-분-총'의 발전단계를 보인다는 가설 B의 주장을 부정할 수 있는 사례가 되므로 근거 b는 가설 B를 약화한다. 또한 근거 c는 ②에서 설명한 것처럼 가설 A를 약화한다. 그리고 근거 b와 c는 피장자의 부장품에 대한 가설인 C와는 무관하다. 한편 영희는 '약화 근거가 없으면, 해당 가설을 수용한다'고 하였다. 그래서 근거 b와 c에 비추면 가설 A와 B는 약화되므로 영희는 가설 A와 B는 수용하지 않을 것이다. 따라서 근거 b와 c에 비추어 수용될 수 있는 가설은 C뿐이므로 영희가 수용할 가설은 한 개이다.

⑤ 적절하다. 영희는 '약화 근거가 없으면, 해당 가설을 수용한다'고 하였다. 앞선 해설에서 설명한 것처럼 가설 A는 근거 c에 의해 약화되고 가설 B는 근거 b에 의해 약화되며, 가설 C와 근거 d는 무관하다. 그리고 근거 a~d는 피장자의 부장품과 관련한 가설 C와 무관하다. 따라서 근거 a~d 중 가설 C를 약화하는 근거는 없으므로, 수용될 수 있는 가설은 한 개뿐이다.

# 286

정답 | ③                 내용 영역 | 인문
난이도 | ★★☆         문항 유형 | 논증 평가 및 문제 해결

**접근 전략**

논증을 강화하는 진술을 찾는 논증 평가 유형의 문항을 해결하기 위해서는 우선 제시된 논증을 전제와 결론으로 재구성하고, 다음으로 전제가 참일 경우에 도출되는 결과에 해당하는 진술을 찾아야 한다.

**제시문 분석 & 해설**

이 글은 인간복제는 비자연적이므로 옳지 못하다고 주장하는 인간복제 반대론자에게 다음과 같은 논증들로 반론한다.

〈첫 번째 논증〉

| 전제1 | 자연법칙은 의무를 부과하고 있지 않다. |
|---|---|
| 전제2 | 의무를 부과하고 있지 않은 것을 위반하는 것은 불가능하다. |
| 결론 | 따라서 인간복제는 자연법칙을 위반하지 않는다. |

〈두 번째 논증〉

| 전제1 | 인간을 복제하는 것은 인위적이다. |
|---|---|
| 전제2 | 인위적인 행위가 그 자체로 옳지 않은 것은 아니다. |
| 결론 | 따라서 인간복제는 그 자체로 옳지 않은 것은 아니다. |

〈세 번째 논증〉

| 전제1 | 사실을 기술하는 전제로부터 당위를 주장하는 결론이 도출되지 않는다. |
|---|---|
| 전제2 | 인간복제가 생물학적으로 비자연적이라는 것은 사실을 기술한 것이고 인간복제가 도덕적으로 옳지 못하다는 것은 윤리적 당위를 주장하는 것이다. |
| 결론 | 인간복제가 비자연적이라고 해서 도덕적으로 옳지 못하다는 결론이 도출되지 않는다. |

ㄱ. 적절하다. 첫 번째 논증은 의무를 부과하고 있지 않은 진술을 위반하는 것은 불가능하다는 전제를 사용하고 있다. 이러한 전제가 참이라면, "증언할 때 진실을 말해야 한다."는 것은 의무를 부과하고 있기에 위반 가능하지만, "공기는 열을 받으면 팽창한다."는 것은 의무를 부과하고 있지 않기에 위반 가능하지 않을 것이다. 따라서 "증언할 때 진실을 말해야 한다."는 것은 위반 가능하지만, "공기는 열을 받으면 팽창한다."는 것은 위반 가능하지 않다는 사례는 전제 2의 추가 사례이므로 위 논증을 강화한다.

ㄴ. 적절하다. 두 번째 논증은 인위적인 행위가 그 자체로 옳지 않은 것은 아니라는 전제를 사용하고 있다. "수술을 하는 행위는 인위적이지만 그 행위가 그 자체로 옳지 않다고 볼 수 없다."는 진술은 그러한 전제를 뒷받침하므로, 위 논증을 강화한다.

ㄷ. 적절하지 않다. 세 번째 논증은 사실을 기술하는 전제로부터 당위를 주장하는 결론이 도출되지 않는다는 전제를 사용한다. 따라서 위 논증에 따르면, 많은 사람들이 집단 따돌림 행위를 싫어한다는 사실이 집단 따돌림 행위가 도덕적으로 옳지 않다는 결론을 정당화해 주지 못한다.

# 287

| 정답 | ① | 내용 영역 | 과학기술 |
|---|---|---|---|
| 난이도 | ★★☆ | 문항 유형 | 논증 평가 및 문제 해결 |

**접근 전략**

발문에 직접적으로 논증에 대한 평가를 묻고 있는 문항이다. 이 경우 발문을 읽고 제시된 글이 논증임을 알았다면, 제시문을 읽을 때 논증의 구성요소인 전제와 결론이 각각 무엇인지를 분석하는 사고활동이 필요하다. 글을 다 읽었다면 전제와 결론을 간단한 형태로 정리하는 것이 선지 판단에 효율적이며, 특히 결론을 명확히 정리해야만 선지에 주어진 사실이 결론을 강화하는지 혹은 약화하는지의 여부를 쉽게 판단할 수 있다. 또한 일견 논증의 결론에 영향을 끼칠 것 같지만 실제로는 논증의 결론 혹은 전제와 무관한 사실이 주어질 경우 논증의 결론을 강화하거나 약화할 수 없음을 유의해야 한다.

**제시문 분석 & 해설**

이 논증의 결론을 정리하면 다음과 같다.

카페인 → 수면장애 유발 & (우울증 or 공황장애) 악화

ㄱ. 적절하다. 수면장애로 병원을 찾은 사람들이 커피를 마신다는 사실이 밝혀진다면 논증의 결론이 강화되겠지만, 수면장애로 병원을 찾은 사람들이 커피를 마시지 않는다는 사실은 '카페인이 수면장애를 일으킨다.'는 논증의 결론을 강화하지 않는다.

ㄴ. 적절하지 않다. 논증에 따르면, 우울증을 앓고 있는 청소년은 건강한 청소년보다 카페인 음료를 많이 섭취한다. 그런데 우울증을 앓고 있는 청소년이 건강한 청소년은 섭취하지 않는 무카페인 음료를 더 많이 섭취한다는 사실은, 카페인이 우울증과 관련이 있다는 논증의 결론을 강화하지 않는다.

ㄷ. 적절하지 않다. 발작 현상과 공포감에 관련된 논증 내용을 정리하면 다음과 같다.
〈카페인 섭취 → 심장 자극 → 심박수 증가 → 공포감↑ → 발작〉
그런데 발작 현상과 공포감이 무관하다는 사실이 밝혀진다면 '공포감↑ → 발작'이 성립한다고 할 수 없다. 따라서 논증의 결론을 도출한 전제가 부정된 것이므로 논증의 결론은 강화될 수 없고 오히려 약화될 수 있다.

# 288

| 정답 | ④ | 내용 영역 | 인문 |
|---|---|---|---|
| 난이도 | ★★☆ | 문항 유형 | 논증 평가 및 문제 해결 |

**접근 전략**

밑줄 친 주장은 우리가 "어떤 것을 안다"라고 말할 수 있는 필요충분조건을 제시한다. 이 주장은 다음과 같이 재진술될 수 있다.

ⅰ) 어떤 것을 안다. → 세 조건(진리, 믿음, 정당화)을 모두 만족한다.
ⅱ) 세 조건(진리, 믿음, 정당화)을 모두 만족한다 → 어떤 것을 안다.

'P이면 Q이다'라는 명제는 'P임에도 Q가 아닌 사례'를 제시하면 거짓이 된다. 따라서 밑줄 친 주장을 반박하려면 어떤 것을 알고 있다고 인정할 수 있지만 세 조건을 모두 만족하지는 않는 경우를 제시하거나(ⅰ에 대한 반례), 세 조건을 모두 만족하지만 어떤 것을 안다고 인정할 수 없는 경우(ⅱ에 대한 반례)를 제시하면 된다.

**제시문 분석 & 해설**

'지식의 세 가지 요소'는 다음과 같다.

'65537이 소수'임을 안다고 할 때,
(1) '65537이 소수'라는 것이 참이어야 한다. (진리 조건)
(2) 내가 '65537이 소수'임을 믿어야 한다. (믿음 조건)
(3) '65537이 소수'라는 내 믿음을 정당화할 수 있어야 한다. (정당화 조건)

① 적절하지 않다. '$\pi$가 유한소수이다'라는 명제 자체가 참이 아니므로 (1)의 조건에 위배된다.
② 적절하지 않다. 정답이 실제 1번이었고 석이가 이를 믿었으므로 (1)과 (2)의 조건은 만족시키지만 (3)의 조건에는 위배된다. 석이의 믿음을 정당화할 수 있는 근거가 없기 때문이다.
③ 적절하지 않다. 실제로 3이 나왔고, 민이가 3이 나올 것을 믿었으며, 마술사가 조작하는 것을 보았으므로 (1), (2), (3) 모두를 정당화할 수 있으며 실제로 민이가 그것을 안다고 말할 수 있는 사례이므로 반박이 될 수 없다.
④ 적절하다. 실제 경찰이 왔으므로 (1)의 조건을 만족시킨다. 그리고 창을 통해 경찰 복장의 두 남자가 경찰차에서 내리는 것을 봤기 때문에 '골목에 경찰이 있다'는 사실을 믿었으며, 이러한 믿음을 정당화할 수 있으므로 (3)의 조건에도 위배되지 않는다. 하지만 경이는 영화배우를 경찰로 잘못 안 것이므로 '골목에 경찰이 있다'는 사실을 알았다고 볼 수 없다. 즉 세 가지 조건에 위배되지 않지만 안다고 말할 수 없는 경우이다.
⑤ 적절하지 않다. 숙이는 '연못에 다섯 마리의 오리가 있다'는 것을 믿었고 연못에서 그 사실을 목격하였으므로 숙이의 믿음은 정당화될 수 있다. 즉 (2)와 (3)의 조건에 위배되지 않는다. 하지만 숙이가 본 오리는 플라스틱으로 된 오리모형이 하나 포함된 것이었으므로 (1)의 조건에 위배되는 사례이다.

# 289

| 정답 | ② | 내용 영역 | 인문 |
|---|---|---|---|
| 난이도 | ★★☆ | 문항 유형 | 논증 평가 및 문제 해결 |

### 접근 전략
이 문제에서, 역설적 상황은 '니코드 조건'과 '동치 조건'을 모두 받아들이는 경우 가설과 전혀 무관한 사례가 가설을 입증하게 되는 것이다. 선지의 방안을 적용함으로써 이러한 상황을 해소할 수 있는지를 예측하여 판단한다.

### 제시문 분석 & 해설
가설(H1) : "까마귀는 모두 검다."
가설(H2) : "검지 않은 것은 모두 까마귀가 아니다."
가설(H3) : "까마귀이거나 까마귀가 아닌 대상은 모두 까마귀가 아니거나 검은색이다."
관찰 사례(a) : 까마귀 & 검은색
관찰 사례(b) : 까마귀 & ~검은색
관찰 사례(c) : ~까마귀 & 검은색
관찰 사례(d) : ~까마귀 & ~검은색

가설들과 관찰 사례가 위와 같다고 할 때, '니코드 조건'에 따른 가설과 관찰 사례의 관계는 다음과 같다.

| | 가설(H1) | 가설(H2) | 가설(H3) |
|---|---|---|---|
| 관찰 사례(a) | 입증 사례 | 무관한 사례 | 입증 사례 |
| 관찰 사례(b) | 반증 사례 | 반증 사례 | 반증 사례 |
| 관찰 사례(c) | 무관한 사례 | 무관한 사례 | 입증 사례 |
| 관찰 사례(d) | 무관한 사례 | 입증 사례 | 입증 사례 |

가설(H1), 가설(H2), 가설(H3)은 모두 논리적으로 동치 관계에 있으므로 이러한 '니코드 조건'과 "한 가설을 입증하면, 그 사례는 그 가설과 논리적으로 동치인 모든 가설들 역시 입증한다."는 '동치 조건'을 동시에 받아들이는 경우 다음과 같은 까마귀의 역설이 발생한다.
(1) 가설(H1)과 가설(H2)에 적용한 결과 : 관찰 사례(d)와 관찰 사례(a)가 각각 가설(H1)과 가설(H2)를 입증하므로, 무관한 사례였던 빨간 장미나 푸른 나뭇잎 등도 가설(H1)을 입증하는 사례가 된다.
(2) 가설(H1)과 가설(H3)에 적용한 결과 : 관찰 사례(c)와 관찰 사례(d) 모두 가설(H3)을 입증하므로, 노란색 자동차나 검은 고양이도 가설(H1)을 입증하는 사례가 된다.

① 적절하다. 니코드 조건 외에 동치 조건으로 인한 역설적 상황을 피할 수 있는 조건을 추가함으로써 까마귀의 역설을 해소할 수 있을 것이다.
② 적절하지 않다. 니코드 조건과 동치 조건을 동시에 적용시키는 경우 발생할 수 있는 역설적 상황의 발생은 논리적으로 동치인 가설 H1, H2, H3에 대한 입증 사례가 서로 다를 수 있기 때문이지 반증 사례가 다르기 때문이 아니다.
③ 적절하다. 입증 사례에 동치 조건을 적용할 수 없다는 것을 밝히는 것도 까마귀의 역설을 해결하는 하나의 방법일 것이다.
④ 적절하다. 논리적 동치 이상의 내용적 일치가 요구된다면 가설과 전혀 무관한 관찰 사례가 입증 사례가 되는 경우는 없을 것이다.
⑤ 적절하다. H1과 H2를 각각 별개로 입증되어야 할 독립적인 가설로 본다는 것은 결국 동치 조건이 적용되지 않는다는 것을 의미하므로 까마귀 역설을 해소하는 하나의 방법이 될 것이다.

# 290

| 정답 | ④ | 내용 영역 | 인문 |
|---|---|---|---|
| 난이도 | ★★★ | 문항 유형 | 논증 평가 및 문제 해결 |

### 접근 전략
제시문에 나타난 주장과 그 논거와 양립할 수 없는 사실을 파악하여 풀이한다.

### 제시문 분석 & 해설
제시문에 제시된 주장(㉠)을 분석하면 다음과 같다.
㉠ : 유전자의 수는 형질 다양성을 설명하기에 부족하며, 유전자와 환경이 상호작용하여 인간의 행동 양식을 결정하므로 인간은 자유의지를 발휘함

ㄱ. 약화하지 않는다. ㉠은 인간의 다양한 행동을 설명하기에는 유전자의 수가 부족하므로 인간의 행동이 유전자에 의해 결정되지 않는다는 주장을 하고 있다. 그런데 인간보다 더 많은 유전자를 가진 동물이 있다면, 그 동물의 행동 양식이 유전자에 의해 결정될 가능성이 높을 수는 있지만 무엇이 인간의 행동을 결정할지는 설명하지 않는다. 그러므로 ㄱ의 진술은 ㉠을 약화하지 않는다.
ㄴ. 약화한다. ㉠은 유전자와 외부 환경이 상호작용하여 인간의 행동 양식이 결정되므로 인간이 자유의지를 발휘할 수 있는 존재임을 주장한다. 그러나 ㄴ의 진술대로 유전자와 환경의 상호작용으로 인해 인간의 행동이 결정되는 것이 인간의 자유의지를 부정하는 것이라면 이는 ㉠을 약화한다고 볼 수 있다.
ㄷ. 약화한다. ㉠은 인간의 다양한 행동을 설명하기에는 유전자의 수가 부족하다는 것이다. 만일 인간 행동이 일정 패턴으로 유형화되고, 이렇게 유형화된 행동 패턴들을 설명하기에 유전자의 수가 부족하지 않다면 ㉠은 설득력을 잃는다.

# 291

정답 | ⑤     내용 영역 | 과학기술
난이도 | ★★★     문항 유형 | 논증 평가 및 문제 해결

**접근 전략**

제시된 가설의 가정과 결론을 정확히 파악하고, 어떠한 사실이 드러날 경우 가설과 양립할 수 있거나 가설을 지지하는지 혹은 가설과 양립할 수 없거나 가설이 잘못되었음을 보이는지를 판단한다.

**제시문 분석 & 해설**

○ 과학적 사실 : 지표면에서 검출되는 이리듐은 우주 먼지나 운석 등을 통해 오랜 시간에 걸쳐 지구 표면에 내려앉아 생긴 것이다.
○ 앨버레즈의 가정 : 이리듐 양의 증가 속도가 일정하고 가정하면, 이리듐의 양을 통해 지층이 퇴적되는 데 걸린 시간을 측정할 수 있다.
○ 관찰된 사실 : K/T경계층의 이리듐 양은 평균보다 30배 많다.
○ 앨버레즈의 판단 : 퇴적이 다른 지층에 비해 1/30 속도로 천천히 이루어졌거나 이 시기에 대량의 이리듐이 지구 밖에서 왔다. 다른 증거들을 종합해 볼 때, 이 K/T경계층이 매우 천천히 퇴적되었다고 볼 수 없다.
○ 앨버레즈의 결론 : 약 6,500만 년 전 지름 10킬로미터 크기의 소행성이 지구와 충돌했고 이 충돌에서 생긴 소행성과 지각의 무수한 파편들이 대기를 떠돌며 지구 생태계를 교란함으로써 대멸종이 일어나 공룡이 멸종했다.

① 적절하다. 앨버레즈의 결론이 옳다면, 신생대 제3기(T) 이전에 공룡은 멸종하였으므로 신생대 제3기 이후 공룡 화석은 발견되지 않을 것이다. 따라서 신생대 제3기 이후에 형성된 지층에서 공룡 화석이 대량으로 발견된다면, 앨버레즈의 결론은 약화된다.
② 적절하다. 앨버레즈의 결론은 약 6,500만 년 전 대멸종에 대한 것이다. 앨버레즈의 결론과는 무관하게 그보다 앞선 시기에 다른 대멸종이 있었을 수 있고, 그 원인이 약 6,500만 년 전 대멸종의 원인과 다를 수 있다. 따라서 고생대 페름기에 일어난 대멸종이 소행성 충돌과 무관하게 진행되었다는 사실이 입증되더라도 앨버레즈의 결론은 강화되지 않는다.
③ 적절하다. 앨버레즈의 결론은 이리듐이 퇴적되는 속도가 일정하다는 가정에 기초하고 있다. 만약 동일한 시간 동안 우주먼지로 지구에 유입되는 이리듐의 양이 일정하지 않고 큰 변화폭을 지닌다는 사실이 입증되면 이는 앨버레즈의 가정을 부정하는 것이다. 따라서 앨버레즈의 결론은 약화된다.
④ 적절하다. K/T경계층의 아래쪽에서는 공룡 화석이 발견되지만, 위쪽에서는 발견되지 않는다. 앨버레즈의 결론은 이탈리아 북부의 지층이 K/T경계층이라는 가정에 기초한다. K/T경계층이 아닌 다른 시기의 지층을 연구하여 공룡 멸종의 원인을 밝혔다면, K/T경계층 아래쪽에서는 공룡 화석이 발견되고 위쪽에서는 발견되지 않는다는 사실에 대해 설명할 수 없게 된다. 따라서 앨버레즈가 조사한 이탈리아 북부의 지층이 K/T경계층이 아니라 다른 시기에 형성된 지층이었음이 밝혀질 경우 앨버레즈의 결론은 약화된다.
⑤ 적절하지 않다. 앨버레즈의 결론은 지름 10킬로미터 규모의 소행성이 지구에 충돌한 사건 때문에 공룡이 멸종했다는 것이다. 만약 K/T경계층 형성 시기 이외에 공룡이 존재했던 다른 시기에도 지름 10킬로미터 규모의 소행성이 드물지 않게 지구에 충돌했다면, K/T경계층 형성 이전에도 충돌이 있었을 것이고, 앨버레즈에 따르면 그때 공룡이 멸종했어야 한다. 이는 K/T경계층이 형성되던 시기에 일어난 소행성 충돌이 공룡멸종의 결과를 가져왔다는 앨버레즈의 결론을 부정하므로 ⑤의 경우 앨버레즈의 결론은 약화된다.

# 292

정답 | ②     내용 영역 | 과학기술
난이도 | ★★★     문항 유형 | 논증 평가 및 문제 해결

**접근 전략**

일정한 형식에 따라 논증을 재구성하면 문제를 효율적이고도 정확하게 해결할 수 있다. 논증 (가)와 (나)는 가정한 전제로부터 모순되거나 불합리한 결론이 도출됨을 보임으로써, 가정한 전제가 옳지 않음을 증명하는 귀류법의 방식을 활용하고 있다. 귀류법은 연역논증으로서 타당한 논증이다. 추리논증에서 '타당하다'는 말은 '논리적 타당성'을 의미하는 것으로 '전제가 참이라고 가정할 경우 결론이 반드시 참이 된다'는 것을 가리킨다.

**제시문 분석 & 해설**

〈논증 (가)〉

| 가정 | 무거운 물체일수록 더 빨리 떨어진다. |
|---|---|
| 전제1 | [가정]이 옳다면 〈사고실험〉 결과, 더 무거운 C가 A보다 더 빨리 떨어질 것이다. |
| 전제2 | 〈사고실험〉에 따르면 $t_C$는 $t_A$보다는 크고, $t_B$보다는 작다. |
| 중간결론 | 따라서 더 무거운 C가 A보다 더 늦게 떨어진다. |
| 결론 | 따라서 무거운 물체일수록 더 빨리 떨어지는 것은 아니다. (생략된 최종 결론) |

〈논증 (나)〉

| 가정 | 가벼운 물체일수록 더 빨리 떨어진다. |
|---|---|
| 전제1 | [가정]이 옳다면 〈사고실험〉 결과, 더 가벼운 A가 C보다 더 빨리 떨어질 것이다. |
| 전제2 | 〈사고실험〉에 따르면 $t_C$는 $t_B$보다는 크고, $t_A$보다는 작다. |
| 중간결론 | 따라서 더 가벼운 A가 C보다 더 늦게 떨어진다. |
| 결론 | 따라서 가벼운 물체일수록 더 빨리 떨어지는 것은 아니다. (생략된 최종 결론) |

ㄱ. 적절하지 않다. 논증 (가)가 타당하다는 말은 논증 (가)의 전제1, 2가 모두 참일 경우 결론이 참이 된다는 것이다. 결론이 참이면 전제1이 불합리하게 되므로 가정이 옳지 않게 됨을 알 수 있다. 따라서 논증 (가)에서는 무거운 물체일수록 더 빨리 떨어지는 것은 아니라는 사실이 도출된다.
ㄴ. 적절하다. 논증 (나)가 타당하다면, 논증 (나)의 전제1, 2가 모두 참일 경우 결론이 참이 된다. 결론이 참이면 가정이 옳지 않게 되므로 논증 (나)에서는 가벼운 물체일수록 더 빨리 떨어지는 것은 아니라는 사실이 도출된다.
ㄷ. 적절하지 않다. 논증 (가)와 (나)는 귀류법의 연역논증 형식이므로 모두 타당한 논증에 해당한다. 따라서 논증 (가)와 (나)는 동시에 타당할 수 있다.

※ 타당하다 : 일상적 용법에서 '타당하다'는 말은 '올바르다', '참이다'라는 뜻까지 담고 있는 것으로 사용되는 경우가 많다. 이렇게 이해하더라도 '논증 (가)와 (나)가 타당하다'는 말은 '논증 (가)와 (나)가 참이다'는 의미이므로 보기 ㄱ~ㄷ의 풀이과정은 위 해설과 큰 차이가 없다. 특히 보기 ㄷ의 경우 '논증 (가)와 (나)가 동시에 참일 수는 없다'로 해석될 수 있는데, 논증 (가)의 최종 결론은 '무거운 물체일수록 더 빨리 떨어지는 것은 아니다'이고, 논증 (나)의 최종 결론은 '가벼운 물체일수록 더 빨리 떨어지는 것은 아니다'이다. 그러므로 무거운 물체와 가벼운 물체가 동시에 떨어지는 경우에 논증 (가)와 논증 (나)는 동시에 참일 수 있게 된다.

## V 논증 평가 및 문제 해결

# 293

| 정답 | ⑤ | 내용 영역 | 사회 |
|---|---|---|---|
| 난이도 | ★★★ | 문항 유형 | 논증 평가 및 문제 해결 |

**접근 전략**

선지에 진술된 특정 사례가 제시문에 포함된 가설에 어떤 영향을 주는지 평가하는 '강화 또는 약화' 유형의 문제이다. 제시된 사례의 조건을 잘 살피고 각각의 조건을 적용할 때 가설과 같은 결론이 나오는지 확인하여 같은 결론이 나오면 가설을 강화한다고 판단하면 될 것이다. 특히 선지 ④에서는 필요한 조건 중에서 어떠한 조건이 결여되었는지 잘 따져볼 필요가 있다.

**제시문 분석 & 해설**

〈로렌츠의 주장〉

새끼오리가 어미를 쫓아가는 데는 유전, 환경, 타이밍 세 가지가 함께 영향을 미친다.

이를 다시 정리하면 다음과 같다.

> 새끼오리는 부화 후 12시간 또는 13시간 사이에 첫 번째로 보이는
>               └ 타이밍                    └ 환경(학습)
> 움직이는 물체에 각인된다.
>              └ 유전

① 적절하다. 새끼오리가 부화 직후부터 다른 어미와 지낸 경우, 다른 어미에 각인되어 실제 어미가 아닌 그 다른 어미를 따라 다닌다는 사실은 부화 직후부터(타이밍) 첫 번째로 보이는 움직이는 다른 어미(환경)에 각인(유전)되었다는 로렌츠의 주장을 강화한다.

② 적절하다. 항상 혼자 다니는 새끼오리들을 조사한 결과 이들이 부화 후 만 하루 동안 움직이는 물체와 완전히 격리되어 있었다는 점이 밝혀졌다면, 환경적인 요소가 빠져서 움직이는 물체를 따라다니는 학습을 하지 못한 경우이다. 따라서 로렌츠의 주장을 강화한다.

③ 적절하다. 로렌츠에 따르면 부화 후 10시간 동안 격리되었다가 그 이후부터는 실제 어미와 지낸 새끼오리들의 경우, 실제 어미와 지낸 시간이 '타이밍'이 된다. 그리고 이 시기에 첫 번째로 움직이는 물체가 실제 어미였으므로 실제 어미에 각인되어 실제 어미를 따라 다닐 것이다. 따라서 로렌츠의 주장을 강화한다.

④ 적절하다. 로렌츠에 따르면 부화 후 만 하루 동안 실제 어미와 완전히 격리되어 있던 새끼오리들의 경우 타이밍과 환경적인 요소가 없기 때문에 실제 어미를 따라다니지 않을 것이다. 따라서 이 경우 새끼오리들이 실제 어미를 따라다는 것으로 밝혀진다면 로렌츠의 주장은 설득력이 떨어진다.

⑤ 적절하지 않다. 로렌츠에 따르면 부화 후 하루가 지나 다른 어미와 지내기 시작한 새끼오리들의 경우 각인이 될 타이밍에 다른 어미와 접촉하지 않았기 때문에 다른 어미를 따라다지지 않을 것이다. 따라서 이 경우에 다른 어미를 따라다니지 않는 것으로 밝혀졌다면, 로렌츠의 주장은 강화될 것이다.

# 294

| 정답 | ③ | 내용 영역 | 인문 |
|---|---|---|---|
| 난이도 | ★★★ | 문항 유형 | 논증 평가 및 문제 해결 |

**접근 전략**

두 가지 견해를 비교·분석하여 각 견해의 입장에서 〈보기〉의 각 주장을 수용할 수 있는지 여부를 판단하는 문제이다.

**제시문 분석 & 해설**

공리주의는 동일한 강도의 행복을 동등하게 고려하지만, 이미 실제로 존재하고 있는 생명체와 앞으로 존재할 생명체의 행복까지 고려해야 하느냐에 따라서는 실제적 견해와 전체적 견해로 나뉜다.

| | 실제적 견해 | 전체적 견해 |
|---|---|---|
| 행복은 누구의 것인가 | 나의 행복, 너의 행복 모두 동등하게 도덕적으로 가치가 있음 | |
| 행복 주체의 범위 | 이미 존재하는 사람의 행복의 양을 증가시키는 것이 도덕적으로 중요함 | 이미 존재하는 사람의 행복의 양을 증가시키는 것, 새로운 존재를 만들어 행복의 양을 늘리는 것 모두 도덕적으로 중요함 |

단, 전체적인 견해는 (1)의 방법과 (2)의 방법을 모두 옳다고 할 뿐 어느 것이 더 가치 있는 것인지 판단하지 않는다.

제시문의 분석에 따른 두 견해를 〈보기〉 A, B, C의 사례에 적용하면 다음과 같다.

| | 아이 입양-(1)의 방법 | 아이 낳음-(2)의 방법 | 평가 |
|---|---|---|---|
| A | ○ | ○ | • 실제적 견해 : 수용 불가<br>• 전체적 견해 : 수용 가능 (①번 선지) |
| B | ○ | × | • 실제적 견해 : 수용 가능 (④번 선지)<br>• 전체적 견해 : 수용 불가 (②번 선지) |
| C | × | ○ | • 실제적 견해 : 수용 불가 (⑤번 선지)<br>• 전체적 견해 : 수용 불가 (③번 선지) |

선지 ③의 경우 전체적인 견해를 받아들일 경우 C를 수용할 수 없는 이유는 전체적인 견해가 (1)의 방법과 (2)의 방법 중 어느 것이 도덕적으로 더 가치 있다고 판단하지 않는 것에 반해 C는 (1)의 방법보다 (2)의 방법이 도덕적으로 더 가치 있다고 판단하고 있기 때문이다. 또한 전체적 견해 역시 공리주의인데, 공리주의는 '나의 행복과 너의 행복' 중 어느 것이 더 도덕적 가치가 있다고 생각하지 않는다. 그런데 C는 내 아이의 행복이 다른 아이의 행복보다 도덕적으로 더 가치 있다고 하여 공리주의의 기본 원칙에 어긋난다. 따라서 공리주의의 일종인 전체적 견해가 C를 받아들일 수 없을 것이다.

따라서 정답은 ③이다.

# 295

정답 | ③  내용 영역 | 과학기술
난이도 | ★★★  문항 유형 | 논증 평가 및 문제 해결

접근 전략
제시문의 문장들이 다소 길고, 하나의 개념을 여러 개의 다른 표현으로 나타내고 있어서 논지 파악이 까다로울 수 있다. 이 경우 명확하게 주장이 제시된 문장을 중심으로 제시문에 대한 이해를 넓혀 가면 논지 파악에 도움이 된다.

제시문 분석 & 해설

〈생명에 관한 목적론적 설명〉
'목적론'은 미래가 현재를 결정한다는 견해이나, 어떤 목적이든 그 실현 과정은 인과법칙에 따라 이루어져야 하므로, 미래가 현재를 결정한다고 말할 수 없는 '인과법칙과 상충'하는 문제가 생김

〈'목적론'을 대체하는 설명〉
생명의 생장과 발달 과정은 '목적론'을 끌어들이지 않더라도 설명이 가능하다. 다윈의 경우 '우연이 낳은 변화+자연에 의한 선택' 개념으로 진화를 설명

〈논지〉
생명의 생장과 발달 과정은 인과법칙과 상충하는 목적론을 끌어들이지 않고도 설명이 가능하다.

① 약화하지 않는다. 다윈의 설명이 인과법칙 이외에 목적론적 개념을 필요로 하지 않는다는 점은 이 글의 논지를 뒷받침하는 것이므로 ①은 논지를 약화하지 않는다.

② 약화하지 않는다. 개체 간의 차이가 미래의 목적에 맞게끔 조정된 것이 아니라 환경 조건의 변화에 적응하는 과정에서 나타난다는 것은 논자가 근거로 삼는 '자연에 의한 선택'을 뒷받침하는 진술이므로 논지를 약화하지 않는다.

③ 약화한다. 논지에 따르면 생명의 생장과 발달 과정은 목적론이 아니라 우연이 낳는 변화와 자연에 의한 선택이라는 다윈의 진화론으로 설명 가능하다. 그런데 ③은 우연이 낳는 변화의 발생가능성을 부정하고 있어 논지가 참이 아닐 가능성을 제기하고 있다. 따라서 ③은 논지를 약화한다.

④ 약화하지 않는다. ④는 생명체의 생장과 발달 과정에 우연과 인과법칙으로 설명이 가능하다는 의미이므로 논지를 뒷받침한다. 따라서 ④는 논지를 약화하지 않는다.

⑤ 약화하지 않는다. 논지에 따르면 생명의 생장과 발달 과정은 목적론에 의존하지 않고 다윈의 진화론(현존하는 종들 간의 체계적 질서가 종 발생의 역사적 질서를 반영)으로 설명할 수 있다. 그리고 '다양한 시대의 지층에 대한 지질학적 탐구의 성과 역시 이런 추리를 적극적으로 지지한다.'고 하여 논지의 근거를 든다. 이때 지질학이 왜곡 없이 생태 기록을 보존하고, 지층의 구조가 지층 형성에 관한 시간 질서를 반영한다면 이는 지질학적 탐구의 성과를 뒷받침하여 논지가 참일 가능성을 높여준다. 따라서 ⑤는 논지를 약화하지 않는다.

# 296

정답 | ④  내용 영역 | 과학기술
난이도 | ★★★  문항 유형 | 논증 평가 및 문제 해결

접근 전략
각 사람이 전개하는 논증의 핵심을 정리한 다음 선지를 순서대로 판단한다. 논증의 핵심을 정리할 때는 각 논증마다 결론이 어떻게 다른지를 중심으로 접근한다. 또한 선지 판단에 있어 서로 반대되는 주장을 모두 약화시키는 논증이 존재할 수 있음에 유의해야 한다.

제시문 분석 & 해설

| 갑 | 유기농 식품 섭취가 오히려 특정 박테리아의 감염 가능성을 높이기 때문에 유기농 식품이 건강에 별 도움이 되지 않는다는 A팀의 결론은 매우 설득력이 있다. |
|---|---|
| 을 | A팀이 검토한 연구는 2년 이하의 짧은 기간 동안 섭취한 유기농 식품의 유해성인데, 2년은 건강에 대한 전체적인 영향을 평가하기에는 충분하지 않기 때문에 유기농 식품이 유익한 것이 아니라고 결론짓는 것은 성급하다. |
| 병 | 일반 식품 또한 유기농 식품과 같이 잔류 농약 기준치를 넘지 않았고 기준치 이하에서는 두 식품의 인체에 대한 유해성을 논하는 것이 무의미하기 때문에 유기농 식품은 일반 식품에 비해 특별히 유익한 것은 아니다. |
| 정 | 유해성에 대한 연구들의 한계와 영양소 측면을 종합적으로 고려하면 유기농 식품은 건강에 도움이 된다. |
| 무 | 유기농 농사 방법뿐 아니라 유전적 다양성, 토질 등 다양한 요소들이 농산물에 영향을 주기 때문에 유기농이냐 아니냐를 건강에 더 좋은 식품 여부의 결정 기준으로 삼을 수 없다. |

① 적절하다. 을의 논증에 따르면 A팀의 조사를 따라 유기농 식품이 유익한 것이 아니라고 결론짓는 것은 성급하다. 따라서 을의 논증은 A팀의 결론이 매우 설득력 있다는 갑의 논지를 약화한다.

② 적절하다. 병의 논증에 따르면 유기농 식품은 일반 식품에 비해 특별히 유익하지 않다. 이는 유기농 식품이 건강에 별 도움이 되지 않는다는 A팀의 결론을 뒷받침한다. 따라서 병의 논증은 A팀의 결론이 매우 설득력 있다는 갑의 논지를 강화한다.

③ 적절하다. 정의 관점에서 보면 병은 인체에 대한 유해성 여부만으로 유기농 식품의 유익성을 판단하고 있다. 그런데 정은 인체에 대한 유해성 여부만이 아니라 영양소 측면까지 고려하면 유기농 식품의 유익성 판단이 달라진다고 한다. 따라서 정의 논증은 병이 간과한 측면인 영양소 측면을 지적하고 있다.

④ 적절하지 않다. 무의 논증에 따르면 유기농 여부는 건강에 더 좋은 식품 여부를 결정하는 기준이 될 수 없다. 그런데 갑과 병은 유기농 식품이 건강에 별 도움이 되지 않거나 유익하지 않다고 한다. 즉, 갑과 병은 유기농 여부에 따라 건강에 더 좋은 식품 여부를 결정하고 있는 것이다. 따라서 무의 논증에 따르면 갑과 병의 논지는 모두 강화되는 것이 아니라 모두 약화된다.

⑤ 적절하다. 무의 논증에 따르면 유기농인지의 여부는 건강에 더 좋은 식품 여부를 결정하는 기준이 될 수 없다. 그런데 정은 유기농 식품이 건강에 도움이 된다고 한다. 즉, 정은 유기농 여부에 따라 건강에 더 좋은 식품 여부를 결정하고 있는 것이다. 따라서 무의 논증에 따르면 정의 논지는 약화된다.

# 297

| 정답 | ① | 내용 영역 | 과학기술 |
|---|---|---|---|
| 난이도 | ★★★ | 문항 유형 | 논증 평가 및 문제 해결 |

**접근 전략**

제시문의 논증을 정확하게 재구성해야 선지 판단이 수월하다. 이때 전제와 중간결론, 최종결론을 잘 구별해야 ④와 같은 선지를 오답으로 판단할 수 있다.

**제시문 분석 & 해설**

〈논증 재구성 (1)〉

| (1) | α-케로틴 분자는 나선 구조를 가지고 있다. |
|---|---|
| (2) | DNA는 α-케로틴과 흡사한 화학적 특성들을 지녔다. |
| (3) | 화학적 특징이 유사한 경우 분자의 구조도 유사하다. (생략된 전제) |
| (4) | 따라서 DNA 분자는 나선 구조를 가지고 있다. |

〈논증 재구성 (2)〉

| (1) | DNA의 X선 회절사진을 볼 때 나선 가닥의 수는 둘(이중나선) 아니면 셋(삼중나선)이다. |
|---|---|
| (2) | 염기가 바깥쪽에 있는 삼중나선 모형이 옳다면 DNA 분자와 결합할 수 있는 물 분자의 개수가 너무 적다. |
| (3) | 자연 상태의 DNA 분자는 많은 수의 물 분자와 결합하고 있다. |
| 중간결론 | 따라서 염기가 바깥쪽에 있는 삼중나선 모형이 옳지 않다. (= 염기는 안쪽에 있거나 이중나선 구조이다.) |
| (5) | DNA의 분자는 이중나선 구조이다. (생략된 전제) |
| (6) | DNA의 X선 회절사진 이미지는 염기들이 나선 구조의 중추 안쪽에 있어야 설명된다. |
| 결론 | 따라서 DNA의 분자는 염기들이 안쪽에 있는 이중나선 구조이다. |

① 적절하다. 제시문에 따르면 DNA의 가능한 구조는 다음과 같이 모두 네 가지다.

| | 이중나선 | 삼중나선 |
|---|---|---|
| 안쪽에 중추, 바깥쪽에 염기 | ⓐ | ⓒ |
| 염기가 중추의 안쪽에 배열 | ⓑ | ⓓ |

이 중 논증 재구성 (2)를 통해 논박된 것은 ⓒ이다. ⓓ는 논박되지 않았다.

② 적절하지 않다. 논증 재구성 (1)의 생략된 전제가 부정되면 제시문의 논증이 약화될 수밖에 없다.

③ 적절하지 않다. 논증 재구성 (2)에서 DNA의 분자가 이중나선 구조라는 중간결론을 도출하는 과정에서 'DNA 분자의 염기가 중추 안쪽에 있다'는 사실은 전제로 사용되지 않았다.

④ 적절하지 않다. DNA의 X선 회절사진 이미지는 나선 가닥의 수가 둘(이중나선) 아니면 셋(삼중나선)이라는 판단의 근거로 사용되었지 나선 가닥의 수가 셋이 아니라는 판단의 근거로 사용되지는 않았다.

⑤ 적절하지 않다. DNA 분자의 구조가 나선형이라는 주장은 논증 재구성 (1)에서 도출되었다. 그런데 논증 재구성 (1)에서는 'DNA 분자의 X선 회절사진 이미지'는 판단의 근거로 사용되지 않았다.

# 298

| 정답 | ③ | 내용 영역 | 사회 |
|---|---|---|---|
| 난이도 | ★☆☆ | 문항 유형 | 논증 평가 및 문제 해결 |

**접근 전략**

갑, 을, 병, 정의 대화를 통해 이들 각각이 특정 사례나 정책에 대해 어떠한 입장을 보일지를 예측하는 문제이다. 먼저 갑 ~ 정의 입장에 대한 분석이 선행되어야 할 것이다. 〈보기〉 판단에서는 정답보다 오답을 먼저 찾자. 어떤 이가 특정 정책을 지지할지를 판단하는 것은 어려울 수 있지만 그가 특정 정책을 반대할지를 판단하는 것은 비교적 쉽기 때문이다.

**제시문 분석 & 해설**

갑, 을, 병, 정의 대화는 크게 가족 개념에 대한 갑, 을, 병의 서로 다른 입장이 드러나는 부분과, 가족 지원 정책에 대한 병과 정의 주장이 서로 다른 입장 부분으로 나눌 수 있다.

〈가족의 개념〉

○ 갑 : 가족은 혼인제도로 성립, 가족은 두 명의 성인 남녀와 그들이 출산한 자녀 또는 입양한 자녀로 구성, 가족은 공동의 거주, 생식 및 경제적 협력이 목적
○ 을 : 가족은 둘 이상의 사람들이 함께 거주하면서 지속적인 관계를 유지하는 집단, 가족의 특성은 친밀감과 자원을 나누고 공동의 의사결정을 하며 가치관을 공유하는 것
○ 병 : 핵가족은 전통적 성역할에 기초하여 아동양육, 사회화, 노동력 재생산의 기능을 수행하는 이상적 구조

〈가족 지원 정책〉

○ 병 : 핵가족 구조와 기능을 유지하는 정책 필요
○ 정 : 남성과 여성이 모두 경제활동에 참여할 수 있는 정책 필요

ㄱ. 옳지 않다. 이 사례는 갑이 제시한 가족의 조건 중 어느 것도 위배하지 않는다. '혼인제도', '두 명의 성인 남녀', '그들이 입양한 자녀'는 갑이 제시한 가족의 조건을 모두 만족한다. 갑이 민족과 국적을 가족의 조건으로 언급하지 않은 이상 민족과 국적이 서로 다른 두 남녀가 결혼했다고 해서 가족으로 인정하지 않으리라고 보기 어렵다.

ㄴ. 옳지 않다. 을은 갑과 달리 가족의 조건으로 '혼인'이나 가족 구성원의 성별 등을 내세우지 않는다. 따라서 을에 따르면 동성 간 결합도 '함께 거주하며 지속적 관계를 유지'한다면 가족으로 인정될 수 있다. 그러나 병은 전통적 성역할에 기초한 아동양육, 사회화, 노동력 재생산을 가족의 조건으로 보고 있다. 따라서 병은 그러한 역할 수행이 불가능한 동성 간 결합을 가족으로 인정하지도 지지하지도 않을 것이다.

ㄷ. 옳다. 병은 핵가족의 이상적 구조가 전통적 성역할에 기초한 아동양육 및 사회화, 노동력 재생산이라고 본다. 그런데 '아동보육시설의 확대 정책'은 어머니의 경제활동 지원을 위한 것이므로 전통적 성역할에 기초한 아동양육 및 사회화와는 거리가 멀다. 따라서 병은 아동보육시설 확대보다 아동을 돌보는 어머니에게 매월 일정액을 지급하는 아동수당 정책을 더 선호할 것이다.

ㄹ. 옳다. 정은 남성과 여성 모두가 경제활동에 참여할 수 있도록 지원하는 국가 정책이 필요하다고 본다. 무급의 육아휴직보다는 육아도우미 가정파견 전액 지원이 남녀의 경제활동 참여를 지원하는 정책으로 더 적절하다. 따라서 정은 육아도우미 가정파견 전액 지원 정책을 더 선호할 것이다.

# 299

| 정답 | ② | 내용 영역 | 과학기술 |
|---|---|---|---|
| 난이도 | ★★☆ | 문항 유형 | 논증 평가 및 문제 해결 |

접근 전략
A의 주장과 B의 주장, A의 근거와 B의 근거가 다른 부분이 정확히 어디인지를 비교하고 분석해야 선지의 정오를 판단할 수 있다. 특히 ⑤와 같이 새로운 근거가 주어졌을 경우 그것이 누구에게 유리한지를 판단하게 하는 경우, 각 사람이 주장한 근거의 어떤 부분이 새로운 근거의 영향을 받는지를 정확히 찾아야 정오를 가릴 수 있다.

**제시문 분석 & 해설**
제기된 문제는 다음과 같다. "성운들은 우리 은하 내부에 존재하는 별들의 집합인가 아니면 우리 은하 외부에 존재하는 또 다른 은하인가?"
A와 B의 주장을 비교하여 정리하면 다음과 같다.

| A의 주장 | B의 주장 |
|---|---|
| • 성운이 금지 구역에서 관찰되지 않는 것은 우리 은하 밖에 성운이 존재하지 않는다는 증거다.<br>• 안드로메다 은하가 아니라 우리 은하 내에 존재하는 별들의 집합체다. | • 성운이 금지 구역에서 관찰되지 않는다는 것이 우리 은하 밖에 성운이 존재하지 않는다는 증거가 될 수 없다.<br>• 안드로메다가 우리 은하 내에 존재하는 별들의 집합체라고 단정할 수 없다. |
| 성운은 우리 은하 내에 존재하는 별들의 집합체다. | 성운은 우리 은하와 독립된 은하이다. |

① 적절하다. A가 옳으면 우리 은하가 유일한 은하이지만 B가 옳으면 우리 은하는 유일한 은하가 아니다.
② 적절하지 않다. B는 안드로메다 성운 이외에도 우리 은하와 모양이 같은 성운들이 존재한다는 것을 근거로 다른 성운들이 우리 은하와 독립된 은하들이라는 주장을 펼친다. 따라서 우리 은하와 같은 모양의 성운이 더 많이 발견되면 B의 근거가 뒷받침되므로 B의 주장은 약화되는 것이 아니라 오히려 강화될 것이다.
③ 적절하다. B는 금지 구역에 성운이 존재하지 않는 것이 아니라 금지 구역에 있는 다른 성운들의 빛이 지구에 잘 전달되지 않아서 생긴 것일 뿐이라고 한다. 따라서 금지 구역에 성운들이 존재한다는 사실이 확인된다면 B의 주장은 강화될 것이다.
④ 적절하다. A는 금지 구역이 존재하는 원인이 우리 은하의 독특한 구조라고 보는 반면 B는 금지 구역이 존재하는 원인이 빛의 전달이 원활하지 않은 것으로 봄으로써 A의 주장을 반박한다.
⑤ 적절하다. A는 안드로메다 성운에서 가장 어두운 별의 밝기는 안드로메다 성운의 전체 밝기의 대략 1,000분의 1 정도였음을 근거로 안드로메다 성운이 최대 1,000개의 별들로 이루어졌을 것이라고 한다. 그런데 안드로메다 성운에서 가장 어두운 별의 밝기가 안드로메다 성운의 전체 밝기의 대략 100만분의 1 정도라면 안드로메다 성운은 최대 100만 개의 별들로 이루어졌을 것이라고 볼 수 있다. 이러한 규모는 우리 은하와 비슷한 지위에 있다고 볼 수 있으므로 안드로메다 성운이 은하가 아닌 별들의 집합체라는 A의 주장은 약화된다.

# 300

| 정답 | ③ | 내용 영역 | 사회 |
|---|---|---|---|
| 난이도 | ★☆☆ | 문항 유형 | 논증 평가 및 문제 해결 |

접근 전략
세 사람의 견해를 분석하여 규제의 대상이 될 수 있는 행동과 타인의 권리를 침해하는 행동 간의 포함관계를 정리하여 옳게 평가한 진술을 고르는 문제이다.

**제시문 분석 & 해설**
'P이면 Q이다.'는 'P → Q'로 표현할 수 있으며, 이때 Q를 P이기 위한 필요조건이라 하고 P를 Q이기 위한 충분조건이라 한다.

〈A, B, C 입장〉
A : 타인의 권리를 침해하는 행동 → 규제의 대상이 될 수 있는 행동
B : 규제의 대상이 될 수 있는 행동 → 타인의 권리를 침해하는 행동
C : 모든 행동이 규제의 대상이 될 수 있음

① 옳지 않다. C는 모든 행위가 규제의 대상이 될 수 있다고 하므로 A가 규제의 대상이라고 보는 행위는 모두 C가 규제의 대상이라고 보는 행위에 포함된다. 따라서 A가 규제의 대상이라고 보는 행위 가운데 C가 규제의 대상이 되지 않는다고 하는 행위는 없을 것이다.
② 옳지 않다. A에 따르면 권리를 침해하지 않아도 규제의 대상이 되는 행동이 있다. 그런데 B에 따르면 권리를 침해하지 않아도 규제의 대상이 되는 행동이 없다. 따라서 규제의 대상이 되는 행동의 범위에 있어서 A가 B보다 더 넓게 잡고 있는 것이지, B가 A보다 더 넓게 잡고 있는 것은 아니다.
③ 옳다. A는 '타인의 권리를 침해하는 행동 → 규제의 대상이 될 수 있는 행동'이라고 주장하므로 이에 대한 부정은 '타인의 권리를 침해하는 행동 → 규제의 대상이 될 수 있는 행동✕'이다. 따라서 '타인의 권리를 침해하더라도 그 행동이 규제되지 않는 경우'는 A의 반례 경우가 된다.
④ 옳지 않다. B는 '규제의 대상이 될 수 있는 행동 → 타인의 권리를 침해하는 행동'이라고 주장한다. 그런데 '규제의 대상이 될 수 있는 행동 → 타인의 권리를 침해하는 행동✕'라면, 이는 B의 주장을 부정한 것으로 B를 약화시킨다.
⑤ 옳지 않다. C는 '모든 행동이 규제의 대상이 될 수 있다'고 주장하므로 타인의 권리를 침해하는 행위 역시 모든 행동에 포함되므로 규제의 대상이 될 것이다. 따라서 ⑤는 C의 반례가 될 수 없다.

메가로스쿨 M